ARAFAT

Un destin pour la Palestine

Si vous désirez recevoir notre catalogue, il vous suffit d'adresser votre carte de visite aux Éditions Renaudot & Cie, service « Gazette », 7, rue Sainte-Croix de la Bretonnerie, 75004 Paris.

ISBN 2-87742-034-5

RÉMI FAVRET

ARAFAT

Un destin pour la Palestine

Renaudot et Cie
Éditeurs

PROLOGUE

8 février 1988. La grève générale est décrétée à Gaza. Les rues sont vides, les volets clos. Pas un bruit. Un ciel ardoise écrase les maisons sales et des cendres de pneus, des pierres, du verre brisé jonchent ce quartier où vécut autrefois le chef de l'OLP.

Ici Yasser Arafat s'appelle Abou Amar. Un nom de guerre qu'il a choisi dans sa jeunesse et que porta, avant lui, un compagnon du Prophète.

Son portrait danse au gré du vent à la cime d'un pylône, dominant *ach-Chatti,* le « camp de la Mer », chaos de tôles rongées, d'antennes torves, d'où surgissent d'intenses volutes de fumée noire, impétueuses et insolentes : les gamins brûlent des pneus. Ils plantent des clous dans les boîtes de conserves afin de crever les pneus des jeeps israéliennes. Les plus jeunes n'ont même pas cinq ans, et l'un de ces « terroristes » haut comme trois pommes me montre le portrait d'Arafat, en s'écriant : « Papa Noël ! »

Quarante-deux mille palestiniens s'entassent dans ce bidonville, l'un des huits camps de réfugiés, buboniques, insalubres, agglutinés au long de la bande de Gaza. Certains refusent toujours de bâtir en dur ; ils vivent sous des bâches depuis 1948 afin que le monde sache que leur exil est provisoire.

Un moteur hurle. Une jeep hérissée d'armes surgit et

freine aux pieds du pylône en haut duquel tangue le portrait d'Arafat. C'est l'objectif. L'armée de défense d'Israël combat l'image d'un sexagénaire lippu, à la barbe rase, drappé d'un keffieh noir et blanc. Le regard triste, il attend la recrue qui se hisse lourdement au sommet du pylône, fusil d'assaut Galil battant contre les reins.

D'autres jeeps arrivent. Ce sont des *Golani*. Les redoutables commandos du Golan qui guettent en vain depuis quinze ans l'assaut syrien là-haut, au Nord-Est. Mais c'est de l'autre bout du pays qu'est venu le danger, de ces gamins lanceurs de pierres qui défient l'occupation depuis décembre 1987.

Le portrait tombe dans la poussière. En silence, les soldats le piétinent durant une longue minute, sans passion, consciencieux. Ils sont jeunes, pâles, imberbes. Des adolescents. Tout comme ceux qu'ils matraquent, emprisonnent – et souvent tuent – pour avoir brandi le drapeau interdit ou des portraits semblables à celui-ci.

Chaque nuit, le portrait d'Arafat refleurit sur les murs, essaime, copié, photocopié, imprimé en cachette et diffusé sous le manteau, collé la nuit, arraché le jour et recollé entre deux patrouilles. Cette présence visuelle d'Arafat, partout en Palestine, est devenu un cauchemar pour une droite israélienne qui persiste à clamer qu'il « n'y a pas de problème palestinien. »

Pour d'autres, moins nombreux, cette présence obsédante est la preuve qu'il est temps de négocier, de s'asseoir à une table pour discuter d'une paix juste et durable.

Ce matin-là à Gaza, l'heure n'est pas à la négociation. Armés de lance-grenades et de fusils d'assaut, les soldats se déploient le long de la route ocreuse qui cerne le camp de la Mer.

Ils mettent leurs masques à gaz et leurs casques de combat. Un avion rase les toits, pourchassé par des salves dérisoires de billes et de boulons. Premiers jets de pierre. Premières grenades. L'âcre nuage des gaz lacrimogènes enveloppe les ruelles. Les rebelles se replient en suffoquant, tandis que des matronnes distribuent des morceaux d'oignon contre l'effet des gaz, et des mouchoirs imbibés de parfum : *Soir de Vienne, Pot-Pourri...*

Seul au milieu de la rue un adolescent nargue les *Golani.*

« *PLO, Israel no!* »

Il rentrera chez lui très fier, visage en sang. Grenade reçue en tir tendu.

C'est un jour ordinaire à Gaza. Un banal jour d'insurrection. Il y en aura tant d'autres en deux années d'Intifadah. Bilan de l'UNRWA, l'agence de l'ONU pour les réfugiés : un mort, Iyad Akl, 17 ans, qui s'est fait méthodiquement fracasser le crâne à coups de crosse par une patrouille qui abandonnera son corps dans une orangeraie. Quatre cent cinquante-six blessés : membres brisés, commotions cérébrales, paraplégies, blessures par balles à fragmentation, œil crevé par une balle en caoutchouc, bébés suffoqués par les gaz, fausses-couches, vieillards ratonnés dans leurs lits.

Rien, en somme. Le mort fera à peine un entrefilet dans les journaux européens : effet d'accoutumance. « Le pire ennemi de la cause palestinienne », dit souvent Arafat. Pas une ligne sur les blessés.

J'avais rendez-vous avec Faïez, un étudiant de vingt ans à l'université Bir-Zeit, fermée par les Israéliens. Depuis deux jours il avait entrepris de me conter la saga familliale, un résumé typique du drame palestinien. Le grand-père chassé de ses terres en 1948, l'humiliation des défaites arabes au cours des guerres contre Israël, le père, résigné, allant travailler au noir dans une usine israélienne à Ashkelon tandis que des oncles choisissaient la lutte armée dans des camps du Liban, de Jordanie, de Syrie. Plusieurs sont morts maintenant.

Faïez, lui, est né en 1968. En pleine époque des bombes et des détournements d'avions. Il a grandi avec une image d'Arafat accrochée près de son lit.

« Très jeune, dit-il, j'ai été fasciné par lui. J'écoutais tous ses discours sur les radios arabes. D'un côté, les fedayins à l'extérieur sombraient dans une violence sans issue et, ici, les Palestiniens de l'intérieur étaient complètements soumis, abattus par l'occupation. Arafat a compris cette dualité. Il connaît le désespoir des réfugiés, mais aussi la mentalité des paysans. Vingt fois, il a empêché la cause palestinienne de partir à la dérive. Et c'est lui qui a créé les conditions du soulèvement dans les territoires, c'est lui qui nous a rendu la fierté et le courage de nous battre...

« Demande aux jeunes de Gaza ou de Cisjordanie. Ceux de mon âge, surtout. On a vu nos pères impuissants, humiliés par les Israéliens. Par les Arabes, aussi... Arafat, avec sa fièvre, son habileté, son courage, c'est un peu le père qu'on aurait tous aimé avoir. »

Cette bande d'interview, je l'ai réécoutée durant les deux jours où j'ai cherché Faïez. La voix est chaude, mélange de calme et de passion. Peut-être un peu triste. La voix d'un étudiant brillant qui voulait voir le monde.

Quand j'ai retrouvé Faïez, il ne me voyait plus. Il gisait sur un lit de l'hôpital Ahli-Arab, après que les *Golani* l'eussent laissé pour mort dans une ruelle qui débouche sur la plage... La colonne vertébrale cassée, le bassin et un bras dans le plâtre, il souriait sous les hématomes et les tuyaux de perfusion. Des coups portés sur la zone occipitale avaient provoqué une commotion cérébrale, entraînant la cécité.

Ses yeux ne laissaient plus passer la lumière, mais les larmes. Il m'a demandé s'il avait toujours son médaillon autour du cou, et m'a prié de l'ouvrir. Dedans, il y avait une petite carte de Palestine. Et un portrait de Yasser Arafat.

On ne peut rien comprendre à l'histoire du chef de l'OLP – ni à celle de son peuple – sans garder constamment à l'esprit cet effroyable gâchis humain. En deux années de soulèvement palestinien il y a eu des centaines de Faïez, et des milliers de morts depuis le début de cette violence qui ne commence pas avec le terrorisme des années soixante, ni même avec la création d'Israël, mais très loin dans la nuit de l'Histoire.

Toute sa vie Arafat a vécu dans l'urgence. Elle dure pour lui depuis le jour de sa naissance...

CHAPITRE I

UN DESTIN POUR LA PALESTINE

1.

« On a réussi! »

« Le Conseil National Palestinien, au nom de Dieu et au nom du peuple arabe palestinien, proclame l'établissement de l'État de Palestine sur notre terre palestinienne, avec pour capitale Jérusalem-la-Sainte! »

La salle du Palais des Nations, au Club des Pins, dans la banlieue d'Alger, croule sous un tonnerre d'applaudissements. Arafat, étranglé par l'émotion, achève de scander l'acte de naissance du nouvel État...

Il est 1 h 37 du matin, ce 15 novembre 1988. Des ballons sont lâchés de derrière la tribune, tandis qu'Arafat fait le V de la victoire au milieu des youyous de la foule déchaînée. Des membres du Conseil pleurent.

« Nous appelons notre grand peuple à se rallier autour de son drapeau, à en être fier et à le défendre, pour qu'il demeure le symbole de notre liberté et de notre dignité dans une patrie qui restera à jamais une patrie libre pour un peuple d'hommes et de femmes libres! »

Bouleversé, Yasser Arafat descend de la tribune et

embrasse un à un les membres du comité exécutif de l'OLP, ses compagnons de lutte de vingt ou trente ans : Hani el-Hassan et son frère Khaled, Abou Iyad, Nayef Hawatmeh, et même le vieux George Habbache qui a lutté contre Arafat jusqu'à la dernière minute en cette nuit historique mais ne peut, lui non plus, retenir son émotion.

Arafat pleure en serrant dans ses bras Intissar al-Wazir, la femme d'Abou Jihad, le numéro deux de l'OLP abattu en avril 1988 à Tunis par un commando israélien. Sans doute pense-t-il à tous les compagnons qu'il a laissés en route, dans son combat pour parvenir à cet instant...

En tenue d'apparat, la garde républicaine algérienne attaque l'hymne national palestinien, Biladi, « Mon Pays ». Cinq minutes plus tard, le ministre algérien des Affaires étrangères, Boualem Bessaih, monte à la tribune pour annoncer : « J'ai l'honneur de déclarer officiellement la reconnaissance totale et légitime de l'État palestinien par la République algérienne ! » Vingt-six États lui emboîteront le pas dans les quarante-huit heures.

La fête dure toute la nuit à Alger, mais aussi à Gaza et en Cisjordanie, où la foule sort dans les rues et pavoise aux couleurs du nouvel État. « C'est inouï, murmure à l'aube, exténué, un membre du comité exécutif. On a réussi ! »

Réussi quoi ?

La Palestine n'existe encore qu'en théorie. Le nouvel État n'a pas un pouce de territoire où s'installer. « Ce n'est que de l'encre sur du papier », proclame un tract distribué le lendemain par l'armée israélienne. Et personne, à commencer par les Palestiniens eux-mêmes, ne doute qu'il faudra attendre encore longtemps avant qu'il en soit autrement...

Non, la victoire est ailleurs. A travers le symbole du nouvel État, l'OLP vient d'entrer dans une nouvelle ère politique. Une légitimité gagnée de haute lutte sur la scène internationale et imposée aux délégués palestiniens eux-mêmes par Yasser Arafat, qui prépare ce tournant depuis des années.

Pour la première fois, le Conseil National Palestinien a voté à la majorité, et non à l'unanimité. Cela a permis de contourner l'hostilité de George Habbache, le vieux lion du Front populaire de Libération de la Palestine (FPLP), qui a bien voulu accepter la règle majoritaire, mais pas de renier ses principes...

Et, avant même de proclamer la création de l'État, les membres du Conseil National Palestinien ont pris à l'issue de débats survoltés une autre grande décision historique : la reconnaissance des résolutions 181, 242 et 338 des Nations unies, adoptées respectivement en 1947, en 1967 et en 1973.

Ces trois textes courts mais sybillins méritent qu'on s'y attarde, car ils scellent le destin de deux peuples, palestinien et juif, dont l'affrontement bouleverse le monde depuis plus de quarante ans.

Lorsque l'Assemblée générale de l'ONU vote la résolution 181 le 29 septembre 1947, Israël n'existe pas encore. La Palestine vit les derniers mois d'un mandat britannique mis à mal par l'arrivée massive d'immigrants juifs rescapés de l'horreur nazie et par la montée du nationalisme arabe. L'ONU élabore un plan de partition qui ne verra jamais le jour, étouffé par la guerre. « Les États indépendants arabe et juif ainsi que le régime international particulier prévu pour la ville de Jérusalem, indique la résolution 181, commenceront d'exister en Palestine deux mois après que l'évacuation des forces armées de la puissance mandataire aura été achevée et, en tout cas, le 1er octobre 1948 au plus tard. »

En se référant à cette résolution, en préambule de la proclamation de l'État de Palestine, Yasser Arafat reconnaît donc implicitement le droit à l'existence, sur la même terre, d'un autre État : Israël. Et, en se référant à la résolution 242 dans sa déclaration politique, le Conseil National Palestineien va plus loin. Soulignant « l'inadmissibilité de l'acquisition de territoires par la guerre et la nécessité d'œuvrer pour une paix juste et durable », le texte de 1967 réclame le « retrait des forces armées israéliennes des territoires occupés pendant le récent conflit », et réaffirme le droit de chaque État de la région à « vivre en paix à l'intérieur de frontières sûres et reconnues, à l'abri de menaces ou d'actes de force ». L'OLP admet donc ainsi qu'Israël n'a pas seulement droit à exister, mais à vivre en paix.

Quant à la résolution 338, elle renouvelle les exigences de la résolution 242 et « décide que (...) des négociations s'engagent entre les parties intéressées sous les auspices appropriés et en vue d'établir une paix juste et durable au Proche-Orient. »

En un mot : l'OLP est prête à négocier avec Jérusalem.

2.

Arafat chef d'État

Dans toutes les chancelleries du monde, on met du temps à digérer le choc de la réunion d'Alger. « C'est un nouveau pas dans la lutte des organisations terroristes contre l'existence et l'indépendance d'Israël », tranche le premier ministre israélien Yitzhak Shamir. Jérusalem, prise de court, ne s'écarte pas de sa ligne traditionnelle : pas de dialogue avec l'OLP.

Arafat n'y comptait guère. Ce qu'il vise, c'est un revirement des Américains, principaux alliés d'Israël. S'engage alors un irréel bras de fer diplomatique, par médias interposés.

Le « rejet du terrorisme sous toutes ses formes » proclamé par le Conseil National Palestinien ne suffit pas à Washington, qui exige qu'Arafat soit plus explicite. Un mois plus tard, c'est chose faite à Genève, où l'Assemblée générale des Nations-Unies s'est déplacée pour l'entendre.

« Je réaffirme ici une fois encore, en tant que président de l'OLP, tonne-t-il après avoir fait une entrée triomphale en l'absence de la délégation israélienne, que je condamne le terrorisme sous toutes ses formes. Et je salue tous ceux que je vois face à moi dans cette salle qui ont un jour été accusés d'être des terroristes par leurs bourreaux et leurs colonisateurs... Ce sont aujourd'hui des dirigeants investis de la confiance de leurs peuples et de fidèles et sincères partisans des principes et des valeurs de la justice et de la liberté! »

Quelques heures plus tard, réitérant ses engagements au cours d'une conférence de presse animée, il lance avec humour aux journalistes américains : « Qu'est-ce que vous voulez que je fasse de plus? Un strip-tease?

Le lendemain, le Département d'État annonce que les États-Unis engagent sur-le-champ des négociations directes avec l'OLP. « C'est un jour noir pour Israël! » soupire Yithzak Shamir, plus que jamais isolé mais toujours résolu.

La route des capitales européennes s'ouvre désormais à Arafat. On le reçoit en chef d'État à Stockholm, à Madrid et à Rome. A Paris, le 5 avril 1989, les honneurs sont moins grands, mais non pas la signification politique : Arafat profite de son passage sur les bords de la Seine pour déclarer « caduque » la Charte de l'OLP. Des contacts diplomatiques majeurs ont ensuite lieu à Bonn, Londres, Tokyo.

Pour la première fois, la perspective d'un règlement n'est plus bloquée par la présence d'une « nébuleuse terroriste » aux objectifs douteux, mais par l'obstination d'Israël à rejeter le dialogue, à refuser les règlements internationaux et à maintenir l'ambiguïté sur le destin de territoires qu'il occupe depuis 1967, qu'il colonise abusivement et dont les frontières ont déjà disparu des cartes qu'on vend dans les stations-services israéliennes...

Président d'un État de Palestine sans frontières et sans terre, Yasser Arafat est devenu le 15 novembre 1988 un homme d'État reconnu, de droit ou de fait, par le monde entier.

Israël peut encore refuser de lui parler. Il ne peut plus l'ignorer.

3.

L'homme au keffieh

Mais qui est-il, ce petit homme étrange qui force le cours de l'Histoire ? Son mètre soixante-cinq, cette silhouette qui s'est arrondie avec le temps, sa courte barbe grise, clairsemée, des yeux toujours cernés luisant avec intensité, cette bouche lippue et ce keffieh noir et blanc des paysans arabes, devenu un symbole personnel, font partie du décor international depuis plus de vingt ans.

Arafat est aussi une voix. Chaude, incantatoire, toujours portée à de longues coulées lyriques qui soulèvent tous ses auditoires lorsqu'il parle en arabe, elle devient heurtée, chaotique en anglais. Des stéréotypes qui finissent par faire sourire les journalistes ponctuent ses interviews, ses conférences de presse : « It is clear and obvious... » martèle-t-il avec passion.

Mais la rhétorique du combattant laisse filtrer une étonnante vitalité d'esprit, une vision et de surprenantes reparties. Lorsqu'un journaliste lui demanda à Paris s'il espérait vraiment que les Israéliens allaient lui faire confiance, Arafat lance : « Vous savez, au début, ils n'ont même pas cru en Moïse ! »

Ce qui frappe le plus ceux qui rencontrent cet

homme, c'est l'énergie formidable qui se dégage de lui. Qu'il débatte ou combatte, il ne reste jamais en place. Infatigable, il conquiert ses interlocuteurs comme on conquiert une place : en leur donnant l'assaut. Face à un argument solide, il se regroupe, se redéploie, anticipe, surprend. Capable d'une grande mobilité intellectuelle, il peut aussi se buter et ne jamais, jamais céder sur le mot qu'il a décidé de ne pas prononcer.

Autre trait : le « terroriste » est un homme aimable. Chaleureux, attentif, il entoure ses hôtes de prévenances infinies, mais naturelles. Il sert lui-même à table, qu'il reçoive ses compagnons de toujours, un reporter ou un ministre. Il mange peu, vite, en silence. C'est ensuite qu'il se détend, prenant à la nuit quelques heures sur un emploi du temps chargé. Alors, entouré d'amis, de visiteurs, il boit du thé, bavarde, jouant avec un petit chapelet de malachite, et s'adonne au seul vice qu'on lui connaisse : manger du miel.

Sa tenue est austère. La fameuse barbe ? « J'ai la peau sensible, le rasoir m'irrite », avoue-t-il. On ne l'a jamais vu en costume de ville depuis les années soixante. « Je hais cet uniforme, dit-il. Mais je ne l'enlèverai que lorsque j'aurai obtenu une paix juste pour mon peuple... »

Alors il place sa coquetterie dans son keffieh, toujours bien repassé et ajusté avec un soin extrême, surtout la petite pointe, juste au milieu du crâne. Arafat y tient beaucoup.

Il dort quatre heures par nuit, lorsqu'il dort. Toujours à l'aube, entre quatre et huit ou cinq et neuf. A peine éveillé, il prie et reçoit son premier visiteur en même temps que sa première tasse de thé. De temps en temps, il vole quelques minutes de sommeil entre deux rendez-vous, en voiture, en avion. Quelques minutes, pas plus. Comme Einstein, il dort « vite ».

Bourreau de travail, il a dû s'équiper de lunettes pour déchiffrer les centaines de rapports qui passent entre ses mains. Il épluche tout, même les comptes de sa « boutique » : quelque cinq cents millions de dollars par an. Il correspond avec les grands de ce monde, lit chaque jour la presse arabe, occientale et même israélienne. Où qu'il se trouve, fût-ce dans le plus dur des régimes arabes, son exemplaire du *Jerusalem Post* lui parvient, et l'on établit pour lui des synthèses de la presse en hébreu. Chaque matin, avant de s'endormir, il distrait à ses rares heures de repos quelques dizaines de minutes pour se plonger dans un ouvrage d'histoire, de poésie, ou encore un roman. Enfin, et c'est l'un des grands secrets de l'OLP, il tient scrupuleusement un petit journal qui ne le quitte jamais et qui constituera, un jour, un document historique formidable; à travers un demi-siècle d'histoire, il a déjà vu défiler tant de rois, de présidents, de ministres et de messagers secrets...

Personne ne connaît son emploi du temps. Même pas ses gardes du corps. D'une seconde à l'autre, il peut tout changer, sauter dans son avion et aller de Tunis au Caire, du Caire à Bagdad, à Sanaa, Dieu sait où encore...

Les gouvernements irakien et koweitien ont mis des appareils à sa disposition, mais il peut aussi décider d'emprunter celui qu'un milliardaire palestinien a judicieusement « oublié » sur le tarmac de l'aéroport voisin... Une fois, l'un de ces jets a été pris en chasse par l'aviation israélienne. Son pilote personnel n'établit pas de plan de vol et s'est accoutumé à l'idée de changer de cap à mi-parcours.

Arafat ne dort jamais longtemps au même endroit, faisant confiance à ce sixième sens qui l'a sauvé tant de fois. Son aide de camp, ses gardes du corps le suivent depuis plus de quinze ans. Les services de sécurité de l'OLP, sous la houlette d'Abou Iyad, ont tissé des liens avec des services de renseignements occidentaux, socialistes ou arabes, qui les tiennent informés des intentions secrètes d'Israël et de quelques autres ennemis mortels...

« A partir du moment où j'ai commencé le combat, dit Arafat, je me suis fait à l'idée de mourir. C'est le destin – mon destin. *Je n'y pense que d'une façon technique.* »

Sa sécurité repose avant tout sur le mouvement : une opération contre lui demanderait une telle préparation qu'elle est virtuellement impossible, puisque personne ne connaît ses déplacements. Mais, comme le confie Abou Iyad : « Ils exploiteront la moindre faiblesse, le moindre défaut dans notre sécurité. »

Depuis quelques années, l'OLP jouit pour ses communications d'un équipement sophistiqué de fabrication française. En dehors de tous réseaux, Arafat peut en permanence contacter ses lieutenants ou bien les autres membres du comité exécutif. Presque chaque jour, il prend également un moment pour parler avec des militants, par radio, ou tout bêtement par téléphone. J'ai assisté à l'un de ses dialogues émus entre le président de la centrale palestinienne, qui se trouvait à Bagdad, et les camps de réfugiés du Liban assaillis par les milices chiites.

On entendait les bombes. En raccrochant, le chef de l'OLP est demeuré un moment silencieux, visiblement retourné.

Avant même la proclamation de l'État de Palestine, l'OLP d'Arafat fonctionnait comme une véritable république, avec ses ministres, son parlement, son armée et son budget. La Palestine n'a peut-être pas de terre, mais elle a des institutions politiques, culturelles, financières, éducatives et sanitaires. Soixante-quinze représentations diplomatiques, un bureau d'observateur à l'ONU, un siège d'État membre au sein de la Ligue Arabe...

Arafat a beaucoup œuvré pour donner cette surface internationale à l'organisation révolutionnaire des années soixante. Il a convaincu les pays arabes de contribuer à son budget, mais aussi gagné l'appui de la puissante diaspora palestinienne. Le magazine *Fortune* a dénombré quatorze Palestiniens parmi les deux cents hommes les plus riches du monde. A Tunis, ces milliardaires se succèdent eux aussi dans l'antichambre d'Arafat...

Cet entregent compte pour beaucoup dans les relations qu'Arafat entretient avec les autres chefs d'État. Depuis plus de trente ans qu'il écume la scène du Moyen-Orient, il a eu le temps de connaître les maîtres du monde arabe alors qu'ils n'étaient qu'officiers, princes, simples fonctionnaires ou insurgés. Il a croisé Gorbatchev dans des dîners à Moscou dès l'époque de Brejnev, rencontré Mitterrand, alors simple chef de file du parti socialiste, au Caire en 1976.

A la France l'attache un sentiment profond : à cause de certains idéaux révolutionnaires universels et en dépit du soutien militaire apporté à Israël lors du conflit de 1956. Il porte au cou une petite croix de Lorraine que lui a envoyé de Gaulle, lorsqu'ils échangèrent des lettres en 1969. En lui, il admire l'homme du 18 juin et celui qui a rendu la liberté à l'Algérie. Sans doute aussi le visionnaire qui avertissait Abba Eban à la veille de la guerre des Six-Jours : « Ne faites pas cette guerre. Si vous la faites, vous créerez un nationalisme palestinien dont vous ne serez jamais capables de vous débarrasser. »

C'est ce qui s'est passé.

Et, durant sa visite à Paris, en 1989, tandis qu'il contemplait le coucher de soleil sur Notre-Dame depuis la terrasse de l'Institut du Monde arabe, Arafat rayonnait de l'intense satisfaction d'être enfin reconnu « par ce pays dont le nom sonne d'un son particulier au cœur des hommes épris de liberté... »

4.

Pour en finir avec une image

Et l'autre Arafat ? Le boucher dépeint par la propagande israélienne ? Le terroriste au cœur empli de haine ?

Oui, durant une brève période, de 1970 à 1973, Arafat

a couvert, en tout cas laissé faire, un groupe terroriste constitué de militants du Fatah : Septembre Noir. Jamais il n'y participa lui-même. Le chef de Septembre Noir, Abou Iyad, était cependant et il l'est resté jusqu'à ce jour, l'un des principaux dirigeants du Fatah.

Née au lendemain du massacre des Palestiniens à Amman en septembre 1970, cette organisation a servi d'exutoire à la fureur d'une partie de la jeunesse du Fatah. Septembre Noir est responsable de nombreux attentats contre des intérêts jordaniens, mais également de la tragique prise d'otages des athlètes israéliens lors des Jeux Olympiques de Munich en 1973. Cette explosion de violence a failli détruire le mouvement palestinien et Arafat, loin d'y participer lui-même, a tout fait pour la contenir et finalement l'arrêter. Nous en verrons le détail dans les chapitres suivants.

Les Israéliens, qui n'ont jamais pu établir de lien direct, au sens juridique du terme, entre Arafat et le terrorisme, procèdent en fait de l'amalgame. Ils lui attribuent, en vrac, la responsabilité d'actions menées par le FPLP de George Habbache, champion des détournements d'avions, par le FDLP d'Hawathmeh, par le FPLP-CG d'Ahmad Jibril, la Saïka, ou même, plus tard, par le sinistre Abou Nidal... dont les victimes, paradoxalement, seront à une majorité écrasante des proches de Yasser Arafat.

Arafat aurait-il pu faire plus pour empêcher le terrorisme ? Aurait-il dû le condamner et le combattre plus clairement et plus tôt ? A défaut de participation directe, peut-on l'accuser de complicité passive ? Ou même active ?

Peut-être. L'histoire du Proche-Orient est trop chaude, trop mouvementée pour qu'on puisse aujourd'hui répondre à ces questions avec certitude et sans passion. Avec le temps, l'Histoire éclaire souvent différemment les faits les plus cruels.

En 1946, un commando du Etzel, une organisation extrémiste qui n'hésite pas à extorquer des fonds aux hommes d'affaires juifs ou à exécuter des informateurs juifs, dépose dans la cuisine de l'hôtel King David à Jérusalem des boîtes de lait remplies de *gélinite*. Les membres du commando posent des détonateurs à retardement. Vingt-cinq minutes plus tard, il y a quatre-vingt-onze morts. Le chef militaire du Etzel, cerveau de l'attentat, s'appelle Menahem Bégin. Trente-deux ans plus tard, devenu Premier ministre, il signera la paix avec l'Égypte.

En 1948, le comte Folke Bernadotte, diplomate suédois de sang royal, est envoyé en Palestine pour tenter de sauver le plan de paix des Nation unies. Il est assassiné dans sa voiture en compagnie d'un autre diplomate de l'ONU par des tueurs du groupe Stern. Or, l'un des dirigeants de cette organisation, Yithzak Shamir, actuel Premier ministre, répète à qui veut l'entendre qu'Israël « ne discute pas avec les terroristes ».

Les guerres sont ainsi faites qu'elles poussent les adversaires à l'horreur et à l'inhumain. Dans le conflit israélo-palestinien, chacun a eu sa part d'excès, et chacun a été tour à tour victime et bourreau. Les massacres ont répondu aux massacres et à la folie.

« Les meurtriers des athlètes des Jeux Olympiques de Munich, les bouchers des enfants de Maalot, les assassins des diplomates de Khartoum, n'appartiennent pas à la communauté internationale », clamait en 1974 le délégué israélien à la tribune de l'ONU. A quelle communauté appartiennent donc les bouchers de Deïr Yassine, les meurtriers de Kfar Kassem et les fourriers des massacres de Beyrouth ?

A chaque attaque palestinienne, la réplique israélienne fera en moyenne dix fois plus de victimes. On retrouve cette proportion de un pour dix entre pertes arabes et israéliennes au cours des quatre guerres. Même en comptant les exactions des groupes les plus extrêmes et les plus marginaux, le terrorisme palestinien aura fait moins de victimes que la répression du soulèvement dans les territoires occupés.

Un jour viendra où il faudra changer de logique.

Un jour viendra où chaque camp devra se demander qui, chez l'autre, est prêt à s'asseoir à une table de conférence et faire la paix.

Alors, qui ? Chez les Israéliens, difficile aujourd'hui de discerner l'homme providentiel. Chez les Palestiniens, qu'on le déteste ou qu'on l'admire, il n'y en a qu'un.

C'est Yasser Arafat.

CHAPITRE II

LES ANNÉES D'HUMILIATION 1929-1967

1.

Le gamin du Caire

Yasser Arafat aura peut-être un jour une patrie. Mais aura-t-il jamais une histoire ? Tout, de cet homme insaisissable, semble soumis à controverse. A commencer par sa naissance...

Ainsi, une légende le fait naître dans la vieille ville de Jérusalem, en plein cœur magique, historique et religieux de cette Palestine perdue. Symbole avantageux pour un libérateur. Mais à Gaza, autre foyer de résistance palestinienne, on m'a montré avec fierté la petite maison où il a vu le jour... A force de ne rien savoir de lui, les gens ont habillé son mythe, chacun avec ce qui l'arrangeait.

Il existe un autre Yasser Arafat : celui de l'état civil. Il s'appelle Mohammed Yasser el Khoudoua. Il est né au Caire – en exil – le samedi 29 août 1929.

Ce jour-là, soixante Juifs sont massacrés à Hébron, et vingt autres à Safad. La veille, le vendredi, la police britannique a ouvert le feu sur des émeutiers arabes qui sortaient de la prière à la mosquée Al-Aqsa, au cœur de Jérusalem.

L'exil et la violence : c'est aussi un symbole. Le sang coule déjà en Palestine quand le futur Arafat pousse ses premiers cris.

Sur fond de famine et de crise économique, des affrontements sanglants opposent Arabes et immigrants juifs. Pâles, miséreux, enthousiastes, ces derniers fuient l'Europe où fermentent la guerre et la folie nazie. Ils viennent retrouver la Terre Promise de leurs origines et construire ici le grand rêve conçu par Théodor Herzl : le sionisme. Ils veulent créer un foyer stable pour leur peuple errant, phare de modernité, de paix, de tolérance et de prospérité...

Le rêve d'Herzl est beau. Mais il a un défaut. La Palestine est habitée. Sa terre est cultivée par des fermiers arabes, ses villes abritent la fortune de commerçants arabes, et ses universités forment l'élite d'une nation, divisée certes, mais qui s'étend du golfe Persique à l'Atlantique. L'emplacement même du temple de Salomon, dans la vieille ville de Jérusalem, est devenu le site du troisième lieu saint de l'Islam, principale religion des Arabes. Et cette nation arabe palestinienne, qui vient d'être libérée de cinq siècles de domination turque, entend prendre elle aussi son destin en main...

Depuis 1920, les Britanniques exercent un mandat de la Société des Nations sur la Palestine. Ils ne voient pas d'un mauvais œil la création d'un pôle pro-occidental dans cet Orient instable. Le secrétaire au Foreign Office, Lord Arthur Balfour, l'a signifié dès novembre 1917 dans une déclaration remise à Lord Rothschild : « Le gouvernement de Sa Majesté considère favorablement l'établissement en Palestine d'un foyer national pour le peuple juif, et œuvrera de son mieux pour faciliter la réalisation de ce projet, étant clairement établi que rien ne devra être fait qui porte préjudice aux droits civils et religieux des communautés non juives, ainsi qu'au statut politique dont jouissent les Juifs dans d'autres pays. »

Tonnerre en Palestine ! La déclaration Balfour est un coup de poignard au cœur du jeune nationalisme arabe.

Elle encourage ouvertement un nouvel afflux d'immigrants, le rachat massif de terres, la violence. Les Anglais ont beau tenter de contenir la vague d'immigration juive, l'explosion est inévitable, entre les nouveaux arrivants et ces Arabes qui vivent ici depuis des siècles et que Lord Balfour a blessés en les désignant avec désinvolture comme une simple « communauté non juive. »

Herzl a négligé ce détail fondamental. Les Palestiniens ne sont pas des indigènes que l'on amadouera avec un peu de verroterie. Ils sont un peuple, fort de ses traditions et d'un esprit national. Ce malentendu, qui est la cause d'un des plus grands gâchis de ce siècle, ravage déjà la Palestine en 1929 lorsque naît en exil le futur président de l'État de Palestine.

2.

Même pas deux mètres de Palestine...

Qu'est-ce qui a poussé Abder Raouf el-Khoudoua, le père de Yasser Arafat, à opter pour l'exil ? Là encore, on ne peut échapper aux exégèses. D'un côté, certains affirment qu'il a été expulsé par les Britanniques en raison de son nationalisme. D'autres, au contraire, insinuent qu'il aurait vendu ses terres à ces Juifs débarqués d'Europe, qui installent un peu partout d'étranges colonies agricoles.

Après tout, de nombreux paysans arabes en ont fait autant. Ruinés par la sécheresse, ils cèdent aux sommes fabuleuses proposées par l'agence juive : jusqu'à dix fois le prix réel des terres. Ils paient leurs dettes et partent souvent cacher leur honte en exil. Des milliers de Palestiniens gagnent l'Amérique latine, les capitales arabes, l'Afrique.

Ce n'est pas le cas d'Abder Raouf el-Khoudoua. Épicier en gros, il va simplement s'installer au Caire en 1927 pour reprendre une affaire. Ce n'est pas très patriotique. Et encore moins romantique : il s'agit d'une fabrique de fromage.

Abder Raouf est un homme volontaire, obstiné ; il traite toutes ses affaires à pied : des dizaines de kilomètres par jour. A la maison, cette force de la nature s'exprime en vociférant. « Nous avons grandi dans un niveau sonore élevé, se souvient Fathi Arafat, le petit frère de Yasser qui dirige aujourd'hui le Croissant-Rouge palestinien. Mais, à la maison, il y avait aussi de l'amour et des valeurs morales solides... »

Tous les bénéfices de la fromagerie repartent vers la Palestine, pour aider des familles nécessiteuses, des cousins dans la gêne, ou – déjà – ceux qui, dans l'ombre, préparent le combat. Pas une semaine sans qu'un ami, un parent ne passe solliciter Abder Raouf, qui donne, donne, donne encore...

Du coup, la vie est plutôt rude dans la petite maison du Caire. Arafat lui-même s'en souvient avec peine. Et il n'aime guère parler de ses premières années.

Plus tard, il confiera à ses compagnons de lutte : « Mon père ne m'a même pas laissé deux mètres de Palestine ! » Il souffre de vivre à l'écart de cette patrie dont lui parvient l'écho des tumultes, de la haine et des armes.

Yasser est le sixième d'une famille de sept enfants que couve une mère chaleureuse, Zahoua, une de ces solides matrones palestiniennes, rayonnantes et autoritaires. Elle appartient à la famille Abou Saoud de Jérusalem, qui revendique une lignée directe avec le prophète Mahomet.

Abder Raouf, quant à lui, est issu de la branche deshéritée du puissant clan des Husseini – la branche de Gaza, pas celle de Jérusalem, qu'illustre le grand mufti Hadj Amine Husseini.

Ce personnage épique, controversé, hantera l'enfance

du futur chef de l'OLP. Et ce cousinage pèsera lourd sur ses premières années d'engagement politique.

Le grand mufti représente la vieille classe dirigeante palestinienne, divisée, paralysée par ses contradictions et son système d'alliances archaïques, qui ne saura pas faire front à la montée sioniste. Installé par eux en 1922, il joue d'abord le jeu des Anglais, calmant la révolte arabe, modérant les passions, usant de l'immense influence de son clan et de sa clientèle.

Ce n'est bientôt plus possible. L'avènement d'Adolf Hitler provoque une accélération de l'immigration juive. Et cette fois, les Anglais, qui se rapprochent chaque jour davantage de la guerre, ne peuvent plus refouler les milliers de malheureux qui débarquent à Jaffa. Les incidents, les meurtres, les massacres se multiplient.

Pour le grand mufti, le temps de la conciliation est révolu... Au milieu des années 30, il prend avec véhémence la tête de la rébellion. Les Britanniques offrent une prime de 25 000 livres sterling pour sa capture. Pour mater les Arabes, ils utilisent les chars, l'aviation et 20 000 hommes. Détentions provisoires illimitées, maisons dynamitées, expulsions. D'un côté, Londres réprime la révolte arabe. De l'autre, elle tolère avec une bienveillance grandissante les milices armées de l'immigration juive – alliées utiles, si par malheur la guerre venait à gagner la poudrière orientale.

Hadj Amine Husseini s'échappe. D'Iran, il gagne l'Allemagne nazie. Un choix terrible qui, à terme, le condamne. « Où pouvais-je aller à l'époque ? dira-t-il plus tard. Qui donc au monde m'aurait soutenu contre les colonialistes anglais ? » Certains propagandistes israéliens, ravis du raccourci, l'accuseront même d'avoir été l'un des instigateurs de l'Holocauste. On peut douter du fait qu'Hitler ait eu besoin de ce sémite enturbanné pour concevoir la solution finale. L'important, c'est que l'histoire mondiale ait poussé le principal leader de la nation palestinienne dans le mauvais camp...

3.

Le général des trottoirs

La Deuxième Guerre mondiale est encore loin en 1933 et pourtant, pour Mohammed Yasser, c'est l'année du malheur.

Sa mère est morte. Il l'a vu longuement agoniser, d'une infection rénale. A quatre ans, Yasser est expédié chez un vieil oncle fauché de Jérusalem, Sélim Abou Saoud, en compagnie de son petit frère Fathi qui n'a que dix-huit mois. Il y vivra jusqu'en 1937.

De cette époque noire ne reste qu'une photo grise. Personne n'aime en parler. Lorsqu'enfin il retourne au Caire, Arafat rêve de retrouver la paix d'un foyer : son père s'est remarié. Hélas, il sera vite déçu. Cette seconde épouse n'est qu'une marâtre et la vie, dans la maison familiale, devient vite infernale : coups, engueulades, humiliations... Choqué, Yasser se referme sur lui-même. Le père, Abder Raouf, se sépare enfin de la mégère et se remarie avec une femme de moindre caractère. Mais désormais, c'est Inam, la sœur aînée, qui élève les enfants.

Est-ce la mort de sa mère ? Les années de solitude à Jérusalem ? L'épisode de la marâtre ? Yasser devient rebelle à toute autorité, y compris celle de la malheureuse Inam qui tente de faire de son mieux. « Il m'appelait " le Général " », se souvient-elle...

Arafat se rêve déjà un destin dans les ruelles du quartier. La guerre secoue l'Europe, bientôt le monde. L'enfant livre la sienne sur les trottoirs du Caire. Il enrôle les petits voisins et fait marcher au pas des bataillons de dix ans. Ceux qui hésitent à monter à l'assaut subissent les foudres du commandant : un goût prononcé pour l'autorité qui promet des conflits pour l'avenir.

A onze ans, tous les gamins ont un héros, un modèle. Celui du jeune Arafat s'appelle Azzeddine el Quassam, un martyr de la lutte antisioniste tombé à Haïfa en 1935.

Religieux, nationaliste, Quassam avait levé une armée paysanne pour combattre les Anglais et les milices des colons juifs. Tentative désespérée, mais brillante, de conserver la patrie qui s'étiole... A ceux qui lui objectaient la faiblesse de ses troupes, le moine-soldat lançait avec orgueil : « Peu importe, ce qui compte c'est de donner l'exemple au peuple ! » Des mots que Yasser Arafat, devenu adulte, citera à ses compagnons.

« Yasser partageait tout, racontera plus tard sa sœur aînée. Jusqu'au plus petit bout de chocolat. Il ne se souciait jamais de lui-même. Un jour, j'avais acheté de nouveux costumes pour lui et Fathi. Yasser a fait une scène et a refusé de porter le sien à moins que tous les enfants pauvres du quartier n'aient eux aussi des costumes neufs ! »

Surpris par sa vitalité, les Juifs du voisinage demandent à Inam ce qu'elle lui donne à manger. Jusqu'à la création de l'État d'Israël, d'importantes communautés juives vivent en paix dans tout le Moyen-Orient. Ceux du Caire ne sont qu'une minorité de plus, comme les Coptes ou les Européens. Ils fascinent Arafat : comment ces gens paisibles, en bien des points semblables aux Arabes, peuvent-ils les combattre en Palestine ? Pour comprendre, il fréquente les endroits où ils se réunissent, visite leurs synagogues, leurs commerces, leurs maisons...

« J'étudie leur mentalité », dira-t-il, important, à sa sœur.

Elle a d'autres sujets d'inquiétude. Ce diable d'enfant ne va guère à l'école. Elle a beau l'escorter jusqu'à la porte de l'établissement, dès qu'elle a le dos tourné, il file et s'évanouit dans la ville.

On le voit à toutes les manifestations. Tantôt acteur, tantôt spectateur, la foule et l'action politique le fascinent. Il se faufile jusque dans les couloirs du parlement égyptien, usant des relations de ses cousins Husseini. Pour être plus proche de ces réunions où des adultes parlent de pouvoir et du devenir des mondes, il sert le thé, porte le courrier.

La guerre mondiale vient de s'achever, laissant l'Europe en ruine, sidérée par l'horreur et l'étendue de la barbarie nazie. Les rescapés d'Auschwitz, de Ravensbrück, de Mauthausen affluent vers la Palestine. Qui, désormais, osera leur dire qu'ils n'en ont pas le droit ? Qui se soucie alors du cataclysme qui se prépare en Palestine ? Pas Staline. Ni Truman. Attlee et de Gaulle ont autre chose à faire.

Arafat a seize ans. Il observe le chaos politique. Dans quelques mois, il s'y jettera à corps perdu.

4.

Un marchand d'armes de dix-sept ans

En 1946, Hadj Amine Husseini revient au Caire à la barbe des Anglais. Il doit son salut à la France. Capturé en Allemagne par la Première Armée, il a pu « s'évader » avec la bienveillance de ses geôliers. En échange de quoi il s'est engagé à ne pas contrarier les intérêts français en Algérie, en Tunisie et au Maroc.

Mais Paris s'est trompé. Le grand mufti a perdu son aura et son autorité morale d'avant-guerre. Largement discrédité pour avoir choisi l'Allemagne d'Hitler, il traîne au Caire, tentant de rafistoler l'unité palestinienne et de mettre sur pied un groupe armé. Dans ses bagages, il a ramené un officier allemand. Cet ancien oberstammführer, mercenaire sur les bords, enseigne dans la banlieue du Caire quelques rudiments de discipline et de maniement d'armes à de jeunes étudiants. Parmi eux Arafat, qui fête ses dix-sept ans.

« N'importe quelle occasion d'apprendre était bonne, dit-il. Dans ces années, nous étions obsédés par un sentiment d'urgence et d'impuissance. La cause palestinienne avait perdu vingt ans et tout jouait contre nous : l'Histoire, le temps... »

La Deuxième Guerre mondiale, c'est vrai, a profondément modifié le rapport des forces en Palestine. Désormais, les sionistes sont armés jusqu'aux dents et ils affluent par milliers. L'ensemble de la diaspora juive, en particulier celle des États-Unis, qui jugeait farfelues avant guerre les idées des sionistes, a mis sa puissance financière et politique au service du futur Israël. Sur place, les Britanniques ont toléré l'apparition de la Haganah, l'armée secrète juive de Palestine. Durant la guerre, elle a même reçu l'autorisation de produire des mines et des grenades. Des bateaux d'armes arrivent à Haïfa, à Jaffa...

Pendant ce temps, la police britannique pend tout Palestinien trouvé en possession de balles, ou même d'un simple couteau. Les maisons des « rebelles » sont dynamitées, des villages sont punis pour l'exemple, des camps d'internement sont installés un peu partout. Aujourd'hui encore, Israël se base sur ces lois d'exception pour tenter d'imposer l'ordre dans les territoires occupés.

Pour rattraper les sionistes dans cette course à l'armement, un gamin de dix-sept ans fait des merveilles au Caire. La plupart des vieux dirigeants palestiniens se tournent vers le jeune Arafat, dont la réputation d'intermédiaire suscite très vite l'admiration : « Il y avait quelque chose d'un peu magique à propos d'Arafat, dit un membre âgé du Conseil National Palestinien. On avait besoin de quelque chose ? Il était là. Cette capacité à être toujours présent, toujours disponible, toujours efficace nous émerveillait... »

Arafat a un secret. Son accent. Cet accent égyptien qui fera longtemps rire les résistants palestiniens lui est un allié indispensable. Car les Britanniques ont obtenu du roi Farouk que les Palestiniens ne puissent acheter des armes en Égypte. Arafat, lui, passe pour un Égyptien. Il connaît bientôt tous les commerçants, d'Alexandrie à Port-Saïd, et, quand la surveillance se resserre, il traite avec les bédouins du désert.

Un jour, le jeune homme parvient à acquérir une

automitrailleuse à demi désossée qui traîne dans l'arrière-cour d'un ferrailleur. L'engin fait un triomphe, le lendemain, en tête d'une manifestation qui réclame des armes pour les Palestiniens devant le Parlement égyptien. Les Anglais sont scandalisés et Arafat ravi!

Sa sœur, Inam, a obtenu de lui qu'il poursuive ses études. Il s'y efforce, plus passionné par la politique étudiante que par le contenu des cours de mathématiques. A l'époque, les mouvements nationalistes commencent à germer dans toutes les capitales du monde arabe. Mais, pour les jeunes gens des classes moyennes encore très peu politisées, aucun n'a l'attrait de l'organisation piétiste fondée dès 1929 par le cheik Hassan al-Bannah : les Frères Musulmans.

Prônant un retour à la pratique d'une foi vraie, l'*ikhuaniyah al Muslimin* veut débarrasser la société des influences impures de l'Occident païen. La menace que les sionistes font peser sur Jérusalem, l'Al-Qods sacrée des Musulmans, range automatiquement les Frères aux côtés des nationalistes palestiniens.

Religieux, Arafat a-t-il flirté avec les Frères dans ses années d'études ? Il le nie, contre l'avis de certains de ses biographes qui n'apportent pas de preuves pour autant.

« Vous devez garder à l'esprit que les Frères Musulmans ont été les premiers à se battre à nos côtés, dit-il. Ils ont été les premiers et, très souvent, les seuls. Quand les régimes arabes nous comptaient leur soutien ou jouaient contre nous, eux ne posaient pas de conditions! Beaucoup d'entre eux sont morts en Palestine. Comment voudriez-vous que j'ai pour eux autre chose que du respect ? »

Grâce aux Frères, il a établi ses contacts chez certains marchands d'armes. Avec les Frères, il ira bientôt se battre en Palestine. En attendant, cédant à Inam, il bachote tandis que le canon tonne, là-bas, au-delà du Sinaï...

Il tonne à coups redoublés. Au printemps 1948, le mandat britannique touche à sa fin. Personne n'a d'illusions sur les intentions juives.

Le 8 avril, le neveu du grand mufti meurt en pleine bataille pour le contrôle de Jérusalem. Abdulkader Husseini était le chef le plus charismatique de la révolte palestinienne. Son oncle l'avait envoyé suivre un stage en Allemagne à la veille de la guerre, et il avait mis sur pied une solide petite armée autour de Jérusalem.

Sa mort frappe l'imagination des étudiants du Caire. Ils s'assemblent aussitôt dans le local des Frères Musulmans de l'Université pour écouter Hamide Abou Setta, l'un des disciples d'Abdulkader, qui dirige l'Association des Étudiants palestiniens.

« Ce n'est pas le moment d'étudier ! s'écrie-t-il. On est en train de nous prendre notre patrie ! A quoi serviront nos études si nous n'avons pas de pays ? Allons nous battre en Palestine ! »

Joignant le symbole à la parole, il met le feu à ses livres de cours, imité sur-le-champ par Yasser Arafat qui n'attendait que ça. Malgré ses dix-sept ans, il veut se battre à Gaza.

Abou Setta tente de l'en dissuader. Il se heurte, pour la première fois, à l'entêtement le plus célèbre de la résistance palestinienne. C'est d'accord. Ils iront ensemble au combat.

5.

Baptême du feu

Les forces qui cheminent ce soir-là vers le front n'ont pas lieu d'inquiéter le futur Israël. Arafat n'est qu'un petit jeune homme sans expérience, et Hamide Abou Setta vaut à peine mieux : il a suivi un bout d'entraînement en Syrie et, le jour où Abdelkader Husseini a voulu lui apprendre à fabriquer une bombe, ils ont détruit sa cuisine en mélangeant de l'acide sulfurique à de l'acide nitrique.

Mais quelqu'un veille sur eux. Aujourd'hui, tout le monde a oublié son nom, ou peut-être préféré l'oublier. Sans ce commandant de l'armée égyptienne, membre des Frères Musulmans, les deux étudiants n'auraient pourtant même pas atteint la Palestine. Le respect d'Arafat pour les Frères, les relations qui les uniront durant de nombreuses années ont sans doute été scellées par cette première épopée à Gaza.

Sous la houlette du commandant égyptien, les étudiants parviennent en train jusqu'à El Kantara, sur le canal. Le commandant a fait apprêter une barque, et une surprise attend les adolescents : des fusils. Quelques brasses les séparent du Sinaï. De là, Abou Setta va rejoindre des cousins qui se battent dans le Néguev, tandis qu'Arafat et l'Égyptien font route vers Gaza.

Les Frères Musulmans assiègent une colonie à Kfar Darome. Arafat apprend par un messager à cheval qu'une colonne de blindés légers fait route sur la colonie. Les Frères tentent une embuscade, on choisit Arafat pour servir le mortier. Nuage de poussière, vrombissement des moteurs. Un ordre claque. Arafat lâche une roquette dans le tube, qui résonne d'un bruit sourd. Tir au but sur le premier blindé! Toute la colonne est immobilisée.

La victoire a un goût éphémère. Le compteur de l'Histoire tourne, et l'aube qui verra naître Israël approche.

6.

Défaite ou trahison

14 mai 1948. Le mandat britannique sur la Palestine prendra fin à minuit. Et demain ?

Les Nations-Unies ont proposé un plan de partition

entre Juifs et Arabes. Deux États imbriqués aux frontières équitables, mais sans doute non viables. Plus maintenant : il est trop tard. Plus dans ce flot de sang et de haine qui déferle sur la Terre promise en ce jour funeste.

Le 14 mai, Juifs et Arabes le savent depuis longtemps, c'est la force qui créera les frontières d'Israël. La force seule, et non le droit édicté par l'ONU. Ce que la Haganah et les colons en armes parviendront à sauver face aux armées arabes et aux Palestiniens sera à eux – sera l'État d'Israël.

Au moment même où David Ben Gourion lit la proclamation d'indépendance, sept armées arabes pénètrent en Palestine. « C'était un éclatant jour de mai, avec une petite brume poussiéreuse planant au-dessus des routes, se souviendra Sir John Bagot Glubb, dit Glubb Pacha, un général britannique qui commande la Légion Arabe du roi Abdallah de Jordanie. Dans la ville d'Amman et dans chaque village le long de la route, les gens étaient amassés, acclamant et battant des mains à chaque unité qui passait. (...) De nombreux véhicules étaient décorés avec les branches des lauriers-roses qui poussaient dans les bas-côtés. Cette procession ressemblait plus à un carnaval qu'à une armée allant en guerre. »

Un homme, un seul, ne partage pas cet optimisme béat dans le monde arabe : Abdul Aziz al-Saoud. Le souverain d'Arabie sait que l'intervention arabe conduira à l'internationalisation du conflit, éloignant pour longtemps tout règlement équitable. Il sait que les Arabes n'ont pas les mains libres pour se battre, que leur armement, leur économie, dépendent de l'Occident et l'Occident veut la naissance d'Israël. Le simple fait que la plus puissante armée arabe soit commandée par l'Anglais Glubb Pacha est significatif. Malgré lui, Abdul Aziz se range à la décision de la Ligue Arabe et assiste impuissant au drame qu'il a prévu.

Les ambassades britanniques au Caire, à Amman, à Bagdad, à Damas se font menaçantes. En 1948 l'Occident peut encore tout, faire chuter les cours des matières premières comme faire chuter un monarque. Cette arrogance ne résistera pas aux guerres qui s'annoncent : la montée des nationalismes y mettra bientôt fin. Mais, pour l'instant, Londres, Paris, Washington parlent sur un ton d'injonction à la cour de ces rois corrompus. Soumises à ces pressions, les armées arabes entrent en Palestine se battre à contrecœur.

Première mesure des Égyptiens à Gaza : désarmer les Palestiniens. Jusqu'à ce jour, ce geste restera ressenti comme une trahison. J'ai vu des vieillards pleurer en évoquant cet épisode, qu'Arafat a lui-même raconté au journaliste Alan Hart.

« Je ne peux pas oublier, a-t-il dit. J'étais à Gaza. Un officier égyptien est venu vers mon groupe et a demandé que nous remettions nos armes. Au début, je ne pouvais même pas en croire mes oreilles. Nous avons demandé pourquoi, et l'officier a répondu que c'était un ordre de la Ligue Arabe. Nous protestâmes en vain. L'officier m'a donné un reçu pour mon fusil. Il a dit qu'on me le rendrait quand la guerre serait finie. »

Au feu de cette humiliation, les Palestiniens découvrent que leurs pires ennemis, après les sionistes, sont les Arabes. Hormis les Jordaniens qui tiennent Jérusalem, les troupes arabes reculent, cédant aux partisans juifs le terrain qu'elles avaient conquis aux toutes premières heures de la guerre.

« Le 15 mai, raconte un habitant des environs de Gaza, on a vu passer la 2e Brigade égyptienne du général Néguib. Les femmes poussaient des youyous au bord de la route. Tout est redevenu calme. On suivait les combats à la radio : les Arabes ont pris Jérusalem, Bersheba, Ashdod, Hebron, Naplouse et Nazareth. Néguib était à vingt kilomètres de Tel Aviv... Nous étions sûrs d'avoir gagné. Et puis, un soir, on a entendu le canon. On ne comprenait plus ce qui se passait. Le lendemain, on a vu repasser les Égyptiens en sens inverse... »

Arafat fait un récit amer de cette débacle. « A certains

endroits, les forces arabes auraient aisément pu prendre les positions juives si elles avaient avancé. Mais, quand nos gens demandaient aux commandants arabes pourquoi ils n'avançaient pas, la réponse était toujours la même : « Nous n'avons pas d'ordres. » Les Juifs n'auraient pas pu prendre certaines de nos places fortes si les Arabes ne s'en étaient pas retirés sans coup férir. Je peux vous dire, par exemple, qu'Haïfa ne serait pas tombée sans un coup de feu si les forces arabes n'avaient pas ouvert la voie en battant retraite. C'était une sale magouille. Le jour où nous aurons le temps de raconter cette histoire, l'opinion publique mondiale sera choquée et dégoûtée... »

Lorsque, le 10 juin, la Ligue Arabe accepte un cessez-le-feu de trente jours, le secrétaire général Abdurrahman Azzam se lève en murmurant : « Le peuple arabe ne nous pardonnera jamais ce que nous avons fait. »

La trêve donne aux Juifs le temps de consolider leurs positions ; les Arabes, eux, ne se réapprovisionnent même pas.

Arafat gagne Jérusalem. Il retrouve dans la ville sainte ce qui reste des troupes d'Abdulkader Husseini et se bat quelques mois avec elles, dernier baroud d'honneur d'une guerre qui ne peut plus être gagnée. Il rentre au Caire, un sale goût de trahison en bouche.

Le grand mufti, Hadj Amine Husseini, proclame en septembre un « gouvernement arabe de toute la Palestine », reconnu sur-le-champ par l'Égypte, l'Irak, la Syrie, le Liban et l'Arabie Saoudite. Cela fait illusion quelque temps, mais Arafat n'y croit pas. D'ailleurs, face à l'opération du grand mufti, le roi Abdallah de Jordanie réunit « ses » Palestiniens qui proclament le rattachement de la Palestine au royaume hachémite. Arafat, dépité, découvre cette autre donnée du drame palestinien : les ambitions bouffones des chefs arabes pour une terre qu'ils n'ont même pas su libérer...

Et ces ambitions tuent. Le 30 juillet 1951, Abdallah sera assassiné sur les marches de la mosquée d'Omar, à

Jérusalem, par un tueur palestinien à la solde de l'Égypte. Un enfant horrifié assiste à la scène : le futur Hussein de Jordanie.

En attendant, le gouvernement palestinien du grand mufti n'a aucune prise sur la réalité. La Ligue Arabe le mettra à mort d'un trait de plume, le 23 septembre 1952. Vaincus, les Palestiniens n'ont même plus le droit à la parole.

7.

A l'école des frustrations

On peut se demander ce que serait devenu le conflit du Moyen-Orient si les bureaucrates du consulat américain au Caire avaient fait diligence pour accorder un visa à un jeune étudiant qui voulait émigrer.

« Quand Yasser est rentré au Caire, se souvient son frère, il avait l'air terriblement déprimé, très triste. Il ne voyait pas d'avenir face à lui. La famille l'a convaincu qu'il devait changer d'air... »

Il finit par céder, décide de poursuivre ses études aux États-Unis où, comme toutes les grandes tribus palestiniennes, les Husseini ont déposé quelques bourgeons. La demande de visa déposée au consulat, il ne reste plus qu'à attendre.

Et l'attente dure des mois. « Le temps pour moi de sortir du désespoir, dit-il, et de retrouver le goût de la lutte. Un jour j'ai dit : "Je ne partirai pas ". »

Mais comment lutter ? Les Palestiniens ne sont pas assez forts pour combattre seuls, et les Arabes ne veulent pas se battre. Arafat développe une idée fixe durant ces longs mois d'attente au Caire : si des groupes armés palestiniens multiplient les escarmouches le long des frontières, Israël répliquera et attaquera les Arabes qui seront bien forcés de se battre!

Facile à dire. Qui paiera les petits groupes armés? Arafat n'a pas le sou, même pas de quoi se rendre au Liban implorer l'aide du grand mufti. Il travaille, économise des mois durant, y compris sur sa propre nourriture, au point que son teint have affole Inam, la sœur aînée.

Fin 1949, enfin, Yasser est assez riche pour retrouver le grand mufti à Beyrouth. A vingt ans, fauché, il découvre l'exubérante capitale libanaise qui, trois décennies plus tard, deviendra son enfer.

Hadj Amine Husseini écoute avec condescendance la requête du petit jeune homme frêle. Des commandos! La guerre!... « Et tes études? » demande le grand mufti sans même répondre à Arafat qui, vexé, retourne au Caire plus misérable encore.

Il reprend ses études d'ingénierie à l'université Fouad Ier. Des idées révolutionnaires fermentent dans les soirées étudiantes. On tire les conséquences de la défaite. « Les Arabes ont perdu parce que leur bras a été retenu par des régimes corrompus, pense-t-on. Donc, il faut abattre ces régimes par une révolution avant de reconquérir la Palestine. »

De jeunes officiers partagent ces sentiments. On les appelle les « officiers libres ». Gamal Abdel Nasser, leur chef officieux, étend rapidement son influence à tous les secteurs des forces armées. Arafat ne le connaît pas. Mais, à travers les Frères Musulmans, il dispose de « passerelles » vers Nasser. Abdel Hakim Amr, qui s'est battu en Palestine en 1948, deviendra chef d'État-Major après le coup d'État de 1953. Deux autres sympathisants du mouvement islamiste, Kemal Hussein et Anouar el Sadate, sont eux aussi des amis d'Arafat...

Ces jeunes intransigeants ne vont pas tarder à secouer le monde arabe et à demander à leurs aînés les comptes de la débâcle.

8.

Le leader étudiant

Le roi Farouk veut gagner un répit. Pour cela, il laisse agir les Frères Musulmans qui multiplient les attaques contre les Britanniques dans la zone du canal de Suez. Arafat prend part au harcèlement. Après s'être battu en Palestine, il a déjà la réputation d'un partisan aguerri et souhaite faire bénéficier de son expérience ses camarades de l'université Fouad Ier. Au cours d'un de ces numéros de persuasion dont il a le secret, Arafat arrache même l'autorisation d'installer un camp d'entraînement militaire sur le campus! « Nous étions bluffés, raconte l'un de ses camarades. Cette histoire d'entraînement militaire a propulsé Arafat à la tête de la politique étudiante... » Les autorités, elles aussi bluffées, laisseront faire jusqu'en 1954.

Mais que veut ce jeune homme ascétique, passionné, impulsif? Son mode de vie, son caractère et plus encore ses idées déroutent déjà son entourage. Ses idées sur l'indépendance palestinienne font sourire les jeunes bourgeois habitués à l'idée de la défaite et irritent les pro-jordaniens, majoritaires. Qu'importe : Arafat peut discourir la nuit entière dans une salle enfumée et, le lendemain, courir et s'entraîner dans le désert. Il est volontiers bagarreur, emporté, supporte mal la contradiction. Contrairement aux étudiants cairotes, il ne fréquente ni les cabarets, ni les prostituées. On ne lui connaît pas de flirt et, il y a peu, il avouait à un camarade : « Je n'ai même jamais serré la main d'une femme. » Il aura plus tard des aventures. En attendant, il répète aux curieux : « Ma fiancée, c'est la Palestine! »

Cela ne satisfait pas tout le monde. Pas les Frères Musulmans, en tout cas, qui ont vu s'allonger l'ombre de ce jeune prodige et s'en inquiètent. Pourquoi a-t-il toujours refusé de les rejoindre? Ils lui reprochent sa parenté avec le grand mufti et craignent qu'il ne travaille pour le compte de Nasser. Aussi, quand il annonce sa candidature à la présidence de l'Union des Étudiants Palestiniens, basée à Gaza, les Frères demandent à l'un des leurs de se renseigner sur Arafat...

L'espion est palestinien. Il s'appelle Salah Khalaf, le futur Abou Iyad, éternel compagnon d'Arafat. A l'époque, les deux hommes s'observent encore avec méfiance... « D'un point de vue strictement palestinien, dit Khalaf, je n'aimais pas son accent égyptien. Je ne l'aimais pas du tout! C'est la première chose dont je me souviens. »

Mais Khalaf est vite conquis par la combativité d'Arafat, par son enthousiasme, son charisme, sa détermination. Afin d'assurer son élection, il se présente chez tous les étudiants palestiniens qui débarquent au Caire et, avant même qu'ils aient défait leurs valises, infatigable, propose son aide.

En juillet 1952, l'Égypte a d'autres soucis que l'agitation étudiante. Farouk vient de tomber. Les officiers libres prennent les commandes, Nasser tire les ficelles et laisse Néguib prendre les coups. Le général qui s'est arrêté à vingt kilomètres de Tel Aviv avant de détaler à marches forcées est le maître officiel de l'Égypte. A peine élu président de l'Union des étudiants, Arafat lui rend visite et lui présente une pétition : « N'oubliez pas les Palestiniens! »

Pour que Néguib n'oublie pas, elle est écrite avec du sang.

9.

Les étudiants secouent Nasser

Arafat fait des miracles. Dans le mois qui suit son élection, il convainc la Ligue Arabe de payer la scolarité des étudiants palestiniens! Fort de ce coup de maître qui assoit son pouvoir pour longtemps, il lance un journal étudiant, *The Voice of Palestine.* Pour survivre à la censure, *La Voix de la Palestine* doit faire assaut de prudence et d'ingéniosité. Mais, à Gaza, sous l'occupation égyptienne, les étudiants savent lire entre les lignes... L'un d'eux s'appelle Kahlil al-Wazir, et ce qu'il lit dans *La Voix de la Palestine* l'enthousiasme. Depuis des mois déjà il organise les étudiants de Gaza et les arme, entièrement seul. Oh, l'arsenal n'est guère terrifiant : quelques mines, de vieilles pétoires... Un jour, un malheureux chameau pose le pied sur une mine et l'enquête mène les policiers égyptiens jusqu'à al-Wazir, qu'on jette au trou. Arafat apprend l'affaire. Il y a donc à Gaza des jeunes gens qui partagent ses idées sur la lutte armée! Grâce à son influence encore intacte auprès des nouveaux maîtres de l'Égypte, Arafat obtient la libération d'al-Wazir et se rend à Gaza pour le rencontrer : sous le nom d'Abou Jihad, le jeune homme deviendra son plus proche compagnon de lutte.

Leur amitié va bientôt faire du bruit. Au début de 1955, une charge de dynamite pulvérise la station de pompage du kibboutz de Falouja. L'énorme inondation dévaste les cultures, emportant tout dans un torrent furieux qui se déverse en Méditerranée. Al-Wazir et Arafat assistent à ce spectacle.

Le 28 février, Israël répond. Deux sections de parachutistes attaquent Gaza, ravageant le QG de l'armée égyptienne. L'accrochage, d'une violence effroyable, laisse quatorze Arabes et huit Israéliens dans la poussière. Les dégâts sont considérables. Humilié, Nasser se rend sur les lieux. Apprenant cela, les Palestiniens organisent une manifestation.

« J'ai réuni les étudiants et nous avons trempé nos mouchoirs dans le sang des victimes, palestiniennes pour la plupart, raconte Abou Jihad. Dès l'aube, nous avons commencé à manifester. Nous avions deux messages pour Nasser : « Si tu veux nous sauver, entraîne-nous. Si tu veux nous sauver, arme-nous! »

La police contient les émeutiers avec brutalité.

Rentré au Caire, Arafat organise lui aussi des manifestations, mais il fait beaucoup mieux. Il dépêche dans les rédactions des principaux journaux du monde arabe des témoins oculaires, qui décrivent la défaite. Pour la première fois, Arafat a compris la puissance des médias et s'en sert.

Nasser est choqué. Ni son armée ni les bases de son régime ne sont encore assez solides pour affronter Israël. Pour éviter que ne se renouvelle cette expérience cuisante, il ordonne qu'on interdise les mouvements de Palestiniens le long de la frontière. Des civils nostalgiques, qui la traversent pour revoir leur maison ou leur champ, sont punis de dix ans de prison.

En même temps, le champion de la cause arabe se doit de sauver la face. Le raid de Gaza a rappelé au monde la logique de la guerre. Nasser, impuissant, doit jouer pour survivre de la menace et du compromis. Il consent, sous le contrôle de l'armée, à ce que certains Palestiniens soient entraînés, armés et lâchés contre Israël.

L'affaire aura une autre conséquence durable. La guerre de 1948 a été perdue parce que les régimes arabes dépendaient de l'Occident, favorable à Israël. Cette nouvelle guerre, dont le raid de Gaza porte la menace, se fera avec de nouveaux alliés.

En septembre 1955, la Tchécoslovaquie devient le fournisseur militaire de l'Égypte. L'URSS suit quelques mois plus tard.

C'est tout l'équilibre géopolitique du globe qu'ont remis en question deux sections de paras...

« Vos leaders occidentaux ont été très aveugles et très stupides, dira Arafat au cours d'une interview, des années plus tard. L'Union Soviétique n'aurait pas pu mettre le petit doigt au Moyen-Orient si l'Occident n'avait forcé Nasser à se tourner vers Moscou. Il est vrai que quelques Arabes, chrétiens pour la plupart, se disent marxistes. Mais nous autres Musulmans ne pouvons pas être communistes. Être communiste est contre notre religion. Nous sommes anti-communistes par tradition, par notre culture, notre façon de penser. Ceux qui, en Occident, disent que les Arabes sont les alliés des communistes sont, soit des ignorants, soit des fous et des criminels. »

10.

Dernier arrêt avant la Troisième Guerre mondiale

Toque et robe noire, rouleau de parchemin sous le bras, Yasser Arafat quitte l'Université Fouad 1er en juillet 1956, armé de son diplôme de génie civil. Plus question de présider l'Union des Étudiants. Il fonde immédiatement l'Union des diplômés palestiniens et entre dans l'une des plus grandes compagnies égyptiennes de travaux publics.

Mais l'Histoire ne lui laisse guère de répit. Nasser, qui cherche à faire comprendre à l'Occident qu'il n'y a pas de paix possible dans la région sans traiter avec les Arabes, est en panne de moyens. Le rapprochement avec l'Est n'ayant pas suffi, il décide de frapper un grand coup.

Le 26 juillet, l'Égypte nationalise le canal de Suez. A Londres, la nouvelle est prise par Anthony Eden comme une insulte personnelle. Hélas, Eden n'est pas Churchill et il se fait des idées sur la puissance réelle de son empire disloqué. Croyant pouvoir encore « faire » la politique arabe comme Londres l'a faite depuis la Première Guerre mondiale, il n'aura de cesse d'abattre Nasser politiquement, ou physiquement si nécessaire. Il signe l'ordre permettant au SIS d'envisager cette dernière hypothèse, et durant quelques mois, les services secrets britanniques seront mobilisés autour de ce but unique.

Ils ne sont pas les seuls à vouloir tuer Nasser. Au Caire

même, les Frères Musulmans ont fait leur choix : nationaliste laïque, le raïs prépare une société où ils n'auront pas de place. Début octobre, ils tentent de l'assassiner. Des troupes se mutinent, mais toute l'opération échoue en quelques heures et la réaction de Nasser est immédiate, impitoyable.

Durant trois jours, la police arrête en masse tout ce qui ressemble de près ou de loin à un Frère, parfois en raison d'une simple barbe ou de vêtements islamiques. Des milliers de militants sont jetés en prisons, quand ils ne sont pas tués en essayant de fuir l'arrestation. La police râtisse large : Arafat paie ses anciens contacts avec les Frères.

Arrêté, torturé, battu, il se contente de répéter : « Écoutez, si vous voulez vraiment une preuve que je ne suis pas des Frères, demandez à Abdel Hakim Amr et à Kemal Hussein ! » Les deux dirigeants amis lui sauvent la mise, et il retrouve la liberté pour contempler les gibets où se balancent les dirigeants du mouvement islamiste...

Nasser a agi vite. Il sait qu'un autre péril le guette. On l'a tenu informé du plan qu'ont mis sur pied pour l'abattre la Grande-Bretagne, la France et Israël.

Il sait que le 22 octobre, Ben Gourion, Moshé Dayan et Shimon Pérès ont atterri à Villacoublay dans un avion militaire français. De là, ils ont gagné une villa discrète à Sèvres, dans la banlieue de Paris, où les ont rejoints le président du conseil, Guy Mollet, accompagné de Christian Pineau, Abel Thomas et Bourgès-Maunoury. Le Secrétaire au Foreign Office britannique, Selwyn Lloyd, est arrivé peu après. Tout est mis au point : l'attaque surprise israélienne sur le Sinaï, le ravitaillement par les Français des colonnes israéliennes, les objectifs militaires égyptiens dont les Israéliens fournissent la liste et que détruiront les avions de la RAF... On prévoit même les détails d'une coopération politique ultérieure. Le tout est consigné le 24 octobre dans un document secret, connu sous le nom de « traité de Sèvres ».

Côté israélien, l'opération militaire, dont le compte à rebours a déjà commencé, s'appelle « Opération Kadish », du nom de la prière des morts. Côté occidental, on choisit : « Mousquetaire. » Le ton est donné, ce sera celui d'une aventure...

Quand, le 29 octobre, Israël enfonce les lignes égyptiennes du Sinaï, Nasser sait donc ce qui l'attend.

Comme prévu, « prenant note de l'ouverture des hostilités entre Israël et l'Égypte », Paris et Londres lancent à l'Égypte un ultimatum de douze heures pour l'arrêt des combats, sous le prétexte de rétablir la navigation. Leur candeur ne trompe personne : des « Mystère » français sont déjà au sol en Israël, les bases britanniques d'Akrotiri et Dhékélia à Chypre ont reçu des renforts et cent navires alliés sont prêts en Méditerranée.

Les termes de l'ultimatum sont inacceptables, insultants même. Nasser le rejette et, résistant à la panique de son état-major, appelle son peuple aux armes.

Les blindés israéliens balayent la résistance égyptienne dans le Sinaï, en dépit de lourdes pertes dues aux initiatives du jeune colonel Ariel Sharon dont on reparlera.

Le 31 octobre, les Alliés entrent dans la danse, clouant au sol l'aviation égyptienne. Des bombes pleuvent sur tout le delta du Nil, à Suez, Port-Saïd... Elles n'explosent pas toutes. Volontaire, Arafat prend part au déminage.

Savoureuse ironie : celui que la propagande israélienne présentera quinze ans plus tard comme le plus grand terroriste du monde s'affaire à désamorcer des bombes françaises et britanniques !

Et lorsqu'Israël, qui a obtenu ce qu'il souhaitait sur le plan militaire, s'apprête à accepter l'appel au cessez-le-feu voté le 4 novembre par les Nations-Unies, ce sont les Français et les Britanniques qui supplient Ben Gourion de poursuivre la guerre. Le lendemain à l'aube, sûrs d'eux, paras français et britanniques sautent sur la zone du canal, tandis que des troupes amphibies débarquent à Port-Saïd.

Arafat ne s'est pas battu contre les Alliés. Il n'en a pas eu le temps. Toute la journée, les troupes occidentales se heurtent à une résistance égyptienne désespérée. Mais le vrai combat se joue ailleurs.

Nicolaï Boulganine, le Premier ministre soviétique, vient d'envoyer des télégrammes à Mollet et Eden. Il précise que l'Union Soviétique est prête à écraser les « bellicistes » en recourant « à tous les types d'armes de destruction modernes ». Cet après-midi-là, la Chine communiste s'est, elle aussi, déclarée volontaire pour la guerre au Moyen-Orient, et le volume des communications militaires du Pacte de Varsovie, surveillé par l'Otan, a tout d'un coup triplé.

L'Opération Mousquetaire s'arrête à un demi-centimètre de la Troisième Guerre mondiale. Pour Londres et Paris, c'est une terrible débâcle.

Nasser est instantanément devenu le héros du monde arabe.

11.

L'Égypte ferme sa porte

Le raïs égyptien l'a peut-être échappé belle, mais il a peu de raisons de se pavaner. Ses coûteux « Mig » soviétiques n'ont pas survécu aux bombardements alliés, ses blindés ornent les ravins du Sinaï et les dégâts civils sont considérables...

Seuls les Israéliens s'en tirent bien. Ils ont pris Gaza, le Sinaï, Sharm-el-Shaïk et l'île de Tiran. Ces deux derniers objectifs sont pour eux d'une importance vitale : ils contrôlent l'accès du golfe d'Aqaba. Les navires israéliens, qui ne peuvent emprunter le canal de Suez, n'ont que ce débouché vers la mer Rouge et l'océan Indien.

Le 15 novembre, dix jours après l'arrêt des combats, la

force d'interposition des Nations-Unies se déploie sur la ligne de front. Pendant qu'Eisenhower cherche à se reconstituer un crédit arabe en obtenant le retrait d'Israël, les jeunes Palestiniens d'Abou Jihad posent des bombes à Gaza.

Arafat décline l'offre que lui fait l'armée égyptienne : rester sous l'uniforme pour entraîner des spécialistes au déminage. « J'ai toujours eu horreur des uniformes, dira-t-il plus tard. Mais ils me collent à la peau... »

Dans le civil, une autre tâche l'attend. Partout les réseaux étudiants se développent, se renforcent. Mais pourquoi faire ? Comment canaliser la détermination de la jeunesse palestinienne ?

Des nuits durant, Arafat et ses amis débattent de ces questions. Ils leur trouveront une réponse en créant le Fatah.

Mais l'air devient malsain au Caire : en échange du retrait israélien, Eisenhower a obtenu de Nasser un engagement secret : pendant dix ans, l'Égypte s'engage à ne pas prendre l'initiative d'hostilités contre Israël et empêchera les attaques palestiniennes depuis son territoire. Le raïs est trop heureux d'accepter. Il a besoin de temps pour réarmer l'Égypte...

Il n'y a donc plus de place au Caire pour Arafat. Il va le comprendre très vite. Après une visite en Irak, où il est allé rencontrer les officiers Karim Kassem et Salem Haref qui préparent un coup sanglant contre le roi Fayçal, Arafat est interrogé, suivi, épié. Ses employeurs le licencient. Comme Khalil al-Wazir vient d'accepter un poste d'enseignant en Arabie Saoudite, Arafat décide lui aussi de s'exiler.

La première offre vient du Koweït.

12.

Le businessman révolutionnaire

Le Golfe arabique vit un rêve : le pétrole. Koweït, comme l'Arabie ou les petits émirats, connaît une formidable explosion économique. Tout est à construire, à créer. Tout manque, sauf les milliards.

Les Palestiniens n'ont pas les milliards, mais ils ont les compétences. De tous les peuples arabes, ils ont le plus fort pourcentage de diplômés. Et la spécialité d'Arafat, ingénieur en travaux publiques, vaut de l'or à Koweït.

Bientôt, le modeste fils du marchand de fromages quitte le Public Works Department pour créer sa propre société. Un bref instant, il va devenir riche pour la seule et unique fois de sa vie.

Les contacts d'affaires sont aisés dans cette ville où les princes s'entourent de conseillers palestiniens. Les contacts politiques aussi... Quoique soumises à un protectorat britannique qui durera jusqu'en 1961, les autorités koweitiennes laissent faire le petit groupe palestinien qui se reconstitue. Vite déçu par le régime saoudien, al-Wazir rejoint Koweït en octobre et retrouve Arafat.

L'opulence provisoire n'a en rien entamé le sentiment d'urgence qui habite les jeunes gens, mélange d'écœurement devant les humiliations répétées, les trahisons et l'ambition légitime d'une jeunesse opprimée.

Khalil al-Wazir résumera plus tard le contenu des premières réunions à Koweït. « Arafat et moi, dit-il, pensions que seule l'action militaire pouvait fixer l'identité palestinienne. Que voulions-nous dire par là ? Notre premier devoir, pensions-nous, était de prouver aux régimes arabes et au monde entier que les Palestiniens existaient toujours et que leur problème ne pouvait pas être balayé sous le tapis. Nous étions peut-être jeunes et naïfs, mais nous avions compris que les canons parlaient plus fort que les mots aux oreilles des grandes puissances. Nous avions décidé d'utiliser le même langage que ceux qui voulaient nous voir disparaître. (...) Nous n'avions pas les moyens de nous offrir le luxe de discussions sur les moyens de notre libération... »

Disons-le tout de suite : ces idées sont extrêmement minoritaires. A l'époque, la plupart des Palestiniens ne croient pas à la lutte armée. Ni pour asseoir une identité, ni pour libérer le sol perdu. Ils placent plutôt leur espoir dans le mouvement nationaliste arabe qu'incarne Nasser. Un jeune médecin chrétien, le docteur George Habbache, vante sans relâche cette voie à ses frères palestiniens...

En marge, donc, la première cellule secrète du Fatah se constitue un soir chez Arafat. Elle porte en elle la plaie éternelle du mouvement palestinien : la peur du noyautage et une certaine forme d'intransigeance qui rend la cohabitation difficile à vivre... ou impossible. Un des cinq membres démissionne dès le lendemain. Il ne supporte pas la pression. Deux autres membres craqueront quelques années plus tard, cette fois pour divergence politique. Aujourd'hui, l'un d'eux est inspecteur des mathématiques au Koweït et l'autre tient un supermarché...

De la première cellule clandestine, seuls demeureront Khalil al-Wazir et Yasser Arafat.

13.

Arafat journaliste

Premier problème : se faire entendre. Arafat rêve d'un magazine. Pas fâchés d'ennuyer les Anglais, les koweitiens donnent leur feu vert. Grâce à sa nouvelle fortune, Arafat finance presque entièrement *Filistinuna, Notre Palestine*, dont le premier numéro sort en février 1959.

« Nous nous sommes servis du mot Al-Fatah pour signer les éditoriaux, se souviendra Khalil al-Wazir. Notre première idée était d'appeler notre organisation clandestine « Harakat al Tahrir al Filastini » (Mouvement de Libération de la Palestine). Mais il était impensable de mentionner un nom pareil dans une publication ! Alors, on a choisi d'inverser les initiales : H.A.T.A.F. – F.A.T.A.H. C'était plus discret. Il y avait même des gens qui nous écrivaient : « Chez M. Fatah... »

Rédigée à Koweït, imprimée à Beyrouth, *Notre Palestine* ne fait pas dans la dentelle : le style est celui de la propagande la plus robuste, voire lourde. Il manque de la copie : Arafat se rend sur le champ chez l'imprimeur afin de remplir toutes les pages. Al-Wazir, lui, s'occupe des photos, et d'une tâche délicate : la diffusion clandestine dans les camps de Syrie.

A cette époque, les réfugiés qui lisent *Notre Palestine* peuvent être arrêtés, torturés. Passant la frontière syro-libanaise avec des malles pleines de journaux, al-Wazir risque sa vie.

Mais le risque paie. *Notre Palestine* sert de catalyseur. Des groupes inconnus, sortis spontanément de l'ombre, proposent de s'affilier à ce qu'ils croient être une organisation puissante puisqu'elle dispose d'un journal ! Al-Wazir imagine alors une structure pour fédérer ces petits groupes : réseau de cellules dont chacune est responsable de son auto-financement et de son recrutement. Cela permet une étanchéité dont le Fatah aura bientôt besoin face à l'intérêt grandissant des services secrets arabes. Ce système de cellules étanches fonctionne toujours dans les territoires occupés : il a permis le déclenchement et la survie de l'Intifadah.

Pour compléter leur panoplie de combattants clandestins, les membres du Fatah se choisissent des noms de guerre. Dans le monde arabe, la tradition veut qu'un père soit désigné par le nom de son fils aîné. Khalil al-Wazir devient ainsi Abou Jihad, le « Père de Jihad ». Salah Khalaf deviendra Abou Iyad, Khaled el-Hassan deviendra Abou Saïd, et Farouk Kaddoumi, Abou Lottof. Quand à Arafat, qui a renoncé au mariage par fidélité à sa « fiancée Palestine », il choisit le nom d'Abou Amar, le père d'Amar, que portait l'un des premiers compagnons du Prophète.

En attendant, *Notre Palestine* fustige un monde arabe qui s'enfonce dans une paix molle avec un ennemi israélien si fort décrié et si peu combattu. Un monde arabe décevant, éternellement décevant. Ceux qui croyaient, comme Habbache, pouvoir accrocher le wagon palestinien au train de la grande révolution panarabe en sont pour une déception de taille en septembre 1961 : l'union éphémère entre l'Égypte et la Syrie éclate, les deux gouvernements « frères » s'insultent et cherchent dans l'ombre mille moyens de se nuire.

Habbache et ses amis auront bientôt une autre raison d'amertume. En 1962, visitant Gaza, Nasser annonce que ni lui ni les leaders arabes n'ont de plan pour la libération de la Palestine. Une gifle pour ceux qui avaient placé leurs espoirs en lui.

Traître, Gamal Abdel Nasser ? Non. En fait, à Gaza, le raïs a répondu à un signal de Kennedy. Le jeune et brillant président des États-Unis tente d'obtenir d'Israël le retour de certains réfugiés arabes, conformément aux résolutions de l'ONU. Les Israéliens ont refusé d'emblée. Kennedy a répliqué en bloquant une livraison de missiles Hawks; il veut maintenant les faire changer d'avis. C'est dans ce contexte qu'il a demandé à Nasser cette déclaration de Gaza, dont le sens caché pourrait se résumer ainsi : « Réglons la crise comme une affaire de réfugiés, faisons la paix, et l'Égypte contiendra tout débordement palestinien. » Mais cela s'arrêtera là. Israël ne veut ni des réfugiés, ni de la paix. Comme tant d'autres présidents américains, Kennedy cède au chantage d'Israël.

Voilà pour les mauvaises nouvelles. Il y en a une bonne : en 1962, l'Algérie révolutionnaire accède à l'indépendance. Cela ouvre des perspectives.

14.

Une fenêtre sur le monde

Voilà dix ans qu'Arafat connaît les chefs du FLN algérien dont la lutte a tenu depuis huit ans le monde arabe en haleine. Pourchassés comme terroristes par les forces coloniales françaises, ils sont reçus avec égards dans les capitales arabes – Tunis, Le Caire, Damas – où Arafat les a rencontrés. Une amitié est née.

« Ben Bella m'avait dit que le jour où l'Algérie aurait retrouvé sa liberté et son indépendance, raconte Arafat, elle n'oublierait pas ses frères palestiniens opprimés... »

Le 3 juillet 1962, tandis que les combattants des djebels mêlés au peuple en liesse de la Casbah descendent la rue Michelet en chantant « Ghassanem », l'hymne algérien, Arafat fait naturellement partie des personnalités réunies au Forum, sur la place nouvellement baptisée : « de l'Indépendance ». A l'issue des cérémonies, il prend Ben Bella à l'écart et lui rappelle son serment.

« Mon cher frère Yasser, répond Ben Bella, nous avons fait cette promesse et nous la tiendrons. Rencontrons-nous dans les jours qui viennent, et discutons des moyens d'aider votre révolution... »

Six mois plus tard ouvre à Alger le bureau de la Palestine, dirigé par Khalil al-Wazir, sous le pseudonyme d'Alal Ben-Amar. Mais la création d'une antenne du Fatah dans la prestigieuse capitale du Tiers Monde révolutionnaire donne un prurit au Caire, qui fait tout pour obtenir d'Alger la fermeture du bureau.

A peine installé, al-Wazir reçoit la visite de la Sûreté algérienne. Nasser a eu le dessus. On vient fermer le bureau. Le représentant du Fatah s'insurge :

« Je suis ici parce que le président Ben Bella nous a donné sa parole! dit-il. Et si on doit me jeter à la rue, le Président doit venir le faire lui-même! »

Affolés à l'idée d'un scandale, les policiers en réfèrent

à la présidence. On rapporte à Ben Bella les paroles d'al-Wazir, et l'ordre tombe : le bureau restera ouvert ! Exultant, al-Wazir télégraphie à Arafat. Le Fatah vient d'établir sa première base diplomatique et peut rencontrer journalistes et officiels sans se cacher. Désormais, l'Algérie résistera à toutes les pressions de Nasser.

« Le fait que nous ayons eu l'Algérie pour amie à cette époque nous a donné une crédibilité révolutionnaire qui valait plus que l'or ou des armes », dira plus tard Arafat.

Au moment même où le Fatah s'ouvre sur le monde, Arafat s'apprête, hélas, à découvrir un autre aspect de l'action politique sur lequel son esprit volontariste ne s'était jamais attardé : les querelles intestines.

15.

Démocratie, première leçon

Le Fatah a grandi. Il y a encore deux ans, Arafat échangeait quelques mots avec Khalil al-Wazir, et le Fatah avait pris une décision. Aujourd'hui, il y a ce fichu Comité central...

Lorsqu'il se réunit en février 1963, le Comité central du Fatah est dominé par les nouveaux arrivants, ces Palestiniens du Koweit, éduqués, souvent prospères et presque toujours ambitieux. Leur plus digne représentant s'appelle Khaled el-Hassan.

Fils d'un juge islamique respecté, né à Haïfa en 1928, Khaled el-Hassan a du fuir pour l'Afrique, avec l'aide des Britanniques, lorsqu'en 1948 les Juifs ont pris la ville. Il a ensuite connu une longue période d'errance à travers le Moyen-Orient, tentant d'organiser la résistance palestinienne dans le Sinaï ou à Damas. Comme Arafat, c'est au Koweit qu'il a trouvé la fortune et une base politique. Chargé du développement économique par le gouvernement, il tente de mettre sur pied un Parti palestinien lorsqu'Arafat fait surface à Koweit. Naturellement, leurs routes se croisent. Pour le meilleur et pour le pire.

Le pire, c'est ce qui arrive à Arafat lors de cette réunion de février. Le voilà noyé dans une direction collective de dix personnes!

Khaled el-Hassan est obsédé par la démocratie. Lui et ses amis redoutent que l'écrasante personnalité d'Arafat n'étouffe leur mouvement. Et cette querelle de personnes recouvre une divergence politique grave : la nouvelle direction est hostile à l'action militaire.

« Nous pensions qu'il n'était pas temps, dit Khaled el-Hassan. Provoquer Israël ne pouvait qu'amener des représailles. Les régimes arabes n'étaient pas prêts à la guerre. Nous nous serions retrouvés pris entre le marteau et l'enclume... Nous voulions passer par une phase d'expansion politique, et cela voulait dire coordonner notre action avec celle des Arabes... »

Arafat, au contraire, pense qu'il faut plus que jamais combattre pour « fixer l'identité » palestinienne et réveiller la conscience arabe. Il ne faut pas laisser s'endormir les régimes arabes dans un état de « ni guerre ni paix » avec Israël, où les Palestiniens n'auront bientôt plus de place.

Mis en minorité, Arafat fait le gros dos. A plusieurs reprises, il tentera des coups de force, réclamant en vain les pleins pouvoirs. Il réprouve l'idée de direction collective, sans doute par tempérament mais également parce que, dans une telle organisation, il devient aisé aux différents régimes arabes de conquérir des influences au Comité central – jusqu'à le paralyser.

Déçus, Arafat et al-Wazir chercheront par tous les moyens à maintenir leur cap en dépit de la direction collégiale. Le premier moyen s'appelle la manipulation.

A cette époque, Hani el-Hassan, le cadet de Khaled, gère avec efficacité les 68 000 étudiants et ouvriers palestiniens émigrés en Allemagne Fédérale. Khalil al-Wazir le convoque à Alger, se gardant bien d'évoquer l'opposition avec Khaled au Comité central.

« Hani, demande Arafat, nous avons besoin de tes étudiants. Unissons tes combattants volontaires à nos fédayines...

– Oui, répond le jeune Al-Hassan. Mais ils iront aussi se battre en Jordanie! Tu sais que mon organisation revendique la libération de la Jordanie...

– Non, non, non! répond Arafat. Tout ce que tu veux, Hani, mais je ne peux pas envisager, même une seconde, de combattre Hussein! »

Le lendemain, c'est Khalil al-Wazir qui finira par convaincre Hani... en mentant sur la force réelle du Fatah, et en prétendant qu'il possède même des hélicoptères!

Hani rentre en Allemagne conquis. Il ignore que ni Arafat, ni al-Wazir n'ont encore levé l'obstacle fondamental sur la route de la lutte armée : les armes.

Les Algériens ont consenti à entraîner quelques fédayines, mais pas question de les armer massivement. La jeune république ne peut porter à bout de bras la révolution palestinienne. Il faudrait l'aide d'une grande puissance...

En 1964, grâce à l'ambassade d'Alger, Wazir obtient pour lui et Arafat une invitation à Pékin. Les deux hommes débarquent pleins d'espoir à la Cité Interdite, siège du gouvernement de Chou En-Laï et de Mao... Enfin ils vont avoir des armes!

Las! Les Chinois ne croient même pas à la libération de la Palestine. C'est la douche froide.

« Nous savons ce qu'est une guerre de libération, disent-ils. Pour gagner, il faut l'appui de la population. Vous n'avez aucune base dans les territoires occupés par les sionistes. Vous n'avez même pas d'appuis aux frontières, aucune puissance voisine n'est prête à vous soutenir. Par où allez-vous commencer? »

Les officiels en col mao reposent la question sans fin durant trois jours, en secouant la tête. « C'est impossible », disent-ils.

Arafat explose : « C'est peut-être impossible, mais nous le ferons ! »

Il développe ses arguments. Il n'est pas pensable d'écraser Israël militairement, d'accord, mais combattre est indispensable pour fixer l'identité des Palestiniens dans le monde et faire inscrire leur cause sur l'agenda des grands de ce monde. Si le problème palestinien ne devient pas incontournable, il sera évacué, balayé ! Les Palestiniens ont le devoir historique de faire du bruit, d'ameuter les consciences. C'est leur dernière chance d'exister...

Cette idée de « fixer l'identité » palestinienne dans la lutte ranime un peu la confiance des Chinois. Le jour du départ, ils ont un petit cadeau pour Arafat et al-Wazir.

« Vous aurez des armes... »

Exultants, les deux Palestiniens n'entendent même pas la fin de la phrase :

« ... une fois que vous aurez commencé la lutte par vos propres moyens ! »

16.

L'idée de Dean Rusk

Un événement va donner à Arafat et al-Wazir l'occasion de retourner la majorité au sein du Fatah et d'engager la lutte armée. C'est l'un de leurs adversaires les plus déterminés, Gamal Abdel Nasser qui leur en offrira l'opportunité.

« Mon bureau était jonché de rapports des services de renseignements, confiera plus tard le raïs à Arafat. Ils me tenaient plus ou moins bien au courant de vos activités clandestines. »

Nasser vit dans l'angoisse. En 1964, alors que le moratoire secret de dix ans de non-agression avec Israël approche de sa fin, il redoute plus que jamais la confrontation. Quarante mille de ses soldats sont enlisés dans une guerre absurde au Yémen, les grands travaux du Nil saignent l'Égypte à blanc et Nasser s'est imprudemment engagé dans une escalade verbale à l'encontre d'Israël. L'année précédente, par solidarité avec Hussein, il a déclaré que le détournement des eaux du Jourdain par les Israéliens constituerait un *casus belli*.

Or, les Israéliens ne se gênent pas. Ils pompent depuis plusieurs semaines, sans se cacher, les eaux du fleuve. Nasser n'a pas l'intention de faire la guerre pour autant. Mais il ne veut pas perdre la face. Il a donc convoqué au Caire un sommet arabe, le premier du genre...

Surtout, dans ce contexte explosif, le raïs craint de voir s'éveiller les Palestiniens. Il veut à tout prix les empêcher de provoquer librement Israël.

Le secrétaire d'État Dean Rusk, en visite au Caire, a trouvé la solution aux problèmes de Nasser : créer une organisation parapluie qui coifferait les différents groupes palestiniens et les neutraliserait. L'idée de créer l'OLP vient ainsi des États-Unis!

Rusk négligeait un détail : il faudra attendre 1988 pour qu'enfin Washington reconnaisse l'OLP et engage le dialogue. Vingt-quatre années durant lesquelles Arafat, de chef d'un obscur mouvement clandestin dont l'identité n'est même pas encore clairement établie par les services de renseignements, deviendra leader historique et incontournable...

En attendant, les chefs d'État arabes cherchent, en janvier 1964, une issue à la confrontation. Les trois décisions qu'ils prennent au premier sommet arabe du Caire cachent mal leur impuissance : la première consiste à détourner, de leur côté, des affluents du Jourdain. La seconde met sur pied un commandement arabe unifié. Des troupes égyptiennes et syriennes seront, notamment, stationnées en Jordanie.

Quant à la troisième résolution, elle vise à « organiser le peuple palestinien pour lui permettre de jouer son rôle dans la libération de son pays et de décider de son avenir ».

Une nouvelle organisation va naître. Les Arabes lui donneront des crédits, des moyens politiques. Que deviendront les groupuscules face à ce rouleau compresseur ?

17.

L'OLP naît à Jérusalem

« Horrifié ». C'est ainsi que Khaled el-Hassan reviendra du premier Conseil national palestinien qui se tient en avril 1964 à Jérusalem-Est. Quatre cent vingt-deux délégués palestiniens, plus ou moins élus, plus ou moins choisis, se bousculent dans les salons flambant neuf de l'hôtel Inter-Continental, sur le mont des Oliviers. Khaled El-Hassan et quelques-uns de ses amis représentent le Fatah, qui n'a pas cru bon d'envoyer Arafat. Le temps est au compromis plutôt qu'à l'affrontement.

Or Khaled El-Hassan, l'homme du compromis, est lui-même écœuré : ce Conseil palestinien n'est qu'une farce, destinée à entériner le plan de Nasser.

Le raïs a même désigné son exécutant : Ahmed Choukayri. Avocat, orateur véhément, opportuniste, intrigant, Choukayri a longtemps été une espèce de mercenaire diplomatique, représentant tour à tour la Syrie et l'Arabie Saoudite aux Nations-Unies. Après avoir « trahi » le roi Fayçal, il sera limogé et Nasser, qui le remarque, fera de lui le représentant de la Palestine auprès de la Ligue Arabe.

Cette marionnette des régimes arabes a un mérite : elle parle. La violence fanatique de ses discours catalysera la frustration palestinienne, tandis que sa prudence servile à l'égard des régimes qui l'emploient paralysera l'action de l'OLP.

Mais plus personne, pas même le Fatah, ne peut ignorer l'OLP. Avec son siège au Caire, ses représentations diplomatiques, son budget énorme voté par la Ligue Arabe et sa branche armée, l'ALP (Armée de Libération de la Palestine), placée sous le commandement des États arabes hôtes, elle constitue ce qu'Arafat appellera « un mirage mortel » pour la cause palestinienne.

« Vous savez que je suis là pour vous baiser ! » confie avec grâce Choukayri à Khaled el-Hassan qui tente d'établir un accord entre le Fatah et l'OLP. L'homme de Nasser ne cherche même pas à enrober la vérité. Les régimes arabes, reconnaît-il, ne laisseront aucune liberté à la centrale palestinienne. Khalil al-Wazir suggère alors que le Fatah devienne la branche secrète de l'OLP. Durant quelques mois, les révolutionnaires du Koweit essaient par tous les moyens d'aboutir à un modus vivendi... Car le désastre est réel : le Fatah se vide de l'intérieur. Cadres civils et militaires, qui attendaient depuis des années les moyens de se battre, rejoignent en masse l'OLP et l'ALP.

Nasser se frotte les mains. Il demande aux autorités koweitiennes de fermer le bureau du Fatah. Pragmatiques par nature, les Koweitiens accèdent officiellement à la demande du raïs. Mais laissent le bureau officieusement ouvert...

Pour Arafat, c'est l'heure de vérité. Il doit convaincre son Comité central qu'il faut se lancer à tout prix dans la bataille. Sinon la chance passera. Le Fatah se videra de toute sa substance, et l'OLP endormira à jamais l'espoir des Palestiniens...

Au sein du Comité central, le débat fait rage durant plus d'un mois. Pour la première fois – mais pas pour la dernière – Arafat met dans la balance l'unité du mouvement : « Je m'en irai, menace-t-il, si vous ne votez pas l'action militaire ! »

Le bloc de Khaled El-Hassan et ses amis se fissure, puis se déchire et se range en partie aux propos d'Arafat. Par cinq voix contre quatre, le Comité central du Fatah réuni à Koweit décide de passer à l'action militaire.

18.

Un étrange directeur de conscience

Arafat triomphe. Et pourtant il doute : a-t-il le droit d'engager l'avenir du mouvement sur une voie aussi étroite ? A-t-il le droit d'envoyer à la mort des amis, des frères ?

Un petit homme au regard malicieux qui hante, vêtu d'une robe noire, tous les conseils palestiniens, a été le témoin des premiers doutes d'Arafat. C'est un prêtre catholique. Les cheveux blancs, la voix douce et le chapelet de cèdre qui joue sans fin dans les doigts noueux du père Michel Ayad cachent une détermination, une ferveur nationaliste insoupçonnée mais fréquente dans le clergé chrétien de Palestine.

Dans son couvent de Beyrouth, le religieux voit un jour débouler un jeune et brillant ingénieur qu'il ne connaît pas et qui lui livre d'emblée les secrets les mieux gardés du Fatah.

« Mon père, dit Arafat, je sais qu'en combattant nous ne pouvons pas récupérer la Palestine. Mais nous devons combattre pour dire au monde que nous existons. Nous devons combattre pour dire au monde qu'il y a un peuple palestinien. Si nous ne parvenons pas à faire comprendre au monde que notre cause est juste, alors nous sommes perdus. »

Il avoue au prêtre que le Fatah n'a que sept combattants – et cinq malheureux fusils.

« Nous n'avons même pas d'argent, soupire Arafat.

– Vous avez besoin d'aide ? demande le père Ayad.

– Non, mon père, répond Arafat. Tout ce dont j'ai besoin, c'est de votre bénédiction. »

Le jeune révolutionnaire musulman s'est agenouillé pour recevoir la bénédiction du prêtre. Cet instant explique sans doute la fidélité qui unira Arafat aux Chrétiens palestiniens. Dans les années 1980, pressé par les courants islamistes d'appeler à la guerre sainte contre Israël, Arafat refusera obstinément de donner au mouvement un aspect confessionnel. « Nous sommes une nation multiconfessionnelle, dit-il. Le nationalisme peut nous réunir, le confessionnalisme ne peut que nous diviser... »

En 1964, ayant triomphé des modérés au sein du Comité central, Arafat se voit promu « commandant en chef des forces d'Al-Assifa ». Ce nom signifie : « La Tempête. » Khalil al-Wazir l'a suggéré afin de brouiller les pistes et de lancer les services secrets arabes sur une organisation fantôme.

Car, dès que « la Tempête » se déchaînera, Arafat, al-Wazir et leurs amis seront des hommes à abattre.

Arafat le sait. Ce qu'il ne sait pas encore, c'est à partir d'où frapper Israël. De l'Égypte ? C'est exclu puisque Nasser veut les faire disparaître. De Jordanie ? L'hypothèse n'est guère plus séduisante. Du Liban ? Arafat redoute d'engager le combat depuis cet État fragile et divisé...

En fait, il n'a pas vraiment le choix.

19.

Le chemin de Damas

Arafat connaît la Syrie et les Syriens. Au milieu des années cinquante, il a rencontré le fondateur du parti Baas, Michel Aflaq, dont l'idéologie panarabe, socialisante et laïque, fait école un peu partout au Moyen-Orient. Depuis cette époque, l'ingénieur palestinien entretient soigneusement des contacts avec les militaires baasistes qui se succèdent au pouvoir à un rythme effréné.

En octobre 1964, la Syrie subit son huitième coup

d'État. Arafat décide de faire « fructifier » ses relations. Il connaît bien deux hommes dans le nouveau régime.

Le premier s'appelle Ahmad Soueydani; c'est un officier aux anciennes sympathies islamistes. Il se retrouve chef des renseignements militaires et peut, à ce titre, aider le Fatah à prendre pied en Syrie.

Le second deviendra l'ennemi mortel de Yasser Arafat. Il n'est encore que chef d'État-major de l'armée de l'air mais, à Damas, personne ne doute qu'il prendra du galon. Cet officier glacial, calculateur, non dénué de génie se nomme Hafez el-Assad. Heureusement pour Arafat, les nouveaux maîtres de la Syrie veulent passer pour les champions de la cause révolutionnaire arabe. Opposés à l'Égypte de Nasser avec laquelle la Syrie a tenté un moment une impossible union, ils décident de jouer la carte du Fatah contre celle de l'OLP.

Mais les négociations sont dures. Arafat veut obtenir l'établissement d'une base permanente du Fatah avec possibilité d'y recevoir et d'y stocker des armes, et surtout d'y entraîner des recrues. Vingt officiers palestiniens ont commencé leur formation à l'académie militaire d'Alger, et seront bientôt disponibles pour instruire des combattants.

Soueydani veut mettre son nez partout et cherche à imposer des conditions. Entre autres, pas question de franchir la frontière syro-israélienne du Golan. Les commandos palestiniens devront passer par la Jordanie ou le Liban, mais ne pas menacer la sécurité du régime de Damas. Arafat, qui n'a pas le choix, comprend tout de suite que l'arrangement auquel ils aboutissent enfin sera provisoire. L'important, c'est que le Fatah puisse frapper Israël, et que le monde le sache.

« Nous avions décidé que notre première opération serait spectaculaire, racontera plus tard Khalil al-Wazir, afin que ni les Israéliens ni les Arabes ne puissent la passer sous silence. La date choisie était la nuit du 31 décembre, nous voulions frapper dix objectifs d'un coup et, pour cela, nous avions réuni tout ce dont disposait le Fatah... »

Pas grand-chose, en vérité : une mitraillette Sten, un fusil anglais Lee-Enfield 303, un fusil-mitrailleur allemand, des armes de poing et des explosifs. Le Fatah n'ayant que 400 livres jordaniennes dans les caisses, Arafat, qui a liquidé en hâte son entreprise du Koweït et vendu ses biens pour se lancer dans la lutte armée, en apporte 6000 autres. Encore doit-il mentir et prétexter que cet argent vient d'un emprunt fait à un Palestinien de Beyrouth : les modérés du Fatah ne veulent rien devoir à Arafat.

Le 18 décembre, une réunion finale décide des termes du « communiqué militaire n° 1 d'Al Assifa », qui proclame la « révolution armée, qui ouvre la voie de la victoire et du retour en Palestine ». Les dirigeants du Fatah entérinent les dix objectifs, parmi lesquels le tunnel d'Eil-Aboune, un important ouvrage d'art israélien situé non loin du lac de Tibériade et la station de pompage de Beït-Netopha. Les quatre-vingt-deux combattants, divisés en dix groupes, attendent l'heure H dans les camps de réfugiés au Liban, en Syrie et en Jordanie. Vêtu en civil, chacun devra emporter sa propre nourriture.

La nuit tombée, au soir de la Saint-Sylvestre, les quatre-vingt-deux combattants d'Al-Assifa se mettent en route. A Beyrouth, Arafat ronéote le communiqué et le distribue lui-même aux principaux journaux arabes, dans sa petite Volkswagen bleu pétrole. Il jubile : le combat commence enfin...

En fait pas vraiment, mais Arafat l'ignore.

20.

Les premières bombes explosent

Et comment saurait-il, Arafat ? A peine sortis d'Aïn-el-Hilwé, les quatre commandos qui devaient faire sauter la station de pompage de Beït-Netopha se sont fait arrêter par des agents de la Sûreté générale libanaise. Sur la rive orientale du Jourdain, les onze fédayines qui devaient attaquer Eil-Aboune ont dû renoncer à l'opération, surpris par une brutale montée des eaux.

L'ennui, c'est que tous les journaux annoncent en première page le coup d'éclat d'Al-Assifa! Personne n'y croit. D'autant que, deux jours plus tard, la Sûreté libanaise révèle « l'imposture » en exhibant à la presse les combattants qu'elle a arrêtés... Pour les journaux du Caire, Al-Assifa n'est qu'une officine occidentale cherchant à pousser les Arabes vers la guerre avant qu'ils y soient prêts. Quant à la presse jordanienne, elle présente Al-Assifa comme un groupe communiste...

L'humiliation dope Arafat. Il bat le rappel de ses troupes. Pour lui, si les combattants d'Aïn-el-Hilwé ont été arrêtés, c'est qu'on les a donnés. Qui? Les Syriens étaient au courant de l'objectif. Alors, cette fois, plus question de prévenir Soueydani, ni personne.

Le 4 janvier, un nouveau commando atteint Beït-Netopha. Des explosifs sont placés dans la station de pompage. Hélas, le réveil qui sert de minuterie fait un tel bruit que les Israéliens le repèrent et désarmorçent à temps le dispositif...

Mais d'autres objectifs, dans des kibboutz proches de la fontière, sont atteints. Trois jours plus tard, les commandos du Jourdain sauvent l'honneur: ils parviennent à franchir le fleuve sur de grosses chambres à air de tracteurs, et le tunnel d'Eil-Aboune s'effondre à l'aube du 8 janvier.

Le Fatah remporte son premier succès et essuie ses premières pertes. Accroché par les Israéliens peu après l'explosion du tunnel, Mahmoud Hijazi, dont l'arme s'est enrayée, est fait prisonnier. Le reste du commando parvient à repasser la frontière, mais les soldats jordaniens, alertés par les tirs, leur tendent une embuscade. Un jeune combattant, Ahmed Moussa, est abattu.

Sans doute est-il symbolique que le premier martyr du

Fatah ait été tué par un Arabe. Cet incident passé inaperçu annonce vingt-cinq ans de massacres, de guerres intestines et de trahisons.

En trois mois, le Fatah effectue sept opérations depuis la Jordanie, trois depuis Gaza. Mais les Syriens entendent garder le contrôle des opérations et le font bientôt savoir à Arafat.

Un jour qu'il transporte des bâtons de dynamite du Liban en Syrie dans le coffre de sa Volkswagen, il est arrêté par les hommes du colonel Mohammed Orki. Aujourd'hui encore, peu de noms sont prononcés par les militants palestiniens de la première heure avec autant de haine rentrée, de dégoût. Chef du département palestinien des renseignements syriens, il sera responsable de la torture, de l'enlèvement, du meurtre de nombreux combattants.

Orki n'a pas encore choisi de tuer Arafat. Il l'interroge, le secoue durant dix-huit heures. Il s'agit d'un simple avertissement : « Nous savons ce que vous faites, partout, tout le temps, et on vous a à l'œil... »

21.

En guerre contre les services arabes

« Je dois remercier les Israéliens et leur aveuglement, m'a confié Arafat. A l'époque où tous les régimes arabes cherchaient à nous supprimer ou à nous faire taire, ce sont eux qui, les premiers, ont parlé de nos opérations. Ils étaient tellement obsédés par l'idée de faire croire au monde entier qu'Israël était sur le point d'être anéanti qu'ils ont monté en épingle les opérations de notre petit groupe. A l'époque, nous n'avions jamais assez de dynamite pour l'opération suivante. Grâce à la publicité du gouvernement israélien, nous nous sommes mis à grandir, grandir, grandir. Et leur cauchemar est devenu réel... »

Celui de Nasser aussi. Il ne peut accepter de voir se développer une organisation proposant une alternative à l'OLP et à l'armée palestinienne fantoche qu'il fait marcher au pas dans les rues de Gaza.

Par le biais du Commandement arabe unifié, le raïs donne l'ordre à toutes les armées de la Ligue Arabe de trouver et d'écraser Al-Assifa. Les Syriens, eux aussi, reçoivent cet ordre secret : Soueydani convoque Arafat et lui en montre la copie.

En Jordanie, en Égypte, au Liban, des centaines de Palestiniens sont arrêtés et torturés. On leur brise un à un les doigts. On les brûle avec des cigarettes, on les force à marcher sur du verre et ils subissent le vieux supplice ottoman de la flagellation plantaire. Quelques cellules sont démantelées, mais la plupart des torturés n'ont rien à raconter...

L'étanchéité de la structure mise en place par Khalil al-Wazir fait ses preuves. Il revient à Beyrouth en mars 1965 pour devenir chef d'état-major. Arafat entreprend la reprise en main de l'Organisation, et il a besoin de quelqu'un sur qui il peut aveuglément compter.

La première mission d'al-Wazir est d'une importance vitale : elle consiste à acheter des armes. Al-Wazir doit convoyer en Europe tous les fonds qu'Arafat a pu réunir, soit en puisant dans ce qui reste de sa fortune personnelle, soit en sollicitant quelques riches Palestiniens qui commencent à s'intéresser à son avenir politique. Khalil devra déjouer la surveillance des services secrets israéliens, le Mossad, très actif en Europe. Et, surtout, il doit se trouver un remplaçant solide.

« Tu as pensé à quelqu'un ? demande Arafat.

– Oui, répond al-Wazir. A ma femme, Intissar.

– C'est impossible ! coupe Arafat. Le poste est trop dangereux, celui qui l'occupe doit se sacrifier, il ne doit en aucun cas être pris vivant...

– Elle le sait. Nous en avons déjà parlé. »

Arafat n'aurait jamais accepté, s'il n'avait déjà eu l'occasion d'observer le courage d'Intissar. Khalil et Intissar se sont connus à Gaza. Durant l'occupation israélienne, en 1956, elle passait des grenades dans des paniers d'oranges... Khalil en a vite fait son agent de liaison. Peu à peu, elle a partagé tous ses secrets, elle connaît tous les combattants.

Arafat a vu s'épanouir le bonheur des al-Wazir. Une affection profonde l'unit au couple, peut-être parce que lui-même a renoncé au mariage. « Il y avait quelqu'un dans ma vie, confie-t-il, mais je n'ai pas voulu exposer cette jeune fille au danger d'une vie de combattant. En me lançant dans la lutte, j'ai accepté l'idée de mourir à chaque instant. C'est un choix qu'on ne peut pas faire pour quelqu'un d'autre... »

Intissar, elle, a fait ce choix. Cela force l'admiration d'Arafat. Durant l'absence de son mari, elle établit dans son appartement de Beyrouth les contacts entre les commandos qui partent pour la Palestine. Elle distribue elle-même les armes, rédige les communiqués. Elle porte toujours sur elle un revolver qui lui permettra de se suicider en cas de capture imminente. Pour plus de sécurité, elle a donné l'ordre à l'un de ses gardes du corps de l'abattre si c'était nécessaire. Et, dans cette tension effrayante, Intissar al-Wasir élève deux enfants avec amour...

Khalil s'apprête à rentrer au Liban. Il a pris son billet d'avion mais se garde bien de prévenir sa femme ni Arafat qui se trouve à Damas, ce 1er septembre 1965. Précisément, ce soir-là, le téléphone sonne chez lui. C'est Soueydani.

« Les services secrets arabes ont localisé le commandement d'Al-Assifa à Beyrouth, dit-il d'une voix courte. Ils vont frapper. A l'aube, la Sûreté générale va rafler des dizaines de Palestiniens... »

Arafat saute dans un taxi. Il passe la frontière en pleine nuit, traverse la Békaa et la montagne du Chouf. Deux heures plus tard, il tambourine à la porte d'Intissar.

La porte s'ouvre. Intissar est en robe de nuit, revolver à la main. Arafat pose un doigt sur sa bouche.

« Vite, vite, souffle-t-il. On doit partir. Maintenant! »

Tandis qu'elle rassemble en hâte tous les documents, Arafat réveille les enfants, Jihad et Nidal.

« On a le temps de prendre seulement un sac avec vos vêtements et vos jouets. Donnez-moi ce que vous voulez emporter. Vite, vite! »

Le taxi repart en pleine nuit vers la Syrie. Une fois la frontière franchie, Arafat avoue enfin la situation à Intissar. Le jour se lève. Les agents de la Sûreté libanaise trouvent l'appartement vide mais arrêtent des dizaines de militants dans les camps de réfugiés. Ils seront torturés durant des semaines...

Lorsque Khalil al-Wazir rentre d'Allemagne et trouve son appartement désert, il imagine le pire. Une voisine le rassure : « Votre femme est partie à Damas chez son oncle. » C'est ainsi que les Wazir appellent Arafat.

Khalil appelle donc chez l'oncle de Damas. « Quand est-ce que je te verrai? demande Intissar.

– Je ne sais pas, répond Khalil. Demain ou après-demain... »

Deux heures après, il débarque chez Arafat. Avec de bonnes nouvelles. Non seulement il a trouvé des marchands d'armes en Europe, mais il a conclu un marché. Les armes seront officiellement livrées à l'Algérie. De là, il n'y aura plus qu'à les transférer en Syrie.

22.

Conflit avec les modérés

Khaled el-Hassan lui non plus n'est pas resté inactif. Au Caire, il a tenté de se réconcilier avec Nasser. Bien sûr on ne l'a même pas laissé approcher le raïs, mais des proches lui ont laissé entendre qu'un dialogue pouvait s'ouvrir.

A condition que le Fatah suspende la lutte armée.

A Damas, les interminables débats du Comité central reprennent. Cesser le combat au moment même où les armes arrivent, où les idées du Fatah commencent à pénétrer les masses des camps de réfugiés ? Arafat ne veut rien entendre. Une fois de plus, il met dans la balance l'explosion du Fatah.

« Je ne deviendrai jamais, jamais, jamais la marionnette d'aucun régime ! » s'indigne-t-il auprès du père Ayad.

Il a voulu revoir le prêtre catholique en cet instant de crise, et des amis communs ont arrangé un dîner. Arafat est inquiet. Inquiet de la pression imposée par Khaled el-Hassan, inquiet aussi de voir arriver au pouvoir à Damas un nouveau régime, hostile au combat des Palestiniens.

« Mon père, dit-il, j'ai décidé de continuer la lutte armée. Me donnez-vous votre bénédiction ?

– Oui, répond le père Ayad. Dieu est amour et l'amour est justice. Tu ne te battras pas seul. »

Khaled el-Hassan réplique. Le Comité central coupe les crédits à Arafat et à sa branche militaire. Cela ne pouvait tomber plus mal...

Où trouver de l'argent ? Le voyage en Europe de Khalil al-Wazir a englouti ce qui restait de la fortune d'Arafat, et ces fichues armes ne sont toujours pas en route. La lutte armée s'arrête, faute de dynamite. Et Israël connaît une paix totale durant cinq mois.

Khaled el-Hassan respire. Mais en Allemagne, son frère Hani écume ! C'est lui qui tirera Arafat du marasme, lui apportant ce que Khaled vient de lui enlever : des fonds.

Hani el-Hassan jouit d'un prestige immense auprès des 65 000 ouvriers palestiniens émigrés en RFA. Beaucoup militent dans des groupes politiques et sympathisent avec les idées révolutionnaires de Hani. Comme beaucoup d'émigrés, ils ont pris l'habitude de travailler le dimanche. Les heures sont payées double. Alors le jeune leader leur propose un slogan : « Travaillez un dimanche par mois pour la Révolution ! »

Les deutschemarks se mettent à pleuvoir. Chaque mois, Khalil al-Wazir fait l'aller et retour pour les collecter. Les affaires reprennent pour les guérilleros...

D'autant que l'avion d'armes finit par arriver d'Alger.

Exploitant les faiblesses du régime syrien, Arafat arrache l'autorisation de mener une opération contre Israël à partir du Golan. C'est une première. Et, dans la nuit du 23 janvier 1966, à travers d'étroits contrôles de l'armée syrienne, les hommes du Fatah remettent un pied en Israël.

23.

Arafat pris au piège

Khaled el-Hassan est furieux. Arafat bafoue ouvertement les décisions majoritaires du Comité central. Mais peut-on l'exclure ? Les chefs de l'organisation se réunissent pour répondre à cette grave question, fatale peut-être.

Verdict : l'adhésion d'Arafat au Fatah est suspendue pour trois mois et le débat de fond est renvoyé aux calendes.

A n'importe quel autre moment, l'affrontement entre Khaled el-Hassan et Yasser Arafat aurait conduit à une scission. Mais des circonstances exceptionnelles pousseront les membres du Comité central à trouver un compromis.

Il y a en effet plus urgent que les débats. En février 1966, le président syrien Amine el-Hafez est renversé par un nouveau coup d'État. A vrai dire, personne ne regrette cet homme dont l'arrogance avait plusieurs fois placé le monde arabe au bord de la catastrophe. Ce qui inquiète Arafat, c'est de savoir quel arrangement il va pouvoir trouver avec les nouveaux maîtres de la Syrie, ces officiers de la petite secte alaouite qui grignotent le pouvoir depuis dix ans...

Nourreddine Attassi, le nouveau président, n'est lui-même qu'un timbre en caoutchouc dans les mains de l'auteur du putsch, le général Salah Jédid. Combien de temps tiendront-ils eux-mêmes avant d'être à leur tour poussés vers la sortie ?

Pour les observateurs, il est aisé de repérer le prochain aventurier au sein de la junte alaouite. Pour l'instant, il fait le jeu de Salah Jédid, qui l'a récompensé en le nommant ministre de la Défense : c'est Hafez el-Assad. Avec son compagnon Moustapha Tlass, il met au point une stratégie de prise de pouvoir originale, qu'il nomme la « stratégie de l'artichaud. »

Comme l'expliquera vingt ans plus tard Moustapha Tlass, cela consiste à isoler l'adversaire en éliminant un à un tous ses soutiens dans l'appareil d'État. Chaque matin, Salah Jédid se réveille un peu plus seul, ses ordres ne trouvent plus de relais, et le pouvoir glisse lentement vers Hafez el-Assad.

L'un des premiers officiers supérieurs à être victimes de cet effeuillage mortel, c'est Ahmed Soueydani, le principal contact de Yasser Arafat au sein de la hiérarchie militaire. Promu chef d'état-major au lendemain du putsch, il apprend quelques mois plus tard que ses supérieurs l'ont placé sur une liste d'hommes à abattre. Il parvient à gagner Pékin, laissant Arafat sans protecteur.

Or, Hafez el-Assad a trouvé un successeur à Yasser Arafat. Le jeune chef palestinien se montre trop têtu, trop indépendant et insaisissable. On va donc lui substituer un autre ingénieur : Ahmed Djibril. Recruté par les services secrets de Damas alors qu'il faisait ses études à l'académie militaire syrienne, il a suivi un stage de maniement d'explosifs en Grande-Bretagne, à l'académie royale de Sandhurst. A son retour, il fonde une petite officine pro-syrienne, le Front de Libération de la Palestine (FLP), dont Hafez el-Assad compte se servir comme d'un cheval de Troie pour liquider le Fatah...

Peu de temps après le coup d'État, Ahmad Djibril approche Arafat avec une proposition : fusionner le Fatah et le FLP. Pragmatique, Arafat se dit que cela lui permettrait peut-être d'avoir Djibril à l'œil. Il accepte d'engager des négociations. D'emblée, Djibril revendique le commandement militaire du mouvement. Arafat se fâche : « Pas question de laisser ce poste à un agent syrien ! »

Les renseignements militaires syriens trouvent alors une autre solution : tuer Arafat.

Il existe de cet épisode autant de versions que de groupes palestiniens. Les preuves concrètes ne sont pas disponibles et le seul témoin-clé, vingt-trois ans après, est toujours au secret dans une prison syrienne. Ce dernier détail semblerait accréditer la version de Yasser Arafat.

Elle tourne autour d'un homme, Youssef Ourabi. Palestinien, capitaine dans l'armée syrienne, il a servi d'intermédiaire dans les contacts entre Djibril et Arafat. Sans doute de bonne foi, il tente une réunion de conciliation entre les deux hommes, quelques semaines après leur rupture.

Le rendez-vous est fixé en fin d'après-midi, le 5 mai 1966. Mais les deux chefs palestiniens se méfient. Djibril, à la dernière minute, décide de ne pas venir et envoie un tueur qui a pour mission de liquider Arafat.

Djibril n'a pas prévu que Arafat, lui non plus, ne serait pas en personne au lieu dit : il a rendez-vous avec un membre du gouvernement syrien et Khalil al-Wazir. Il envoie donc deux de ses lieutenants, avec pour mission de négocier selon la ligne qu'il leur a fixée.

Il n'y aura pas de négociations. A peine arrivé, l'homme de Djibril se met à hurler et sort un pistolet-mitrailleur. Une fusillade éclate. Ourabi le conciliateur et l'un des lieutenants d'Arafat gisent dans leur sang. On dit qu'Ahmad Djibril avait déjà commencé à distribuer le communiqué annonçant la mort d'Arafat.

Quelques heures plus tard, dans leur permanence du camp de Yarmuok, Arafat et al-Wazir apprennent le guet-apens. Ils sont effondrés. Zahmoud, le second lieutenant d'Arafat présent sur les lieux, a été arrêté. L'issue leur paraît évidente : les autorités vont leur coller le double meurtre sur le dos...

A quatre heures du matin, ils rentrent chez Intissar al-Wazir, exténués, les larmes aux yeux. « Youssef et Mohammed ont été tués, lâche Khalil. Nous allons être accusés. Nous sommes piégés. »

A l'aube, les agents des services syriens viennent cueillir Arafat. Khalil al-Wazir sera arrêté deux jours après. Devant la menace de la potence qui plane sur leurs leaders, les jeunes Palestiniens de Yarmuok proposent de faire sauter des bombes à travers Damas, de secouer le régime.

« J'ai eu du mal à les dissuader dit Intissar al-Wazir, que son mari a nommée commandant par intérim. Cela aurait été de la folie, nos camarades emprisonnés auraient été exécutés, l'armée aurait attaqué les camps de réfugiés... La fin du Fatah ! J'ai dû faire acte d'autorité devant ces jeunes gens désespérés pour les ramener à la raison. »

Infatigable, Intissar frappe à toutes les portes du régime syrien, sollicite tous les amis. Au début, elle ne sait même pas où sont emprisonnés les chefs du Fatah. Grâce à un appui haut placé, elle parvient enfin au parloir de la prison de Mezzeh, dans la banlieue de Damas.

« Abou Jihad m'a serrée dans ses bras, dit-elle. Il m'a fait comprendre que le plus important, c'était de poursuivre les opérations militaires durant leur détention... »

Chaque soir, elle réunit chez elle lieutenants et fédayines afin de continuer l'action. Les combattants repartent très tard. Épuisée, Intissar s'assure alors que ses deux enfants dorment paisiblement.

Ce soir-là, Nidal, le plus jeune, ne dort pas. Il demande de l'eau. Intissar lui apporte à boire. Le verre glisse des mains de l'enfant, se brise. Il se penche pour ramasser un morceau, se coupe et commence à pleurer. La mère va chercher la trousse à pharmacie, le soigne et le remet au lit. Puis elle nettoie les dégâts et passe à la cuisine. Elle songe encore à la réunion qui vient de s'achever, aux difficultés qui entravent le mouvement. Soudain, elle entend le déclic de la fenêtre du balcon. Intissar se précipite. Trop tard : l'enfant a basculé dans le vide.

Nidal était un enfant turbulent. Son père était obsédé par la crainte qu'il lui arrive quelque chose, et particulièrement qu'il tombe de ce balcon. Descendant l'escalier quatre à quatre, Intissar trouve le corps disloqué du garçon qui mourra dans l'ambulance, avant d'atteindre l'hôpital. Désespérée, Intissar implore une amie, mariée au ministre syrien de l'Intérieur. « Mon enfant est mort, dit-elle. Je voudrais qu'Abou Jihad soit libéré pour l'enterrer. Je vous en prie! »

Khalil est libéré la nuit suivante. Il ne sait encore rien lorsque une jeep militaire le dépose devant chez lui. C'est un voisin qui lui apprend la nouvelle. Seul, au premières heures du jour, il enterre son enfant dans un simple linge blanc.

Il n'a que quelques heures de liberté. Grâce à l'amie d'Intissar, il arrache un rendez-vous au ministre de l'Intérieur, et obtient une reconduction de vingt-quatre, puis de quarante-huit heures.

Les frères al-Hassan débarquent de Koweit à la rescousse. A trois, ils contactent frénétiquement tous les dirigeants syriens. Enfin, Khalil al-Wazir pénètre dans le bureau de Hafez el-Assad, le ministre de la Défense.

« C'était comme se trouver devant un réfrigérateur » dira plus tard Abou Jihad.

Point par point, il explique pourquoi Arafat ne peut être tenu pour responsable du meurtre d'Ourabi. Surtout, à mots couverts, il fait comprendre à Hafez el-Assad que le plan de ses services a échoué.

Tout le monde sait désormais que les chefs du Fatah ont été victimes d'un coup fourré. Des dirigeants syriens, palestiniens, des Arabes influents se pressent chez Assad pour obtenir la liberté d'Arafat.

Il sera le dernier des hommes du Fatah à être remis en liberté. Le survivant, Zahmoud, est toujours en prison. Lui seul sait qui a tué Ourabi. Lui seul pourrait témoigner de la réalité de ce complot. Mais Hafez el-Assad est devenu entre-temps président de la République Arabe Syrienne...

24.

D'une prison, l'autre

Les opérations clandestines repartent. Arafat y participe lui-même, avec une témérité que lui reprochent parfois ses camarades. Qu'importe : il veut s'aguerrir et tester personnellement la tactique de ces Israéliens que l'on dit invincibles. Durant des jours entiers, il joue au chat et à la souris avec des patrouilles de l'armée hébraïque. Son verdict : « Les Israéliens ne sont ni meilleurs ni pires que n'importe quel soldat motivé, qui sait pourquoi il se bat. »

En ce début d'été 1966, sans le savoir, les Israéliens ont plus d'une fois à portée de fusil le futur chef de l'OLP.

Alors qu'il prépare une opération avec des fédayines depuis le Sud-Liban, Arafat est arrêté le 20 juillet à Marjayoun par la Sûreté libanaise. Transféré à la maison d'arrêt des Sablons, à Beyrouth, il ment sur son identité malgré trois semaines de tortures. Avec son fichu accent, il tente de se faire passer pour un caporal de l'armée égyptienne.

« J'étais déjà habitué à la torture. Je savais qu'ils pouvaient me tuer. Mais qu'ils ne me casseraient pas. »

C'est finalement par une information des Syriens que la Sûreté libanaise apprend l'identité du prisonnier.

Arafat est tiré de son cachot, habillé, conduit dans un grand bureau confortable. Là, le plus civilement du monde, il discute durant cinq heures avec les chefs des renseignements libanais. Les officiers sont éberlués. Certains se souviennent encore de cette rencontre, comme ce colonel druze :

« Cet homme revenait de l'antichambre de la mort et débattait avec nous comme s'il ne s'était rien passé. Nous étions remplis d'admiration et, je dois dire, un peu honteux. Même les chrétiens parmi nous étaient convaincus d'avoir affaire à un homme d'une trempe exceptionnelle. Arafat était un inconnu à l'époque. Dix ans plus tard, certains d'entre nous allaient devenir ses alliés dans la guerre du Liban, d'autres ses ennemis. Mais tous les officiers présents ce jour-là ont appris à le respecter. »

Arafat, de son côté, a raconté sa version au journaliste Alan Hart : « Ce fut une conversation très franche. Les Libanais découvraient qui nous étions et pourquoi nous nous battions. Ils ne connaissaient de nous que la propagande des autres services arabes. Au cours de cette réunion, je me suis forgé des amitiés solides... »

Le Moyen-Orient, en 1966, a encore deux guerres devant lui, avant celle du Liban. La première s'annonce déjà, sans que ses protagonistes en soient pleinement conscients...

25.

Les laboureurs de la guerre

A l'époque où Arafat et ses compagnons croupissent dans la prison de Mezzeh, Nasser rend visite à ses premiers fournisseurs d'armes : l'Union soviétique. Et ce qu'il entend n'est pas fait pour lui remonter le moral...

D'abord, le Kremlin ne comprend rien aux éternelles

querelles arabes. Brejnev et Gromyko ne voient-ils pas que ces divisions sont justement la meilleure garantie de la paix ? Ils adjurent Nasser de se raccommoder avec Damas. Et quand Moscou adjure, le raïs obéit.

D'ailleurs il n'a pas le choix. Il doit suivre les conseils de Brejnev s'il ne veut pas indéfiniment voir décroître sa puissance au profit de la Syrie. En ces temps troublés, le régime de Damas s'est forgé une certaine vertu révolutionnaire dans le Tiers-Monde, et cela irrite le raïs dont la cote d'amour est en chute libre.

Même cet éternel pantin de Choukayri, le chef de l'OLP mis en place par Nasser, renâcle et exige des moyens pour entreprendre la lutte armée ! Israël réarme. Le moratoire secret de dix ans tire à sa fin, et les nuages s'accumulent sur la tête de Nasser...

En juin 1966, les contacts reprennent donc entre l'Égypte et la Syrie. En octobre, les deux pays échangent des ambassadeurs. Le 4 novembre, ils signent un pacte de défense au terme duquel une agression contre l'un des signataires entraîne automatiquement l'entrée en guerre de l'autre.

Tout est prêt pour la guerre des Six-Jours.

En Israël, le pacte égypto-syrien est présenté comme un acte de belligérance. Les trompettes de la propagande recouvrent une autre réalité : les plans sont prêts depuis 1964 !

L'idée de l'État-Major hébreu consiste à détruire durablement les capacités militaires arabes. Comme l'a prouvé la guerre de 1956, Israël ne peut résister plus de quelques jours à la pression internationale. Il s'agira donc de démolir, en moins d'une semaine, le plus grand nombre possible de blindés égyptiens. Cette stratégie dort dans les cartons et les généraux israéliens attendent un prétexte.

Ils en trouvent un le 7 avril 1967.

Ce matin-là, un tracteur israélien laboure un champ dans une colonie juive de la zone démilitarisée, le long de la frontière syrienne. Personne n'a le droit d'apporter des armes dans ce secteur contrôlé par les Nations unies. Pourtant, chaque jour, s'y livre une terrible bataille à coups de socs de labour.

Les tracteurs israéliens ont une tendance nettement expansionniste. Chaque matin ils creusent un sillon de plus, élargissant la taille de leurs champs et diminuant d'autant celle des lopins arabes. Les Syriens se plaignent à la Commission Mixte d'armistice. Les Nations-Unies font des représentations. Rien n'y fait. Excédés, les soldats syriens tirent des coups de semonce. Les colons israéliens reviennent au volant de tracteurs blindés. C'est l'escalade !

Aux coups de semonce succèdent les coups de mortier. Des tracteurs finissent par être touchés, entraînant une réplique de l'artillerie israélienne.

Aux Nations-Unies, les officiels parlent de provocation. Mais, dans le concert soigneusement composé à Jérusalem, personne n'entend leur voix.

Et le 7 avril, quand, à 9 h 45, suivant un scénario désormais connu, un mortier syrien ouvre le feu sur un tracteur juif, le duel d'artillerie va crescendo jusqu'en début d'après-midi. L'aviation israélienne s'en mêle et pilonne les batteries syriennes. Deux vagues de Mig-21 syriens décollent de Kuneitra. Ils seront tous abattus par des Mirage israéliens qui, au lieu de rentrer sur leur base, se dirigent sur Damas.

C'est le choc. En quelques heures, à partir d'une simple histoire de tracteurs, Israël menace une capitale arabe. Les avions se contentent de tourner au-dessus de la ville mais le message est clair : « Nous sommes prêts à frapper, n'importe où, n'importe quand, n'importe qui. » Les Syriens comprennent, humiliés par la perte de leurs six avions, première d'une longue série de défaites aériennes. Un jour un général de l'air israélien lancera cette boutade : « La Syrie a un seul bon pilote : Hafez el-Assad. Mais il est si bon qu'il reste au sol ! »

La guerre couve. Après la provocation, diplomates et propagandistes se déchaînent. Le régime syrien implore le Caire de faire un geste. Nasser semble paralysé. Le mois suivant, il envoie son Premier ministre à Damas pour remettre un avertissement : « Notre accord de défense mutuel ne s'appliquera qu'en cas d'attaque générale d'Israël contre la Syrie. Aucun incident localisé n'entraînera notre intervention. »

Pendant ce temps, les chefs militaires israéliens laissent entendre qu'ils sont prêts à occuper Damas. Yitzhak Rabin déclare à des journalistes qu'Israël « n'aura pas la paix tant que le régime syrien sera en place, ». De faux messages radio faisant état d'une invasion imminente de la Syrie sont interceptés par les Soviétiques. L'ambassadeur soviétique à Tel Aviv proteste et demande à visiter les positions israéliennes à la frontière syrienne.

Le 12 mai, son homologue du Caire, Dimitri Podiédiev, câble au Kremlin : « Aujourd'hui nous avons transmis aux autorités égyptiennes nos informations concernant la concentration des troupes israéliennes sur la frontière nord en vue d'une attaque surprise contre la Syrie. »

Sous cette pression formidable, les Syriens acceptent de négocier avec les Israéliens : des contacts ont lieu en Espagne, par l'entremise de diplomates français. Ce sera durant des années l'un des secrets les mieux gardés de cette guerre. Mais y a-t-il eu accord ?

Au vu de la suite des événements, de nombreux observateurs arabes ont acquis cette conviction et, parmi eux, bien des Palestiniens. La Syrie se sent seule et, face à la perspective de l'anéantissement, le régime de Salah Jédid est prêt à des concessions extrêmes.

Pourtant, l'objectif réel d'Israël n'est pas d'écraser les Syriens, et encore moins la Jordanie. Le gouvernement hébreu lui fait savoir qu'il ne « prendra pas l'initiative des hostilités. »

« Ils voulaient balayer la puissance militaire égyptienne, que Nasser avait renforcée depuis dix ans, dit un diplomate des Nations-Unies chargé d'observer le conflit. Et tous leurs efforts consistaient à isoler leurs adversaires afin de les frapper individuellement. Une gifle militaire pouvait jeter bas Nasser et Israël savait qu'après, aucun régime arabe n'oserait l'attaquer... »

Le 15 mai, tandis qu'Israël fête son indépendance, un détail retient l'attention des états-majors du monde entier : pas une seule unité blindée ne participe au défilé militaire à Jérusalem-Ouest. Ultime intoxication? Nasser, en tout cas, se range à l'évidence: Israël prépare l'invasion de la Syrie! Il décrète la mobilisation générale. Le jour même, deux divisions blindées égyptiennes traversent le Caire, le canal de Suez, et se déploient dans le Sinaï.

Les généraux israéliens crient à l'agression. Nasser est pris dans l'engrenage.

Le 16 mai, il réclame le redéploiement des forces des Nations-Unies (UNEF) qui protègent depuis 1956 la ligne de cessez-le-feu israélo-égyptienne. Le raïs veut avoir les mains libres le long de la frontière du Néguev. Mais il souhaite que l'UNEF reste à Sharm-el-Sheikh, la ville qui contrôle le détroit de Tiran et le golfe d'Aquaba.

Car Israël a fait un *casus belli* de toute tentative de fermer le détroit. En demandant à l'UNEF de rester, Nasser rassure les Israéliens – et retarde l'heure du combat...

Un télégramme brise net les espoirs de Nasser. Il provient du secrétaire général des Nations-Unies, le birman U Thant. L'UNEF n'est à la disposition d'aucun des belligérants. Nasser doit choisir. Ou l'UNEF se retire totalement, ou elle conserve toutes ses positions...

Nasser hésite deux jours. Comment éviter la guerre? Si l'UNEF s'en va, l'Égypte devra réoccuper Sharm-el-Sheikh. Sharm-el-Sheikh investie, elle ne pourra pas décemment laisser le détroit ouvert aux navires israéliens. Et, le détroit fermé, qui empêchera Israël d'entrer en guerre?

Poussé par une opinion publique égyptienne aveuglée de propagande, Nasser demande, la mort dans l'âme, le départ de l'UNEF. Puis il hésite encore, trois jours, avant de reprendre Sharm-el-Sheikh...

Le raïs semble avoir perdu pied, incapable de saisir une situation dont il n'a plus la clé. Lorsque, le 21 mai, le drapeau égyptien flotte enfin sur Sharm-el-Sheikh, les Nations-Unies envoient message sur message à Nasser, tentant d'éviter ce qui désormais est inéluctable. Nasser s'est résigné à la guerre. Il n'a plus le choix qu'entre sa fin politique et la défaite. Le 22 mai, il annonce que le détroit est désormais interdit aux navires israéliens...

La semaine qui suit voit un étrange ballet diplomatique où l'intoxication le dispute à la mauvaise foi. U Thant, traînant les pieds, arrive enfin au Caire. Dans tout le monde arabe, une affolante propagande appelle à la vengeance contre Israël, afin de laver « l'humiliation de 1948. » Choukayri lance son tristement célèbre : « Nous allons jeter les Juifs à la mer! », peut-être dans le but de pousser Nasser au combat, mais avec un résultat catastrophique. « Rien, écrit l'historien Howard M. Sachar, n'aurait pu assurer plus efficacement à Israël la sympathie de l'Occident. »

Les diplomates israéliens plaident encore pour une solution négociée. Pourtant, les plans de leur État-Major sont prêts depuis des mois. C'est précisément la crainte d'un règlement diplomatique qui va déclencher les hostilités.

Le 2 juin, un message du département d'État américain avertit Israël que Washington a enfin établi les bases d'un dialogue avec l'Égypte. Le blocus du golfe d'Aquaba peut être levé par la négociation, qui devrait débuter le 7 juin, avec l'arrivée à Washington d'un haut diplomate égyptien.

Le diplomate aura un tout autre sujet de conversation.

Le lundi 5 juin, à 7 h 10 du matin, depuis la salle d'opérations du ministère de la Défense à Tel Aviv, le général Mordéchaï Hod donne l'ordre à l'aviation hébraïque de décoller. C'est la guerre.

En deux heures cinquante minutes, l'armée de l'air

égyptienne sera écrasée au sol tandis que les blindés israéliens entament un fulgurant « blitzkreig » à travers le Sinaï.

Dans le camp de Yarmouk, en Syrie, les fédayines palestiniens se rassemblent sous les ordres de Yasser Arafat...

26.

Les semences d'une haine nouvelle

Quel rôle peuvent jouer une poignée de partisans dans une guerre moderne avec blindés, aviation et missiles ? La réponse importe peu à Arafat et à Khalil al-Wazir, alors commandant en chef du Fatah, qui rentre en hâte d'Allemagne.

Pour eux, l'important est de se battre. Symboliquement, peut-être, mais de se battre pour renforcer leur détermination.

« Ce n'était même pas une question, dit Arafat. Pour nous il n'était même pas imaginable d'être ailleurs que sur le front en cet instant-là. »

Bourrée jusqu'à la gueule d'armes automatiques et de lance-roquettes, la Volkswagen bleue d'Arafat part à l'assaut du Golan. Les deux guerilleros écoutent, chemin faisant, la radio de Damas qui parle de victoire écrasante et affirme que ses troupes marchent sur Nazareth !

Au fur et à mesure qu'ils approchent du front, Arafat et al-Wazir se rendent compte qu'il n'y a pas l'ombre d'une percée syrienne. De loin en loin, quelques batteries bombardent mollement le nord d'Israël. Les tankistes fument des cigarettes, casque aux pied, vautrés sur leurs T-54 soviétiques.

Il ne s'agit en aucun cas d'une offensive d'envergure dans le but de soulager le front sud, où les Égyptiens essuient toute la puissance de feu israélienne et se font balayer.

Le soir même, le roi de Jordanie, vaincu, accepte le cessez-le-feu.

Hussein est entré malgré lui dans la guerre. Ce sont les unités égyptiennes stationnées sur son sol, conformément aux accords de la Ligue Arabe, qui ont ouvert le feu sur ordre de Nasser. Ensuite, l'armée royale s'est battue avec courage, sauvant l'honneur arabe en résistant maison après maison dans la vieille ville de Jérusalem. Mais Amman est à quelques kilomètres du front et Hussein a l'intention de conserver sa couronne. Après avoir perdu la rive ouest du Jourdain, le souverain hachémite renonce au combat.

Une autre nouvelle terrible frappe, ce soir-là, les Palestiniens sur le front du Golan. Un bus qui transportait les commandos d'Arafat et d'Abou Jihad a heurté un tank syrien en pleine obscurité : quinze morts. L'élite militaire du Fatah est décimée... Pour de nombreux fédayines, il ne s'agit pas d'un accident : Les Syriens auraient voulu les empêcher de se battre.

Mais d'autres volontaires arrivent le 8 juin. A temps pour assister à la débâcle syrienne.

Ce jour-là, l'Égypte, vaincue à son tour, accepte le cessez-le-feu. A la Syrie, maintenant, de subir l'humiliation.

Durant toute la première partie de la guerre, Israël a épargné le régime de Damas. Certains voient là le résultat des fameuses négociations menées en Espagne quelques semaines plus tôt sous l'égide des Français. Accord ou pas, l'armée de défense d'Israël s'acharne désormais sur le seul front qu'elle avait négligé durant quatre jours.

C'est la débâcle. Partout les soldats de Damas abandonnent leurs positions. Arafat et Abou Jihad disposent leurs hommes dans les tranchées et les bunkers du Golan, à peine évacués par l'armée syrienne, et ramassent des montagnes d'armes abandonnées par les fuyards. Des commandos palestiniens franchissent les lignes israéliennes. Bientôt, ils les prennent à revers par des tirs de mortier.

« C'était une action désespérée, dit Arafat. Et Dieu sait que nous étions désespérés! Mais nous n'avions pas perdu notre honneur. Et cela a suffi à ralentir la progression israélienne. La guerre n'aurait duré que cinq jours si nous n'avions pas créé la difficulté à la dernière minute. »

Moshe Dayan lui-même le reconnaîtra dans ses mémoires. Le 9 juin, il supervise l'assaut final sur le Golan et force les Syriens au cessez-le-feu.

Sinaï, Gaza, Cisjordanie, Golan...

La formidable moisson de terres réalisée en six jours par Israël réveille les terreurs des Arabes humiliés. Elle réveille aussi l'ambition de ceux qui, en dépit du droit international, rêvent d'un Grand Israël. Bientôt colonisés, leurs frontières effacées des cartes routières israéliennes, les territoires occupés vont vivre sous un régime d'annexion de facto.

Les semences de haines nouvelles furent répandues cette semaine-là.

« Ce fut un choc atroce, dit Yasser Arafat. Pire que toutes les tortures. Le résultat immédiat de cette guerre était qu'il ne restait plus un centimètre carré de terre palestinienne entre les mains arabes. Le ciel nous était tombé dessus. Nous avions touché le fond de la trahison et du mensonge. Avant même que nous en ayons analysé les conséquences, nous avions tous le pressentiment que plus rien désormais ne serait comme avant. 1967 a été le tournant. L'ultime humiliation d'où a jailli le feu de la révolte palestinienne. Et ce feu s'apprêtait à embraser tout le Moyen-Orient... »

CHAPITRE III

DE LA TERREUR A L'ONU 1967-1974

1.

« L'Histoire dira que j'ai essayé... »

28 juin 1967. Israël annexe triomphalement le secteur Est de Jérusalem. C'est un jour de deuil pour les Palestiniens et, avec eux, pour huit cents millions de Musulmans et de nombreux Chrétiens d'Orient qui voient les soldats de l'État hébreu occuper le quatrième lieu saint de l'Islam et le tombeau du Christ.

Deux jours plus tard, le Fatah se réunit en congrès à Damas afin d'examiner les conséquences de la défaite. Yasser Arafat et ses collègues du Comité central ont réservé une table au restaurant Abou Kamal. Ils arrivent, la mine grise, la gorge nouée. Abou Jihad a les larmes aux yeux. Certains parlent de tout laisser tomber, de partir à l'étranger, de changer de vie. D'autres ne parlent pas. Ils ne peuvent pas.

Ils découvrent George Habbache, qui déjeune à la table voisine. Arafat et lui ne se sont jamais rencontrés. Il y a encore un mois, cela aurait donné lieu à un débat politique. Aujourd'hui les deux hommes s'étreignent et échangent quelques mots.

Habbache se met à pleurer. Le « lion » de la révolution

palestinienne, l'un de ses dirigeants les plus déterminés et sans doute les plus violents, se trouve aussi être un homme de principes et d'émotions.

« Tout est perdu, dit-il.

– Non, George, répond Arafat qui se force à l'optimisme. Ce n'est pas la fin, c'est le commencement! »

Il explique à ses compagnons pourquoi, selon lui, il faut à tout prix poursuivre la lutte armée. La situation semble idéale : un million de Palestiniens vivent désormais sous occupation israélienne. Il va être enfin possible de mener une guerre populaire, partisane, comme au Vietnam, en Algérie ou à Cuba dix ans plus tôt. Les fédayines pourront se mouvoir au milieu de cette population amie, trouver des refuges, installer des caches d'armes et monter des réseaux. Lorsqu'il définit sa tactique, Arafat paraphrase Mao : « Reculer si l'ennemi avance, le frapper s'il se fatigue, le harceler s'il s'installe, le pourchasser s'il se retire... »

Les territoires arabes occupés par Israël seront le nouveau champ de bataille. Il faut faire vite, presse Arafat. Déjà Ygal Allon, le Vice-premier ministre israélien, a proposé la création de trente colonies juives en Cisjordanie...

Mais la guerre n'a pas détruit les clivages traditionnels au sein même du Fatah. Khaled el-Hassan fait le bilan de trois ans de lutte armée : un bilan dérisoire. Il s'oppose à ce qu'Arafat, suspendu quelques mois plus tôt, redevienne commandant militaire. Pire : Abou Jihad, le compagnon indéfectible est, lui-même, d'avis de marquer une pause.

Pour Arafat, une fois de plus, le salut arrive d'Allemagne, avec toute la jeunesse, l'intransigeance de Hani al-Hassan. Dès son arrivée, le petit frère de Khaled se retrouve entouré, pressé par les membres du Comité central afin qu'il retire son soutien à Arafat. Hani ne veut rien entendre.

Mais il se fait comprendre. Dans l'Europe bouillonnante du milieu des années 60, explique-t-il, les étudiants palestiniens sont convaincus de l'imminence de la révolution mondiale. Tous les militants d'Allemagne sont volontaires pour combattre. Hani n'est pas resté les bras croisés : quatre cent cinquante de ses camarades suivent déjà un entraînement en Algérie, cinquante étudiants du Caire les ont rejoints. Ils seront bientôt là, en Syrie, pour instruire les recrues dans les camps de réfugiés...

« Et cela se fera avec vous, ou sans vous ! » tonne-t-il.

Arafat renverse donc la décision du Comité central. « 1967, dit-il, a été la défaite des régimes arabes. Entendez bien mon propos : des régimes arabes, pas de la nation arabe. Nous avons désormais un devoir envers cette nation : l'aider à prendre conscience de sa force. Cela seul peut nous conduire à la victoire. Et cela passe par la lutte armée... »

Profitant d'un ajournement du congrès, Arafat décide de faire une escapade en Jordanie au volant de sa vieille Volkswagen bleue. Il emmène avec lui son « sauveur », le jeune frère al-Hassan. Il n'a pas le cœur de masquer son abattement.

« Que dois-je faire ? » demande-t-il d'une voix blanche.

Et comme Hani le regarde, bouche bée :

« Au moins, l'histoire dira que j'ai essayé... » soupire-t-il.

C'est le seul moment de découragement que l'on connaisse à Yasser Arafat. Le seul, en tout cas, qui ait eu un témoin.

2.
La guerre populaire de libération

Que vont faire les Israéliens de leur victoire ? Cette question, Arafat et les autres dirigeants du Fatah se la posent. La guerre de Juin a placé l'État hébreu dans une position de force pour imposer la paix aux Arabes. Mais elle le place aussi devant des perspectives nouvelles.

L'acquisition par la guerre de nouveaux territoires, le Sinaï, Gaza, la Judée et la Samarie, réveille le rêve d'un Grand Israël dont la droite sioniste voit la légitimité inscrite dans la Génèse : « A ta semence Je livre la terre du fleuve d'Égypte au grand fleuve Euphrate. » On se souvient, soudain, que cette symbolique du royaume de David s'étendant du Nil à l'Euphrate est l'emblème, le drapeau d'Israël : une étoile entre les deux lignes bleues des fleuves.

Arafat, comme tous les militaires, ne croit pas aux rêves. Il croit à la réalité et aux rapports de forces. Avec tous ses collègues du Comité central, il est persuadé qu'Israël n'a désormais rien de mieux à faire que de diviser le camp arabe en négociant séparément avec chacun des pays de la ligne de front.

« Il n'y a jamais eu de plus grand péril pour notre cause, dit-il, que des paix séparées entre Israël et les États arabes voisins. Après 1967, la question s'est posée. Si la Syrie, la Jordanie, l'Égypte, avaient accepté des paix séparées en échange des territoires qu'elles avaient perdus, nous étions finis. Je n'ai aucun doute que nous aurions été sacrifiés, balayés. Et cela nous aurait pris encore plus de temps pour sortir de là ! Mais Israël a eu la stupidité et l'arrogance des enfants gâtés. Il n'a pas saisi sa chance et nous sommes toujours là ! D'une certaine façon, nous devons lui dire merci. »

Aux yeux des Arabes, l'arrogance porte un nom : le plan Allon. Le Vice-premier ministre, grand rival de Dayan, a dû mettre au point un compromis avec l'état-major israélien. Et, lorsqu'Abba Eban, le ministre des Affaires étrangères, rend secrètement visite, à Londres, au roi Hussein qui relève de maladie, c'est pour lui proposer l'inacceptable : Israël condescendrait à se retirer de Cisjordanie, à condition de maintenir une ligne de postes avancés le long du Jourdain...

Aucun Arabe ne peut accepter cette demi-souveraineté. Hussein refuse de voir les troupes israéliennes stationnées sur son sol et refusera encore l'année suivante, lorsque Eban et le général Bar-Lev le rencontreront au sud de la mer Morte. Ces prétentions tueront toute possibilité de paix avec la petite Jordanie, reculeront de dix ans la paix avec l'Égypte. Entre-temps, il faudra encore une autre guerre.

Mais les leaders du Fatah l'ignorent. Et c'est la crainte de voir les Arabes négocier des paix séparées qui, finalement, les poussent à accepter la reprise des opérations militaires. Le 23 juillet, ils confirment Arafat au poste de commandant militaire.

Arrivés d'Algérie, les fédayines de Hani el-Hassan forment à leur tour des recrues dans les camps de Syrie. Pour la première fois, le Fatah a assemblé un début d'arsenal, grâce à l'aide des Chinois et, surtout, en récupérant les restes de la débâcle syrienne du Golan : fusils, pistolets, lance-roquettes RPG-7, mortiers, mines, explosifs...

Un millier de militants infiltrent de nuit les territoires en franchissant le Jourdain. Ils se disséminent dans leurs familles, s'occupent dans la journée à des activités bénignes. Et ils attendent les ordres.

Arafat les rejoint au milieu du mois d'août. Il installe son poste de commandement dans le labyrinthe du vieux Naplouse et choisit avec soin la date des premières offensives : le 28 août.

Car, le lendemain, les chefs d'État arabes se réunissent à Khartoum. Avant qu'ils n'examinent le plan Allon, Arafat veut leur faire parvenir son message à coups de dynamite : « Quoi que vous décidiez, les Palestiniens, eux, continuerons à se battre ! »

Le quatrième Sommet arabe s'achève sur un triple « non » retentissant : « Pas de paix, pas de reconnaissance, pas de négociations avec Israël. » Arafat aurait lieu d'être ravi. Il est inquiet. Malgré leur rejet du plan Allon, les Arabes précisent qu'ils ont choisi de porter leur action sur « le plan diplomatique international ».

Cela veut dire des heures noires pour la lutte armée...

3.

Le chat et la souris

Déjà, Damas crée des difficultés. Le gouvernement, qui veut garder la possibilité de négocier le retrait israélien dans le Golan, bloque les mouvements des fédayines. Une fois encore, Abou Jihad plaide sa cause près d'Assad, l'incontournable ministre de la Défense. Contre l'assurance que toutes les opérations auront lieu à l'intérieur des territoires et non sur la frontière, Assad donne son feu vert.

La « guerre populaire de Libération » s'engage.

Ce sera un désastre. En trois mois à peine, Israël va écraser une à une toutes les cellules du Fatah, tuant des centaines de fédayines, faisant mille prisonniers et manquant de peu Yasser Arafat, ce « chef terroriste » qui commence sérieusement à irriter l'état-major israélien...

La « deuxième défaite de 1967 », comme l'appellera Abou Jihad, sera la plus cruelle pour le Fatah. Elle marque la fin d'un rêve, celui de la guerre populaire, des « bases sûres », des « foyers multiples » d'où le grand, l'ultime soulèvement contre l'occupant aurait jailli...

Certes, le terrain dénudé de Cisjordanie est moins propice que la forêt vietnamienne ou la sierra cubaine. Mais pas beaucoup moins que les djebels algériens.

Arafat a échoué parce que l'essentiel lui manque, le soutien populaire.

« Le temps n'était pas mûr, reconnaît-il. Nos masses étaient abattues par un sentiment de trahison, une perte de confiance en elles et en la nation arabe. Elles avaient besoin de temps. Nous avons trouvé des patriotes et des héros, mais aussi des traîtres et des collaborateurs... »

Arafat et ses commandos se heurtent aux notables locaux. Les vieux clans palestiniens inféodés au roi de Jordanie attendent de voir ce qu'ils tireront de l'occupant. Ils continuent de croire que les Arabes, en négociant, les sortiront de là.

Les militaires israéliens ont fait main basse sur les fichiers des nationalistes tenus avec zèle par la police jordanienne. Certains agents jordaniens passent carrément au service d'Israël.

Le général Dayan a décidé de tenir le terrain militairement, mais sans toucher, ou le moins possible, à l'administration. Ses troupes campent à l'entrée des villes, traversent les villages, font régler l'ordre avec brutalité, mais laissent les pouvoirs locaux livrés à eux-mêmes. Devant le couvre-feu, les fermetures d'écoles, les perquisitions, les détentions arbitraires, les punitions collectives et les dynamitages d'habitations, un esprit de résignation s'installe, voire de coopération, parfois de collaboration.

Moshé Dayan se vante d'ailleurs d'avoir placé des agents au plus haut niveau du Fatah. Les services israéliens « retournent » de jeunes militants, en faisant pression sur leurs familles, ou promettent systématiquement la liberté aux prisonniers prêts à coopérer. Surtout, grâce aux services secrets occidentaux, les Israéliens ont des dossiers complets sur tous les militants qui affluent d'Europe.

Après la révolution iranienne, Hani el-Hassan découvrira dans l'ambassade israélienne à Téhéran un fichier détaillé de tous les étudiants palestiniens d'Allemagne. Sa fiche personnelle porte la photo qu'il avait remise en 1959 pour s'inscrire à l'université de Munich.

Souvent, les fédayines sont arrêtés avant même d'avoir tiré un coup de feu. Les charges explosives sont désamorcées à temps et, lorsqu'elle est enfin touchée, l'armée israélienne se venge sur la population, entraînant un rejet encore plus grand des combattants.

Arafat lui-même n'échappe que par miracle. Un jour, il franchit un cordon israélien en portant un bébé dans les bras, accompagné par la femme d'un de ses amis. Déguisé en vieillard, il sort d'une cache à Jérusalem quelques minutes avant que l'armée n'y débarque. Puis, passant pour un berger, il évite la fouille dans un vieux bus près de Bethléem. Il a dix visages, et autant de noms : Abou Amar, Abou Mohammed, docteur Abder-Raouf, docteur Husseini...

Le filet se resserre. Abou Jihad est persuadé que les Israéliens disposent effectivement d'un informateur au plus haut niveau de l'organisation. Il décide alors d'envoyer un commando pour « exfiltrer » Arafat, caché dans sa tanière à Ramallah. Lorsque les services secrets israéliens arrivent, ils trouvent, dira leur commandant, « un lit chaud et du thé bouillant »...

Arafat s'est envolé.

4.

L'accolade du Raïs

« Le Conseil de Sécurité,

« Exprimant son inquiétude continue devant la grave situation au Moyen-Orient,

« Soulignant l'inadmissibilité de l'acquisition de territoires par la guerre et la nécessité d'œuvrer pour une paix juste et durable permettant à chaque État de la région de vivre dans la sécurité,

« (...) Affirme que le respect des principes de la Charte requiert l'établissement d'une paix juste et durable au Moyen-Orient qui doit inclure l'application des deux principes suivants :

1° Retrait des forces armées israéliennes des territoires occupés pendant le récent conflit;

2° Cessation de toutes les assertions de belligérance et de tous les états de belligérance (...)

« Affirme en outre la nécessité :

« (...) De réaliser un juste règlement du problème des réfugiés (...). »

A peine votée, à peine dénoncée, ce 22 novembre

1967, la résolution 242 du Conseil de Sécurité change à jamais les données du conflit. Désormais, et pour plus de vingt ans, c'est par rapport à ces quelques mots assemblés à grand-peine qu'évoluera tout le Moyen-Orient.

Les mots eux-mêmes sont l'enjeu d'une bataille. Le texte français réclame le retrait israélien « des territoires occupés ». Sous-entendu, de *tous* les territoires.

Mais les Israéliens objectent que le texte anglais ne prévoit qu'un « withdrawal from territories », c'est-à-dire un retrait de territoires. D'ailleurs, dans l'antichambre de la délégation américaine, ils se sont battus jusqu'à la dernière minute pour obtenir l'altération du texte initial qui prévoyait un « withdrawal from all territories », donc, de *tous* les territoires...

Chef-d'œuvre d'impuissance diplomatique, la résolution 242 ne les engage à rien. De toute façon, ils ne la reconnaissent pas.

Les Palestiniens, eux, n'en sont même pas à ergoter sur les articles définis. Ce qui les choque, c'est la façon dont on traite leurs droits nationaux. Un « problème de réfugiés »! Le rejet d'Arafat est violent, total, immédiat.

Devant cet incroyable escamotage d'un peuple, les plus modérés des leaders arabes se sentent obligés de marquer leur solidarité. Dès le lendemain, Nasser apporte pour la première fois son soutien au Fatah et déclare que la résistance palestinienne « a désormais son rôle à jouer dans la bataille générale ».

Il va devenir l'un des plus précieux alliés d'Arafat. Non pas qu'il ait renoncé au compromis. Mais, épuisé par la guerre, peut-être souhaite-t-il détourner l'attention de son peuple des rancœurs de la défaite, et maintenir l'idée qu'à travers la cause palestinienne le combat continue.

Dès l'été, Khaled el-Hassan a senti le vent tourner. Il fait un saut au Caire pour rencontrer Mahmoud Riyadh, le ministre des Affaires étrangères. Peu de temps après, Nasser accepte de recevoir Abou Iyad et Farouk Kaddoumi. Enfin, débarquant de Cisjordanie occupée, Yasser Arafat rejoint Le Caire, accompagné de trois de ses compagnons.

A la porte du bureau de Nasser, les gardes présidentiels exigent qu'Arafat se sépare de son célèbre Colt Cobra à crosse blanche. Arafat refuse : Nasser le recevra armé, ou pas du tout. Consulté, piqué peut-être aussi dans son honneur, le raïs ordonne qu'on laisse entrer le chef rebelle.

« Mes agents de sécurité me disent que tu tiens à conserver ton revolver parce que tu veux me tuer, lance-t-il à Arafat en guise de bienvenue.

– Monsieur le président, répond Arafat, ils ont tort. Je voulais vous offrir cette arme. C'est celle d'un combattant de la liberté!

– Alors, garde-la, sourit Naser. Tu en auras plus besoin que moi! »

Voilà des années que les services de Nasser accusent Arafat d'avoir partie liée, pour l'abattre, avec les Frères Musulmans. Et, bien qu'ils aient des amis communs, les deux hommes ne se sont jamais rencontrés avant ce jour de novembre 1967.

C'est le coup de foudre. Nasser est fasciné par Arafat, sa vigueur, sa passion. Arafat, en retour, admire la sagesse, le charisme du raïs qu'il considère bientôt comme « un père ».

D'accord pour donner à Arafat une aide politique et militaire, Nasser lui suggère d'établir un programme clair, des objectifs précis.

Or, le Fatah a toujours repoussé le débat politique. Il l'a payé, se faisant taxer d'islamisme par les uns, de marxisme par les autres. Peut-être l'économie de ce débat arrangeait-elle une organisation déjà très divisée sur les questions tactiques.

« Nous pensions que ce n'était pas notre rôle, explique Arafat. Nous ne nous considérions pas comme un parti politique, mais comme des libérateurs qui voulaient mettre sur pied des institutions démocratiques dans une patrie libérée. Nous pensions que c'était à notre peuple, et pas à nous, de choisir les options politiques de cette Palestine. Nasser nous a traité de romantiques... »

Le rapprochement avec Nasser annonce le crépuscule d'Ahmed Choukayri. Discrédité, le président de l'OLP tente en décembre une dernière manœuvre pour prendre le contrôle de la guérilla. Mais sept, puis huit dissidents réclament sa tête au sein du comité exécutif.

Le huitième emportera le combat : c'est le patron de l'Arab Bank, le grand argentier de la résistance, Abdel Majid Chouman. Du jour au lendemain, Chouman télexe à toutes les banques du Moyen-Orient que la signature de Choukayri n'est plus honorée. Privé de fonds, vaincu, Choukayri offre sa démission « au peuple palestinien et aux commandos ». Il sera remplacé par Yehia Hammouda, un homme de transition.

C'est bien la seule cause de satisfaction que puisse trouver Arafat en cette fin d'année 1967. Il ne lui reste que quelques centaines de combattants, la résistance est plus divisée que jamais, et toujour l'éternel problème : d'où frapper Israël ?

Ayant perdu le Sinaï, l'Égypte ne jouxte plus la Palestine. La Syrie s'oppose à ce que le Fatah utilise librement son territoire et le Liban, décidément, semble trop fragile. Cela ne laisse pas beaucoup de choix.

5.

L'engrenage jordanien

Les fédayines infiltrent la Jordanie déguisés en soldats irakiens, avec uniformes et papiers réglementaires. Après la défaite de Juin, des dizaines de milliers de Palestiniens sont venus grossir encore les camps et les villages de ce petit royaume sec mais accueillant. Tout concourt donc à ce que les combattants palestiniens se sentent chez eux en Jordanie : leur pays est tout près, de l'autre côté du Jourdain, et nombre d'entre eux ont un cousin, un oncle installés à Amman dans le commerce ou au service du roi. Plus de la moitié de la population est d'origine palestinienne. On retrouve cette proportion dans les cadres de l'armée.

Ils se sentent tellement chez eux, les Palestiniens, que le roi s'en inquiète. « Personne dans ce pays, s'écrie-t-il dès janvier 1969, n'a de leçons de patriotisme à nous donner ! »

Mais il laisse faire. Le Fatah s'installe, et derrière lui, d'autres groupes moins tranquilles.

Hussein a deux raisons de les laisser faire.

La première, c'est qu'il prétend, lui, le dynaste hachémite, régner sur toute la Palestine. La Jordanie actuelle n'est selon lui qu'une création post-coloniale. Autrefois, son royaume avait deux provinces : Transjordanie et Cisjordanie. Hussein n'a pas renoncé à Jérusalem, et toutes les cartes géographiques vendues dans le royaume étendent les frontières de celui-ci jusqu'à la Méditerranée. A la veille des massacres de 1970, il répètera encore aux journalistes : « Seul mon gouvernement est habilité à parler au nom des Palestiniens ! Ils font partie de la grande famille sur laquelle je règne ! »

En somme, considérant les Palestiniens comme ses fidèles sujets, il se sent obligé, de temps à autre, de se poser en champion de leur cause.

La seconde raison : l'arrogance et les prétentions d'Israël finissent par écœurer Hussein. Il a pris des risques énormes pour négocier directement avec l'ennemi hébreu. Il est prêt à en prendre encore quelques-uns pour peser sur les négociations et faire comprendre à cet ennemi qu'il ne peut y avoir de paix si on ne règle pas d'un coup tous les problèmes – y compris celui des Palestiniens.

Cette situation ambiguë devient difficile à vivre. Hussein tolère les Palestiniens, mais pas qu'ils compromettent la sécurité du royaume. Chatouiller Israël, oui. Le déchaîner, non.

Par tous les moyens, les Palestiniens cherchent à étendre leur liberté surveillée. Ils jouissent d'appuis haut placés, qui les renseignent sur les opérations de police que mène l'armée royale dans les camps de réfugiés. Un jour, une unité jordanienne pénètre dans une base du Fatah. Elle se retrouve encerclée par les hommes d'Arafat, prévenus à l'avance.

« Ah, c'est vous ? lance, dépité, l'officier jordanien avant de se replier. On nous avait signalé des Israéliens dans le coin... »

En février 1968, dans un gros bourg situé à trente-cinq kilomètres d'Amman, les militants du Fatah vont secouer durablement le carcan jordanien.

Cette ville s'appelle Karameh. En arabe, ce mot veut dire : « Dignité ».

6.

Une bataille qui change tout

Karameh a étré fondée en 1952 par quelques centaines de réfugiés chassés de Palestine. Aujourd'hui ils sont vingt-cinq mille. Ils ont irrigué la plaine, construit une mosquée, un club de jeunes et deux écoles administrées par l'UNRWA, l'agence des Nations-Unies pour les réfugiés. Ils mènent une vie paisible et relativemen prospère.

Pourtant ils sont en colère, ce jour de février 1968, les habitants de Karameh. Les soldats jordaniens viennent d'entrer dans la ville. Ils arrêtent des fédayines, dont ils possèdent une longue liste nominative.

Mais où étaient-ils en novembre, ces mêmes soldats, quand les Israéliens ont tué des enfants en bombardant l'école et le centre de distribution alimentaire ?

La colère pousse les gens dans la rue. Bientôt, ils

entourent les soldats en criant : « Libérez nos combattants ! »

Devant la pression, l'officier jordanien bat en retraite et laisse partir ses prisonniers. Spontanément, sans mot d'ordre du Fatah, la population proclame Karameh « zone libérée ». Les combattants paradent dans les rues, en armes, déploient leur équipement lourd.

Lorsqu'il visite Karameh, Arafat est « frappé par l'esprit de résistance qui y régnait. Des femmes aux vieillards, aux enfants, tout le monde refusait la défaite et l'anéantissement. »

Il décide d'y établir son Quartier Général. Cela n'échappe pas à Moshe Dayan. Le ministre israélien de la Défense déclare que Karameh est devenu « un repaire du Fatah ». Il attend la première occasion pour le liquider. Elle ne tarde guère.

Le 18 mars, un bus israélien saute sur une mine. Un médecin est tué, des écoliers blessés. Du coup, Dayan promet à la presse israélienne d'écraser les terroristes et de promener leurs chefs dans les rues de Jérusalem.

Troupes et blindés israéliens se massent à Jéricho et le long du Jourdain. Le chef d'état-major de l'armée jordanienne et le commandant des troupes irakiennes stationnées en Jordanie supplient Arafat de retirer ses troupes de Karameh, qui sera, bien entendu, la cible principale des Israéliens.

Arafat leur répond : « Ce que nous comptons faire ne correspond à aucune règle de l'art militaire mais les Arabes, pour se réveiller de la défaite de 1967, ont besoin d'une secousse et nous allons la leur donner. De leur côté, les Israéliens sauront désormais que le peuple arabe, même défait, ne se soumettra pas. Désolés. Nous nous retirerons pas. Nous combattrons et nous mourrons. »

Avec ses deux cent quatre-vingt dix-sept combattants, Arafat se prépare à l'assaut. Un gamin, un des « lionceaux » du Fatah, à peine plus grand que sa kalashnikov, lui demande s'ils vont vaincre les Israéliens.

Arafat a envie de pleurer. Il essaie de rire. « Non, répond-il, mais on peut leur donner une leçon... »

Et il s'adresse à l'ensemble de ses combattants avec toute l'éloquence du désespoir. « Ce n'était pas lui qui parlait, se souvient un témoin palestinien, mais le destin de notre nation arabe. Une voix venue du fond de notre histoire, de notre peuple, de notre mémoire. Nous étions pris aux tripes. »

Devant les combattants rassemblés, Arafat s'exclame : « La nation arabe nous regarde ! Nous devons assumer nos responsabilités d'hommes avec courage et dignité. Nous devons inculquer à notre nation le sens du sacrifice et de l'endurance. Nous devons briser le mythe de l'armée invincible ! »

Ce discours regonfle à bloc les fédayines, adolescents pour la plupart. « Nous étions devenus l'armée invincible, plaisante Arafat, et les Israéliens un petit groupe insignifiant ! »

Pourtant il sait que personne ne sortira vivant de la confrontation. Il envoie Abou Jihad à Damas, chercher des armes et des renforts. Ainsi, il restera au moins un dirigeant pour relever le Fatah des décombres...

Quatre colonnes israéliennes attaquent à 5 h 30 le 21 mars. Elles franchissent le Jourdain aux premières lueurs de l'aube. Une brume légère nimbe le pont Damia, le pont Allenby et la ville de Chouna que pilonne un barrage d'artillerie.

Des commandos héliportés sautent sur les collines autour de Karameh. Après avoir rasé Chouna, les chars Patton font route vers la place forte du Fatah. Des avions lâchent des tracts au-dessus des maisons, invitant la population à déposer les armes et à attendre les instructions.

En milieu de matinée, les Jordaniens, qui prennent part au combat, annoncent qu'ils ont détruit trois Mystère et vingt-cinq chars israéliens.

Mais d'autres blindés entrent par le Sud dans Karameh. La ville est déserte, silencieuse. Les parachutistes israéliens arrivent par l'Est et commencent le dynamitage : école, poste, dispensaire, maisons et magasins. Ils ordonnent par haut-parleurs à la population de sortir mains sur la tête, et de s'assembler devant la mosquée.

Rien ne se passe.

Tous les blindés ont enfin pénétré dans la ville. Alors les Palestiniens sortent de leurs trous. Ils se ruent sur les tanks, lancent des grenades à l'intérieur. Un fédaï, la ceinture bourrée de bâtons de dynamite, se jette sous les chenilles d'un Patton.

Pris par surprise, les Israéliens se regroupent après avoir perdu leurs premiers tanks. Les voilà à leur tour encerclés à l'intérieur du camp, forcés de combattre au corps à corps pour se dégager. Dans une confusion totale, ils décrochent à 14 heures, laissant un tas de ruines mais aussi des blindés calcinés.

Des renforts jordaniens arrivent. Rentrant de Damas avec des armes antichars et des troupes fraîches, Abou Jihad harcèle à son tour les blindés israéliens qui se replient en ordre vers les points de traversée. A 21 heures, le dernier Israélien a franchi le Jourdain...

Les bilans humains et matériels sont contradictoires. Si les Israéliens minimisent leurs pertes (Dayan parle de vingt et un morts), les fédayines et les Jordaniens annoncent quarante-cinq chars hors de combat, dont dix-huit abandonnés en état de marche, et deux cents tués israéliens. Ils ont eux-mêmes essuyé de lourdes pertes : quatre-vingt-treize morts.

Le vrai bilan est politique. Il change à jamais l'état d'esprit des combattants et leurs rapports avec les dirigeants arabes. Le jour même, Hussein se fait fièrement photographier devant la carcasse d'un char hébreu. Nasser rend un hommage appuyé à Arafat et lui envoie ses généraux pour tirer les leçons de la victoire. Des télégrammes arrivent de tous les coins du monde arabe...

« L'idée que rien n'était plus possible contre Israël et l'impérialisme américain avait gagné de larges secteurs de l'opinion, dira plus tard Arafat. Dans le défaitisme ambiant, notre apport que je n'hésite pas à qualifier d'historique a été de dire : « Non ! »

Désormais les gouvernements doivent compter avec ces héros qui ont racheté symboliquement, en une journée, l'affront de 1967. D'Algérie, de Chine, de Syrie, du Golfe, d'Égypte, d'Irak et même du Nord-Vietnam, l'aide se met à affluer sans discontinuer. Les riches Palestiniens qui gèrent les affaires du roi de Jordanie envoient des voitures, des camions, des stocks de vivres vers les bases du Fatah. Dans les camps, on construit des écoles, des hôpitaux, des orphelinats, des institutions culturelles et sociales. Les papiers d'identité du Fatah, dont la possession aurait suffi quelques mois plus tôt à jeter leur détenteur en prison, permettent soudain de voyager ouvertement en Jordanie et à travers tout le monde arabe.

Enfin, « l'éternelle bataille de Karameh » consacre l'autorité de son chef.

Plus personne, parmi les dirigeants historiques du Fatah, ne constestera dorénavant Yasser Arafat. Mieux, deux de ses opposants au sein du comité central, Abou Iyad et Khaled el-Hassan, se mettent d'accord pour le nommer porte-parole du mouvement. Ils publient un communiqué. Le monde découvre le nom de Yasser Arafat.

« C'était le moins bavard de tous ! » plaisante Abou Iyad qui a trouvé tellement naturel d'appeler à ce poste le héros de Karameh qu'il a même oublié de consulter l'intéressé. Arafat apprend la nouvelle par la radio.

Pendant ce temps Abou Jihad enrôle à tour de bras les volontaires qui se bousculent devant les bureaux du Fatah : trois mille en quarante-huit heures, vingt mille avant la fin de l'année... De sept heures du matin à neuf heures du soir, il note les noms des combattants sur des cahiers d'écolier.

La clandestinité est terminée.

7.

Terrorisme, année 0

Quatre mois après le coup d'éclat d'Arafat à Karameh, l'Organisation de Libération de la Palestine se réunit au Caire pour amender sa vieille charte de 1964. Le Fatah n'est toujours pas membre de cette OLP à la dérive, sans base réelle, qui rappelle dans sa nouvelle charte qu'elle « rejette toute solution de remplacement à la libération totale de la Palestine ».

Le message s'adresse bien entendu à Hussein et Nasser, qui ont accepté la résolution 242 et négocient discrètement avec le secrétaire d'État américain William Rogers cette fameuse « paix juste et durable » dont les Palestiniens se sentent exclus.

Pour Arafat, les querelles de l'OLP ont assez duré. Les Palestiniens ont besoin d'une structure fédérale, d'un parlement, d'un comité exécutif qui permettraient à la résistance de parler d'une seule voix.

Au milieu de cette année 1968, les groupes palestiniens poussent comme des champignons. Les risques d'éclatement, de dérives, de manipulations deviennent énormes. Il y a six mois, George Habbache a fondé le Front Populaire de Libération de la Palestine (FPLP) avec une poignée de gauchistes d'origine chrétienne. Ses thèses marxistes-léninistes séduisent les jeunes Palestiniens sortis des universités, qui lisent dans les signes de cette année folle les prémices de la révolution mondiale : offensive du Têt à Saïgon, émeutes étudiantes en Europe et aux États-Unis, printemps de Prague, révolution culturelle en Chine...

Lisant Mao, Che Guevara, Ho Chi Minh et Frantz Fanon, ils jugent légitime le recours à la violence révolutionnaire, « étape indispensable vers un nouvel ordre mondial ».

Ahmed Djibril, la taupe que les services syriens

avaient tenté en vain d'implanter dans le mouvement d'Arafat il y a quelques années, a rejoint George Habbache et prépare une scission. Nayef Hawatmeh, intellectuel marxiste, se séparera lui aussi de Habbache pour mettre sur pied le Front Démocratique Populaire de Libération de la Palestine (FDPLP, puis FDLP) qui aura une influence importante sur toute la pensée théorique de la révolution palestinienne.

Chaque régime arabe veut « son » mouvement palestinien. Le Baas syrien vient de créer la Saïka, dont les cinq mille hommes servent de rempart au numéro un Salah Jédid contre les assauts de son ministre de la Défense, Hafez el-Assad. Du coup, la branche irakienne du Baas se sentira bientôt obligée de concurrencer sa rivale syrienne en créant le Front de Libération Arabe (FLA). Tout le monde s'y met.

Et, parce qu'il n'a pas compris que chaque régime arabe jouera désormais ses propres chevaux, ce rêveur de George Habbache se retrouve en prison pour huit mois à Damas. Il était allé demander de l'aide aux sponsors de Djibril et de la Saïka!

Personne, sur la scène internationale, n'évalue pour l'instant les dangers de cette fermentation. Elle va exploser à la face du monde dans les mois à venir.

Au sens propre.

En 1968, Arafat refuse obstinément de « frapper les intérêts sionistes » en dehors d'Israël. Il sait qu'une partie de la bataille sera gagnée sur le plan politique et que les Palestiniens ont besoin de la communauté internationale. Il le dit. Or, dès cette époque, une nouvelle classe de révolutionnaires palestiniens lui porte bruyamment la contradiction. « Entre attaquer les installations israéliennes en Europe et en Amérique ou une patrouille en Cisjordanie, écrit *al-Hadaf*, l'organe du FPLP, il n'y a pas de différence! » Lorsque Yasser Arafat se dressera en travers du chemin de ces partisans de la violence anti-impérialiste, il sera traité de « réactionnaire » et ignoré.

Le premier détournement d'avion par un Palestinien a

lieu le 22 juillet 1968. Il se passe bien. Un petit commando du FPLP s'empare d'un Boeing d'El Al qui vient de décoller de Rome, le fait atterrir sans encombre à Alger et libère tous les passagers. Le FPLP n'invente rien. Dans cette décade troublée, le détournement d'avion a été mis à la mode par les révolutionnaires d'Amérique Latine. Mais, grâce à une poignée d'hommes tels que Wadi Haddad, Ahmad Djibril et Zouher Mouhsine, les terroristes palestiniens vont lui donner ses lettres d'angoisse et d'infâmie.

8.

Passager clandestin au Kremlin

A terreur, terreur et demie. En représailles du détournement d'Alger, l'artillerie israélienne pilonne les camps de réfugiés en Jordanie.

Hussein n'arrive à rien avec les Israéliens. D'accord avec Nasser, il tente donc l'escalade. Son Premier ministre, Wasfi el-Tall, propose de transformer la Jordanie en « État-commando ». Toute la population serait quadrillée, entraînée en petites unités mobiles et indépendantes, à l'instar des fédayines. A défaut d'arrêter les Israéliens, cela les fera réfléchir, espère le roi. Il reçoit Arafat fréquemment. Quand celui-ci ne prend pas des cours de politique internationale au Caire...

« Vous n'arriverez à rien sans le soutien d'une grande puissance ! » lui a dit le raïs.

Facile à dire. Arafat a déjà frappé à la porte des Américains, en vain. Quant aux Soviétiques, ils condisèrent le Fatah comme une organisation de « droite » et réservent leurs faveurs à d'autres.

Pour forcer la porte du Kremlin, Nasser imagine un subterfuge inédit dans l'histoire des relations internationales.

Le raïs se rend à Moscou en juillet 1968. Une importante délégation égyptienne l'accompagne, comme d'usage, et ni le ministère soviétique des Affaires étrangères, ni le KGB ne s'étonnent de la présence de Son Excellence Mouhsin Amin, diplomate égyptien. Ce petit homme chauve de quarante ans, drapé dans son keffieh, n'est pas encore une star des médias.

« Ils n'ont pas aimé la blague, se souvient Arafat. Finalement, il n'y a eu que Nasser et moi pour s'en amuser. »

Le visiteur clandestin ne verra ni Brejnev, ni Kossyguine, ni Podgorni. Un simple apparatchik du Comité de Solidarité afro-asiatique se bornera à lui rappeler que l'URSS a voté le partage de la Palestine en 1947, qu'elle reconnaît Israël, même si les relations diplomatiques ont été interrompues lors de la guerre de 1967, et que Moscou ne voit pas de solution possible au Moyen-Orient en dehors du cadre de la résolution 242. Arafat encaisse.

« Mais, insiste-t-il, seriez-vous prêt à maintenir un dialogue avec nous ? »

Le porte-parole du Fatah apprend alors son second mot de russe : « Da ! »

« Jusque-là, il avait seulement entendu " Niet ! " » dira Abou Jihad, qui revient à la charge trois semaines plus tard en compagnie de Khaled el-Hassan.

Les Soviétiques, selon ce dernier, « ont toujours été très honnêtes et très francs avec nous. Ils n'ont jamais, jamais encouragé notre lutte armée. Et ils ont toujours, toujours insisté sur le fait qu'Israël existait et que nous, les Palestiniens, devions parvenir à un règlement politique avec l'État juif. »

L'intransigeance des Soviétiques déclenche au sein du Fatah un des débats les plus secrets, les plus délicats que connaîtra l'organisation. Dans l'univers de frustration et de violence des années soixante, personne, pas même Arafat ou Khaled el-Hassan ne peut encore imaginer l'étaler au grand jour. Pourtant la question est déjà là : puisqu'aucun des deux grands n'est diposé à lâcher Israël, les Palestiniens pourront-ils éviter, tôt ou tard, d'en reconnaître l'existence ?

« Ne croyez pas que nous étions politiquement aveugles, dira plus tard Arafat. A l'époque, il aurait été suicidaire, je dis bien suicidaire, d'énoncer les propositions que nous avons pu faire plus tard, en 1988 ou en 1989. Nous combattions non pas pour trouver un accord, mais simplement pour vivre! Ce n'est pas moi qui le dis, c'est Golda Meïr : « Les Palestiniens n'existent pas! » Comment voulez vous arriver à un compromis si vous n'existez pas ? Comment voulez vous faire la paix si vous n'existez pas ? Exister, c'était prendre un fusil. Nous n'avions pas le choix. C'est la lutte armée qui a déroulé pour nous le tapis rouge de la diplomatie... »

D'ailleurs, en Jordanie, Arafat n'a guère de temps pour les débats de fond. Des extrémistes provoquent l'armée royale : quatre-vingt-dix morts. Les deux tiers sont palestiniens.

9.

Tempête sur le Liban

Le sang coule sur l'aéroport d'Athènes. Deux jours après Noël, le 26 décembre 1968, les hommes de Wadi Haddad, maître-terroriste du FPLP, ouvrent le feu à l'arme automatique sur un Boeing 707 d'El Al et jettent une grenade. Un officier de réserve israélien est tué.

Cet acte provoque un sentiment d'horreur. C'est la première fois. Le monde ne s'est pas encore habitué à la boucherie qu'il a connue depuis sur les aéroports civils. Le monde pense aussi qu'il s'agit là du geste de criminels isolés. Il ne s'attend donc pas à la réaction d'Israël...

Quarante-huit heures après le drame d'Athènes, les radars de l'aéroport international de Beyrouth détectent des chasseurs israéliens volant au large du Liban. Mais pas les hélicoptères qui envahissent la piste à 21 h 20. Des commandos descendent, se postent en couverture, tandis que d'autres posent des charges de plastic sur les quatorze avions civils rangés devant le terminal. Les hélicoptères redécollent à 21 h 50. Au plus total mépris du droit international, toute la flotte commerciale libanaise vient d'être anéantie.

Pour la première fois un État moderne, reçu dans les enceintes internationales, a attaqué militairement un autre État avec lequel il n'est pas en guerre. De surcroît le Liban est un allié de l'Occident, surnommé la « Suisse du Moyen-Orient », pôle de modération dans cette région instable.

Les Américains eux-mêmes doivent convenir qu'il s'agit là d'un « acte arrogant et disproportionné », selon les termes du Département d'État. Le ministre français des Affaires étrangères juge, quant à lui, l'opération « inacceptable », et le général de Gaulle, après un commentaire cinglant sur « ce peuple fier et dominateur », suspend immédiatement toutes les ventes d'armes à Israël. Cinquante avions Mirage, déjà payés à la société Dassault, resteront dans l'hexagone...

Les remous internationaux ne sont rien par rapport à ceux qui agitent désormais le Liban, petit pays fragile où dix-sept communautés vivent entassées sur 10.410 kilomètres carrés. Il encaisse avec une violence toute aiguë l'onde de choc du conflit israélo-arabe. Deux cent vingt-trois mille Palestiniens sont venus surcharger son équilibre communautaire déjà précaire. Les fédayines se sont installés à la frontière sud, sur les contreforts du mont Hermon d'où ils conduisent leurs incursions en Israël. Bientôt baptisée « piste Arafat », une route de fortune leur permet d'aller et venir sans passer de frontière entre la Syrie et le Liban...

Les Libanais, par le passé, se sont déjà demandé s'ils devaient aider les Palestiniens. Or, le raid israélien a eu pour but de formuler la question en d'autres termes : le peuvent-ils ? Débattue avec violence au Parlement, cette question fait chuter le 6 janvier le gouvernement d'Abdallah Yafi. Son successeur, Rachid Karamé, déclare le 31 janvier que le peuple palestinien « a le droit légitime de lutter pour récupérer sa patrie usurpée, sa terre, ses foyers, et pour mettre fin à la tragédie qu'il connaît depuis vingt ans. Personne ne peut lui dénier ce droit. »

Mais Karamé ne pourra pas tenir ce pari impossible. Devant la multiplication des incidents, il démissionne fin avril 1969, en faisant ce constat lucide : « Il y a ceux qui demandent que les fédayines soient présents au Liban et opèrent à partir de notre territoire quels qu'en soient les dangers et les conséquences. C'est une opinion qui a sa logique et sa valeur. Et puis il y a ceux qui voient dans les activités des fédayines une menace pour le Liban. C'est également un point de vue qui a sa logique et sa valeur. »

Personne, durant six ans, ne tranchera ce débat. C'est finalement la guerre civile qui s'en chargera, mais en attendant, la démission de Karamé plonge le pays dans six longs mois de crise ministérielle.

Homme de courage et de rigueur morale, Rachid Karamé assumera à nouveau l'impossible fonction de Premier ministre durant la guerre civile. Il sera tué dans un attentat en 1987, vaincu, rattrapé par la violence inouïe du débat déclenché par le raid de décembre 1968.

« Les risques qui nous attendaient au Liban étaient clairs à nos yeux, dit Yasser Arafat. Même si nous étions invités dans ce pays, si notre combat y était respecté et si nous y jouissions de la plus grande liberté, nous savions que le Liban ne pouvait pas assumer seul les conséquences de l'affrontement. Je me suis toujours opposé, à cette époque, à ceux qui voulaient jouer à fond la carte libanaise. »

A cette époque, le Fatah avait encore le choix : la Jordanie. On sait ce qui s'est passé depuis...

10.

A l'abordage de l'OLP

1er janvier 1969. Nasser peut être content. Les romantiques se sont mis au travail : le Fatah a enfin un programme !

A Paris, où il s'est implanté officieusement dans la mouvance des groupes gauchistes, le mouvement de Yasser Arafat publie une déclaration politique en sept points.

Elle trace les contours d'un « État démocratique de Palestine », où Juifs, Chrétiens et Musulmans vivraient en paix, sans discrimination ni oppression de la minorité par la majorité. L'État aurait deux langues officielles, et un Juif ou un Arabe, indistinctement, pourraient en prendre la tête.

Mais les puissances du monde n'entendent pas ces idées que des combattants palestiniens ont choisi de rendre publiques dans la capitale « de la Liberté et des Droits de l'homme ». Pour qu'on l'entende, il faudra attendre cinq ans qu'Arafat monte à la tribune de l'ONU. Et, pour qu'on commence à le croire, qu'il vienne à Paris vingt ans plus tard.

Il ne s'est pourtant jamais départi de cet idéal démocratique, qu'il impose le 4 février 1969, en prenant la tête de l'OLP.

Le Conseil National Palestinien s'est réuni au Caire. La vieille OLP de Choukayri a implosé, assaillie par les divers mouvements de fédayines. Prononçant le discours inaugural, le président égyptien Gamal Abdel Nasser souligne avec déférence que la résistance a le droit de rejeter la résolution 242, même si lui-même, au nom de l'Égypte, l'a acceptée.

Avec trente-trois sièges, le Fatah devient la principale composante de la nouvelle OLP. Élu président du Comité exécutif, Yasser Arafat fixe le nouveau programme de l'organisation : « l'établissement d'une société démocratique libre en Palestine, ouverte à tous les Palestiniens – Musulmans, Chrétiens et Juifs. »

Pour la première fois, l'OLP prend officiellement en compte le droit des Juifs. Reste à délimiter qui sont les « Palestiniens juifs » : ceux qui vivent depuis toujours en Palestine ? Ceux qui y sont venus avant 1917 ? 1948 ? ou tous les Juifs qui vivent en ce moment en Israël ? Ce débat, qui peut paraître dérisoire au vu du rapport de forces sur le terrain, agitera les Conseils palestiniens durant de longues années.

Enfin, une question se pose et se posera de plus en plus crûment jusqu'à ce jour. Le programme politique de Yasser Arafat contredit en de nombreux points la charte de l'OLP adoptée en 1964 et amendée en 1968. Aujourd'hui, la déclaration d'indépendance de l'État de Palestine et la reconnaissance par l'OLP des résolutions 242, 338 et 181 de l'ONU sont radicalement opposées à cette charte.

Dans les conditions, pourquoi Yasser Arafat ne l'a-t-il pas dès le départ abrogée ?

La réponse se trouve contenue dans le document lui-même. La charte stipule qu'elle ne peut êre modifiée que « par une majorité des deux tiers de tous les membres du Conseil national de l'OLP au cours d'une session expressément réunie à cet effet. »

Or, en 1969, Arafat ne dispose pas de deux tiers des voix du CNP, loin s'en faut. Il n'a pu s'imposer que sur la base d'un compromis, d'un consensus en perpétuel déséquilibre, dont dépend la fameuse « autonomie de décision » palestinienne. Et, pour préserver cette indépendance, il va devoir pendant vingt ans s'efforcer de faire cohabiter les groupes les plus antagonistes.

Cela commence très mal. Le 18 février, un commando du FPLP ouvre le feu dans un avion d'El Al à Zurich. les agents de sécurité ripostent. Le copilote et l'un des pirates sont tués, cinq passagers blessés.

« Nous avons peut-être transgressé les lois internationales en des circonstances exceptionnelles et contre notre volonté, s'excuse Habbache auprès des Suisses, mais les sionistes ont si souvent bafoué ces lois que c'est devenu pour eux une question de routine. Ils ont dédaigné toutes les résolutions des Nations unies sur le problème palestinien ».

Hélas, les circonstances exceptionnelles vont devenir ordinaires, routinières. Quand Arafat objecte les risques que comporte cette stratégie de la violence, il ne le fait pas trop fort : il est minoritaire.

Leïla Khaled, une jeune femme en treillis qui se gagnera un nom en détournant des avions, exprime la frustration de cette génération palestinienne bousculée par les guerres, les défaites et les humiliations : « C'était la seule façon de nous faire entendre quand le monde entier nous refusait, dit-elle. Nous devions trouver un langage que personne ne puisse ignorer. Est-ce monstrueux que de refuser de mourir ? Nous n'avions pas d'alternative entre la violence et le silence de l'extinction. Les criminels sont ceux qui ne nous ont pas laissé le choix. »

11.

Un soutien nommé pétrole

« Qui sont les Palestiniens ? Quand je suis arrivé ici, il y avait 250 000 non-Juifs. C'était un désert. C'est seulement après que nous l'ayons fait fleurir et que nous l'ayons peuplé qu'ils ont cherché à nous le prendre. »

Le Premier ministre israélien, Lévi Eshkol, qui a livré cette inquiétante révision de l'Histoire au magazine *Newsweek*, vient de s'éteindre. Et madame Golda Meïr, qui le remplace, n'hésite pas à aller plus loin.

« Quand y-a-t-il eu un peuple palestinien indépendant

avec un État palestinien ? dit-elle au *Sunday Times* de Londres. Il y a eu la Syrie du Sud, puis la Palestine englobant la Jordanie. Ce n'est pas comme s'il y avait eu un peuple palestinien en Palestine, se considérant lui-même comme peuple palestinien et que nous aurions expulsé après notre arrivée et dont nous aurions pris le pays. Ils n'existent pas. »

Lorsqu'elle présente son cabinet à la Knesseth, le 17 mars 1969, Golder Meïr met en garde les États arabes qui abritent l'OLP contre les représailles israéliennes. « Nous n'avons pas l'intention de faire la distinction entre une agression lancée par les armées régulières et les meurtres et les sabotages perpétrés par des organisations terroristes », dit-elle.

Précaution superfétatoire, car depuis longtemps les pays voisins se sont habitués aux raids israéliens. En moyenne, pour chaque victime des fédayines, ces raids font une vingtaine de morts. Entre le 17 février et le 9 mai 1969, Israël a ainsi conduit quatre-vingt-seize opérations punitives sur la seule Jordanie, détruisant des ouvrages vitaux pour l'économie tels que le canal de Ghor, construit par les Américains, ou encore, selon le roi Hussein qui s'en plaint à l'ONU, utilisant le napalm.

Ce durcissement militaire correspond bien entendu à un blocage politique et accompagne les efforts désespérés du secrétaire d'État américain William Rogers pour trouver un terrain d'entente entre Arabes et Israéliens.

Dans ce contexte, Nasser décide de déclencher la « guerre d'usure ».

Enfoncés dans leurs casemates et leurs tranchées autour du canal de Suez, artilleurs israéliens et égyptiens vont se canonner des mois durant sans autre but que de peser sur les négociations.

Parallèlement, Hussein de Jordanie se rend à Washington pour tenter de débloquer la situation auprès du nouveau locataire de la Maison-Blanche, Richard Milhouse Nixon. « Il faut aider le roi, confie Nixon à son secrétaire d'État. On ne peut pas laisser les Juifs américains définir notre politique. »

Les divisions de l'opinion américaine se retrouvent dans l'administration. Tandis qu'il tente de faire pression sur Israël pour imposer un compromis, William Rogers voit grandir dans l'ombre du président l'influence du nouveau conseiller national de sécurité : le docteur Kissinger. Cette influence sera fatale à Rogers, à son plan et à la volonté de Nixon.

Quant à Arafat, malgré l'intense activité des fédayines qui effectueront deux mille quatre cent trente-deux raids cette année-là, il désespère de fédérer tous les groupes armés sous un seul drapeau. Le FPLP a refusé de rejoindre le commandement militaire commun proposé par le Fatah. Chaque groupe suivant sa propre logique, une catastrophe semble désormais inéluctable.

Bloquée à la base, l'OLP cherche alors une issue vers le haut. Arafat et Khaled el-Hassan sont au moins d'accord sur un point : en structurant l'organisation, ils acquerraient une indépendance et une plus grande résistance face à toutes les tentatives de déstabilisation.

Pour cela, il faut des dollars.

Khaled el-Hassan part en chercher là où il y en a le plus : en Arabie Saoudite. Comme il n'a pas de visa, on n'en donne pas à des révolutionnaires marxisants, il entre dans le royaume clandestinement, à dos de chameau...

Un ami l'installe dans un bon hôtel, lui promet une audience chez Fayçal, et Khaled attend trois semaines que le téléphone sonne. Il sonne. C'est Arafat qui s'impatiente.

Désespéré, Khaled el-Hassan décide alors de s'accoutrer en nomade. Le roi reçoit chaque semaine les bédouins dans une audience traditionnelle, sans protocole. Et le monarque n'est pas peu surpris lorsqu'un de ses sujets du désert se penche vers lui en murmurant : « Je suis Khaled el-Hassan du Fatah et je ne quitterai pas Riyadh sans vous rencontrer ! »

L'audace paie. Quelques jours plus tard, ayant retrouvé son costume de ville, Khaled el-Hassan pénètre par la grande porte dans le bureau du roi. Fayçal s'assied près de lui sur le canapé. Prévue pour quinze minutes, l'entrevue dure quatre heures. Le plus dur, le plus respecté des monarques orientaux se rend aux arguments et au charme de cet ingénieur de quarante ans venu lui raconter le drame de la Palestine. Alors, le roi Fayçal ibn Abdul Aziz ibn Saoud promet.

Ses promesses sont énormes. Et, chaque fois qu'il hoche la tête en réponse aux requêtes de Khaled, l'OLP fait un bond en avant.

D'abord, une taxe de 5 % sera désormais prélevée sur les salaires de tous les Palestiniens travaillant dans le royaume, et reversée à l'OLP. Ensuite, le roi lui-même versera son obole à l'organisation, et le gouvernement saoudien lui allouera une rente annuelle de douze millions de dollars. Enfin, des armes et des munitions seront envoyées aux fédayines.

Quinze jours plus tard, vingt-huit semi-remorques saoudiens arrivent dans les bases de Jordanie.

12.

Israël met un pied au Liban

George Habbache ne participe pas au Conseil National Palestinien qui se tient au Caire du 1er au 6 septembre 1969. Il a mieux à faire. La veille de l'ouverture, ses hommes ont détourné un nouvel avion à Rome. Il s'agit cette fois d'un Boeing de la TWA, qui sera dynamité après avoir atterri à Damas. Les Syriens prélèvent une « taxe d'aéroport » assez particulière : ils gardent deux des passagers qu'ils échangeront quatre mois plus tard contre des prisonniers de guerre.

Malgré l'absence d'Habbache, le ton de la réunion du Caire est nettement radical. Nayef Hawatmeh, qui propose une « solution populaire démocratique du problème palestinien » aux termes de laquelle tous les Juifs pourraient rester en Palestine et y jouir de droits égaux à ceux des Palestiniens, se voit hué et mis en minorité. Arafat fait le gros dos.

Il s'inquiète de l'escalade militaire du Liban. Les Israéliens ont effectué plusieurs raids dans l'Arkoub et maintenant, c'est l'armée libanaise qui s'oppose aux fédayines. Les incidents dégénèrent d'autant plus vite que, pour saboter le rapprochement entre le Fatah et l'Arabie Saoudite, le FPLP a eu l'idée de faire sauter le pipe-line qui alimentait le port de Tripoli.

Rendant coup pour coup à l'armée du général Boustani, les fédayines s'emparent des principaux camps de réfugiés du pays. Il y a désormais deux États au Liban, un dans les camps, l'autre au dehors.

« Des balles arabes sont dirigées dans la mauvaise direction », s'indigne Nasser qui tente une médiation entre Arafat et le général Boustani. Malgré l'avis de son comité exécutif, Arafat se rend au Caire et signe un accord de cessez-le-feu.

Le 3 novembre, il passe avec Boustani un accord général portant sur la présence des fédayines au Liban. Israël s'indigne de voir Arafat traiter ainsi d'égal à égal avec le chef d'une armée arabe.

Mais, lorsque le *Jerusalem Post* écrit que l'État hébreu « ne saurait permettre qu'une région du Liban devienne un lieu sûr de refuge et une base pour les organisations de commandos », une nouvelle voix se fait entendre, pour la première fois, dans le conflit palestino-israélien.

C'est la *Pravda*.

Dans son numéro du 6 novembre, l'organe officiel du PCUS, qui proclame la « solidarité soviéto-palestinienne », met en garde Jérusalem : « Israël ferait bien, avant de se lancer dans une aventure au Liban, de prendre en considération la solidarité qui lie l'Union soviétique aux commandos palestiniens. »

L'entêtement d'Arafat a payé. Désormais, il y a un joueur de plus à la table palestinienne.

Les fédayines s'installent tranquillement au Liban. Le nouveau gouvernement formé par Rachid Karamé rappelle aux commandos les règles strictes de l'accord du Caire. Mais le ministre de l'Intérieur, le druze Kamal Joumblatt, est un allié de Yasser Arafat...

13.

« Il n'y aura jamais d'unité arabe! »

La montagne accouche d'une souris. William Rogers, qui travaille depuis des mois à un plan de paix, voit ses propositions balayées en quelques jours lorsqu'il les rend publiques en décembre 1969.

Voulant contenter tout le monde, son plan n'a satisfait personne. Les projets de paix séparée israélo-égyptienne et israélo-jordanienne, en échange du retrait des territoires et de vagues promesses sur le « problème des réfugiés » paraissent bien maigres à Nasser. Le raïs veut bien d'une paix, mais d'une paix globale, incluant le retrait et la reconnaissance des droits du peuple palestinien. Pas cet accord à la sauvette.

Les Nations-Unies elles-mêmes s'en mêlent. L'Assemblée générale réunie à New York rattrape sa gaffe de 1967, et reconnaît l'existence du « peuple palestinien ». Pour le plus grand embarras de William Rogers, le « problème des réfugiés » se transforme en problème national...

Et le coup de grâce vient d'Israël : Golda Meïr juge trop importantes les concessions faites par le plan. Rogers retourne à ses études.

Lorsqu'il se réunit la semaine suivante à Rabat, le Sommet arabe n'a plus d'ordre du jour : le plan Rogers est mort. Reste à savoir ce que vont faire les Arabes devant ce vide politique.

« Nous voulons d'abord savoir si vous voulez combattre », demande à ses pairs Gamal Abdel Nasser. Oh, le raïs n'a guère d'illusions : il connaît la réponse. Une guerre de dupes lui a suffi et il n'a plus envie de se battre seul. Voilà pourquoi il demande aux chefs d'État arabes d'avouer leur manque de détermination.

Khaled el-Hassan lit la déclaration de l'OLP. Il se souviendra toute sa vie de l'effet produit.

« Puisqu'il était évident que les Israéliens préféraient les territoires à la paix, j'ai demandé à Nasser qu'il renonce lui aussi à la solution politique et qu'il pousse les Arabes à la guerre. Il est devenu fou. Il a jeté tous ses papiers en l'air et a quitté la séance en criant : « L'unité n'existera jamais dans le monde arabe ! »

Le sommet s'achève sur une totale cacophonie et sans déclaration finale. L'OLP n'obtient même pas les subsides réguliers qu'elle demandait aux membres de la Ligue Arabe. Seul un nouveau venu décide, unilatéralement, de verser quarante millions de francs par an à l'organisation. Il est Libyen. Il a trente ans. Il s'appelle Muhammar al-Kadhafi.

14.

L'année de la conspiration internationale

« A mort la réaction arabe ! »

Les radicaux palestiniens ont vite trouvé la solution aux divisions et à l'impuissance qui paralyse le monde arabe : il faut déboulonner ces régimes incapables !

Derrière le FPLP, une nuée de groupuscules pratiquent la surenchère sur ce thème. Même le Fatah se sent obligé de réclamer l'établissement d'un « Hanoï arabe » qui soutiendrait sans condition la cause palestinienne.

Mais Arafat a les pieds sur terre ou, plus exactement, en Jordanie. Et il s'oppose à son lieutenant Abou Daoud, commandant de la guérilla dans le royaume.

« Nous discutions sérieusement et fréquemment entre nous de la question de renverser Hussein, a raconté Abou Daoud au journaliste Alan Hart. Nous en parlions aussi avec Arafat, et je lui ai dit à plus d'une occasion que je pensais que nous faisions une erreur terrible en ne faisant rien contre Hussein. Arafat a toujours dit : « Non, non, non! » Faire la guerre à Hussein ou à tout autre régime arabe n'était pas la voie de la libération. »

Et Arafat redira « non » lorsque des officiers jordaniens lui proposeront de faire un coup avec eux.

Hélas, l'obstination d'Arafat constitue un faible rempart à l'anarchie qui envahit la Jordanie. Les détournements d'avions se multiplient et l'on voit les pirates parader à Amman. Pour cause de solidarité révolutionnaire, des Japonais, des Irlandais, des Allemands, des Français et des Italiens viennent s'initier à la guérilla urbaine auprès des groupes palestiniens. En mai, le FPLP a tenté de faire assassiner Ben Gourion par un Suédois et, en juin, le Suisse Bruno Bargit a été arrêté en possession d'explosifs à Haïfa. En 1972, ce sont des Japonais qui ouvriront le feu à l'aéroport de Lod, et une Américaine, Evelyne Barge, sera arrêtée dans ce même aéroport. Jusqu'en 1977, le FPLP participera à des opérations du groupe allemand Baader-Meinhof. En attendant, cette faune inquiétante s'entraîne dans le désert jordanien...

La capitale plantée de mimosas, fondée en 1921 par le roi Abdallah, est devenue le théâtre d'un western incessant : on y règle ses comptes à l'arme automatique, au bazooka ou au mortier. Les hommes de George Habbache imposent des contrôles sur les routes, rackettent des hommes d'affaires, réquisitionnent des véhicules et n'hésitent pas à diffuser leur propagande marxiste depuis les haut-parleurs des minarets. Chaque groupe s'est taillé un territoire sur les hauteurs de la ville. Le Fatah règne sur le champ de Djebel Hussein, Habbache sur celui de Wahdate. Ils dominent ainsi le futur champ de bataille, à l'instar du roi dont le palais couronne le Djebel Kousour.

Hussein maintient dans ce délabrement une vie de cour un peu désuète. Il a fait restaurer le palais Basmane, siège de son gouvernement, mais préfère vivre en famille à dix kilomètres de là, dans la résidence de Hommar. Éduqué en Angleterre, marié à la fille d'un officier britannique, sensible aux femmes et attentif à ses enfants, il a survécu trente-cinq ans à toutes les violences du Moyen-Orient. Son grand-père, Abdallah, a été assassiné devant ses yeux par un Palestinien sur les marches de la mosquée al-Aqsa. Son cousin Fayçal, roitelet d'Irak, a été massacré par les putschistes de 1958. Lui-même a échappé à de nombreux attentats.

Cela ne l'empêche pas de survoler seul, aux commandes de son hélicoptère, son petit royaume qui plonge vers le chaos.

Hussein et Nasser, dans leur effort commun de négociation, sont arrivés à la même conclusion : toute solution qui ne prendrait pas en compte le peuple palestinien serait suicidaire pour le monde arabe. Ce n'est pas leur grandeur d'âme qui les a conduits à ce postulat : c'est la réalité. En vingt ans, les Palestiniens sont devenus une force et, en attendant qu'Israël se plie lui aussi à cette réalité, Hussein et Nasser n'ont pas d'autre choix que de s'accommoder de ces hôtes encombrants.

Cette analyse ne fait pas l'unanimité à la cour du roi Hussein. Les tribus bédouines nourrissent d'anciennes rancœurs contre les Palestiniens. Le chérif Nasser ben Djamil, commandant en chef de l'armée et oncle du souverain, son cousin le commandant de la 3e Division Zaïd Ben Chaker, ou le ministre de l'Intérieur Kilani ne manquent jamais une occasion de conseiller au roi la manière forte.

L'abcès crève en février 1970. Arafat se trouve à Moscou lorsque le ministre Kilani publie un décret réglementant la présence des Palestiniens en Jordanie : ils n'ont plus le droit de porter des armes, de stocker des munitions ni même de manifester.

C'est naturellement ce qu'ils s'empressent de faire. Dès le lendemain de la « déclaration de guerre » lancée par Kilani, les militants du FPLP, dopés par l'attaque à la grenade d'un bus d'El Al sur l'aéroport de Munich, appellent à la destitution du roi. Kilani donne l'ordre d'ouvrir le feu : il y a six morts.

Mais Hussein est piégé. S'il ne peut tolérer l'affront des extrémistes palestiniens, il ne peut non plus se passer des aides saoudienne, koweitienne, égyptienne, qui tiennent le royaume à bout de bras. De plus, les Irakiens qui ont quinze mille hommes stationnés en Jordanie menacent de se mettre aux côtés des fédayines. Quant à la Syrie, elle fait savoir qu'elle leur fournira toute « l'assistance morale et matérielle nécessaire ».

« J'ai trouvé que la neige à Moscou était chaude », dit Arafat en rentrant de voyage. Il s'empresse de rassurer le roi et de calmer les excités.

Puis il repart en Chine. Pékin rougeoie au plus fort de sa révolution culturelle, et le Vice-premier ministre Li Xiensien, portant un toast à Arafat lors du banquet donné en son honneur au Palais du Peuple, déclare : « Les combattants palestiniens ont suscité la louange et l'admiration du gouvernement et du peuple chinois qui appuient fermement le peuple palestinien et le peuple arabe dans leur juste lutte ! »

Les armes chinoises débarquent à pleins cargos dans les ports de Lattaquié et Bassorah. Kalashnikov, mitrailleuses, roquettes antichars et mortiers sont ensuite amenés par route dans les camps de Jordanie où, sans trop oser le dire, tout le monde attend déjà l'affrontement final.

De nouveaux incidents éclatent début juin, tandis que le Conseil National Palestinien est réuni au Caire. Cette fois, Arafat monte à la tribune pour menacer Habbache : « Nos masses ne peuvent plus tolérer un démagogue extrémiste qui ne fait rien pour changer le statu quo ! »

Un violent débat oppose le Fatah et le FPLP, qui voudrait voir l'ensemble de la résistance embrasser ses idéaux marxistes. Déjà, quelques semaines plus tôt, lorsque le propagandiste en chef du FPLP, Ghassan Kanafani, écrit dans *Al Hadaf* : « Il ne peut pas y avoir de révolution sans doctrine », Arafat lui répond sèchement : « La force du Fatah vient de son refus d'être classé à droite ou à gauche, à l'Est ou à l'Ouest et de son refus d'être patronné par tel ou tel gouvernement arabe. Il y a actuellement six « camps » dans le monde arabe : lequel choisir ? »

Le 9 juin, des coups de feu sont tirés sur la voiture du roi alors qu'il rentre du palais de Hommar avec Zaïd Rifaï et Nasser ben Djamil. L'escorte s'arrête pour riposter.

Une fois encore, c'est Arafat qui négocie le cessez-le-feu avec le roi. Mais les groupes extrémistes réclament la démission de l'oncle et du cousin du roi. Pour mieux peser sur le débat, le FPLP s'empare des deux plus grands hôtels d'Amman, l'Inter-Continental et le Philadelphia. Des dizaines de journalistes, de touristes, d'hommes d'affaires se retrouvent pris en otage par une horde de porte-flingues exubérants mais courtois.

Et, quand la Maison-Blanche place sa 82e Division aéroportée en état d'alerte, un George Habbache plus insolent que jamais promet « un nouveau Vietnam ».

Hussein jette l'éponge. Le 11 juin, il annonce la démission de ses deux parents avec une précaution verbale qui n'impressionne personne : « C'est la dernière chance, il n'y en aura plus d'autre ! »

Cabotin, Habbache s'excuse auprès de ses honorables otages : « J'espère que vous comprendrez ce que nous avons fait, déclare-t-il dans le hall de l'Inter-Continental. Les conditions dans lesquelles nous vivons depuis des années ont modelé notre façon de penser. Nous ne pouvons rien y faire. »

Il n'est plus guère de nuits où Arafat et Abou Iyad ne se rendent au palais pour jouer les médiateurs. Les deux gardes tcherkesses aux coiffes de fourrure noire qui veillent aux portes du cabinet royal s'habituent à les voir entrer à n'importe quelle heure. « Nous avions le sentiment qu'un piège était en train de se refermer sur nous », dit Arafat.

Il signe un nouvel accord le 10 juillet, un accord de plus, qui vient s'ajouter au monceau de papiers inutiles que le roi et lui signent avec frénésie. A la veille même du cataclysme, ils se reverront encore pour signer un accord. Dans cette course contre le temps, Arafat songe à user de la force pour mettre au pas les groupes gauchistes. Mais lorsqu'il en donne l'ordre, Abou Daoud lui désobéit.

« Même au sein du Fatah, se souvient un militant, nous ne pouvions nous empêcher d'avoir de la sympathie pour l'audace de Habbache. C'était une époque où tout le monde doutait. Nous avions tous des amis ou des parents dans chacun des autres groupes. Il y avait parfois des incidents, mais il était impensable de nous combattre ouvertement les uns les autres. »

Le 31 juillet, Richard Nixon annonce que la Jordanie et l'Égypte viennent d'accepter une version améliorée du Plan Rogers. Moyennant de nouvelles garanties de récupérer leurs territoires, mais aussi contre la promesse d'une aide économique massive à leurs pays exsangues, Nasser et Hussein ont fini par céder. Nasser a prévenu Arafat à l'avance : « J'accepte, mais si vous refusez, je vous comprendrai. »

Et, bien sûr, l'OLP refuse. Elle convoque pour cela un Conseil National Palestinien extraordinaire, qui se réunit à Amman les 27 et 28 août. Le second Plan Rogers ne prévoit rien de concret pour les Palestiniens et son annonce, dans ce contexte précis, exacerbe encore la frustration des combattants.

« Nous ne savons qu'une chose, proclame Yasser Arafat. Nous voulons récupérer notre pays et le seul moyen d'y arriver, c'est le fusil! »

Quant à Habbache, il promet au monde de « faire du Proche-Orient un enfer ». Et il tient sa promesse.

15.

Septembre noir

Dans les rues d'Amman, un âne marche en tête d'une foule furieuse, un portrait de Nasser attaché entre ses oreilles. Autour du cou, cette pancarte : « Traître ! »

Le FPLP a réuni beaucoup de monde.

Arafat, lui, s'inquiète. En acceptant le plan Rogers, Nasser lui a téléphoné pour lui demander de ne pas le critiquer. La situation intérieure en Égypte est tendue. Au plus bas de sa cote d'amour, le raïs se passerait de la haine des fédayines. Désormais Nasser n'a plus de raison de les protéger. Il fait même savoir à Hussein, par lettre, qu'il serait peut-être temps de leur donner une leçon.

Le 1er septembre, le roi quitte son palais pour accueillir sa fille à l'aéroport. Pour la troisième fois depuis avril, sa voiture est mitraillée par des inconnus alors qu'elle franchit un passage à niveau. La garde royale riposte. En un instant la capitale résonne d'une fusillade générale.

« Il y a des gens, aussi bien en Jordanie qu'en Israël, hostiles à une solution politique du problème palestinien, qui souhaitent ma mort... » confie le roi au journaliste Éric Rouleau. Puis il invite les fédayines à rester en contact avec lui pour « déjouer les manœuvres des provocateurs ».

Avec l'acceptation du plan Rogers, Arafat a les poings liés. Il ne peut plus se désolidariser des radicaux, d'autant que, dans l'entourage du roi, les antipalestiniens ont à nouveau le dessus. Quand Arafat proclame, en inaugurant le colloque de l'Union générale des étudiants palestiniens : « Je suis fier que vous ayez pu vous réunir à l'ombre des fusils de la révolution, et cela malgré l'interdit d'un pouvoir intimement lié aux services de la CIA », il ne fait pas simplement de la surenchère.

Les Américains subventionnent quasi ouvertement certains membres du gouvernement ou de la famille royale. De plus, l'ambassadeur américain joue sur l'aide financière accordée au royaume : Hussein en a besoin pour payer son armée. Depuis l'été, les dollars arrivent avec un mois de retard. Et le message des Américains se résume à ceci : « Débarrassez-vous des Palestiniens. » Plus rien ne semble pouvoir empêcher l'affrontement.

« Nous ne serons jamais les premiers à tirer car nous voulons épargner à la population des souffrances inutiles, déclare Abou Iyad le 3 septembre. Mais nous avons informé le gouvernement ce matin que, désormais, nous appliquerons la loi du talion, que nous riposterons à toute agression par un acte de même nature et de même ampleur. »

La Libye suspend son aide financière à la Jordanie. Le 4 septembre enfin, on respire un peu : George Habbache part en Corée du Nord pour plusieurs jours. Wadi Haddad lui-même a disparu.

Hélas, on comprend vite les raisons de son absence. Le 6 septembre, en début d'après-midi, des commandos du FPLP détournent d'un seul coup quatre avions : un Boeing 707 d'El Al au départ de Londres, un Boeing 747 de la Pan Am à l'aéroport de Schippol-Amsterdam, un 707 de la TWA à Francfort et, à Zurich, un DC-8 de la Swissair. Des centaines de passagers sont aux mains des terroristes.

Des coups de feu éclatent dans l'avion d'El Al.

Patrick Arguello, un Nicaraguayen travaillant pour le FPLP, tombe sous les balles d'agents israéliens en civil qui parviennent à maîtriser un autre pirate : Leïla Khaled.

Le 747 de la Pan Am atterrit à Beyrouth, d'où les autorités refusent de le laisser redécoller. Après le débarquement des passagers, l'avion est dynamité pour protester contre le plan Rogers.

De nuit, les appareils de TWA et de Swissair sont forcés de se poser sur une piste balisée de bidons enflammés, en plein désert jordanien. Construit par les Anglais avant la guerre, Dawson's Field a été rebaptisé par le FPLP : « Aéroport de la révolution. » Durant trois jours, il va devenir le centre du monde.

En échange des passagers, le FPLP réclame la libération de sept de ses militants capturés en Europe, dont la désormais célèbre Leïla Khaled.

Comme les négociations piétinent, un troisième avion appartenant à la compagnie BOAC se pose à son tour sur l'aéroport de la révolution le 9 septembre. Avec six cents otages et trois avions modernes valant plusieurs dizaines de millions de dollars, le FPLP peut enfin discuter d'égal à égal avec les puissances de ce monde...

Hussein et Arafat tentent leur possible pour obtenir une solution pacifique. En liaison permanente avec le Comité International de la Croix-Rouge, Arafat convoque une réunion du commandement militaire de la Résistance pour essayer de faire pression sur Haddad. Il doit menacer de démissionner de l'OLP pour que, finalement, le FPLP relâche les passagers.

Pas tous : Haddad en garde cinquante-quatre, pour parer à d'éventuelles représailles. Les six derniers ne seront libérés que dix jours plus tard par l'armée jordanienne, à l'issue de la guerre civile. Quant aux trois avions, ils explosent en plein désert devant les caméras du monde entier...

Furieux, Arafat obtient que le FPLP soit exclu du comité exécutif de l'OLP. Mais il découvre aussi avec inquiétude l'impact du détournement sur les jeunes Palestiniens : « Voilà le langage que comprend l'Occident ! », clame un adolescent fasciné. C'est vrai : le FPLP, lui, a fait ployer les gouvernements. Leïla Khaled et ses camarades ont été libérés, et ce succès ouvre la voie à davantage de violence.

« Mon armée s'impatiente, menace le roi. Elle ne peut supporter longtemps que l'on bafoue l'autorité de l'État. Le Front Populaire a dépassé la mesure. Non content d'établir un aérodrome pirate sur mon territoire, il confectionne des cachets officiels, délivre des visas, règle la circulation, détient des otages et engage des négociations avec des puissances étrangères... »

Le roi sait déjà que son état-major prépare l'offensive et que l'on entasse des munitions dans la cour des casernes. En plus de ses généraux, Hussein doit aussi résister à Kissinger. Le conseiller de Nixon est obsédé par l'idée qu'Arafat soit un agent de Moscou et que les Soviétiques veuillent s'emparer de la Jordanie. Inconsciemment, Nayef Hawatmeh lui donne un argument : il proclame un « soviet » à Irbid !

Arafat et Hussein signent un ultime accord le 15 septembre. Ce jour-là, le roi reçoit en urgence ses deux plus proches conseillers, Wasfi el-Tall et Zaïd Rifaï, ainsi que son cousin Ben Chaker, et les généraux Ajlouni et Maitah. Ils exigent tous les cinq un écrasement immédiat des fédayines.

Le roi veut temporiser. Ils lui adressent un ultimatum : si Hussein ne bouge pas, ils le confineront dans son palais et agiront eux-mêmes.

La loi martiale est décrétée. Dans la soirée, le général Mohammed Daoud forme un gouvernement militaire. D'origine palestinienne, il pourra peut-être, espère Hussein, se faire entendre auprès des fédayines et éviter le carnage.

Le lendemain matin, la radio jordanienne diffuse les ordres du maréchal Majdali, chargé de l'application de la loi martiale : les Palestiniens doivent remettre à l'armée toutes les armes dont ils disposent.

Au camp du Djebel Hussein, l'OLP tient son conseil de guerre. Arafat, résigné, attendait le « coup de poignard. » Il a sous ses ordres trente à quarante mille hommes. Les syndicats jordaniens appellent à une grève générale illimitée et, devant l'imminence de la bataille, le FPLP obtient sa réintégration.

La journée se passe en préparatifs et en vaines tentatives. Le Fatah fait savoir qu'il ne veut pas renverser le monarque, mais le débarrasser d'une « clique d'agents américains et réactionnaires. »

Le 17 septembre, à 4 h 50, le canon tonne. L'armée royale se lance à la conquête de sa propre capitale. Avec ses trois cents chars Patton et Centurion, le maréchal Majdali pense en avoir pour quelques heures. Il lui faudra dix jours.

Le Fatah a ses propres illusions : des Palestiniens composent la moitié de l'armée, elle risque d'éclater. Le chauffeur du roi, d'origine palestinienne, est arrêté alors qu'il tire sur le palais au mortier, et le cuisinier d'Hussein rejoint lui aussi le Fatah. Mais l'armée reste loyale jusqu'au bout. Il y aura peu de désertions, hormis celle du Premier ministre Daoud. Dénoncé à la radio par sa propre fille, ses nerfs craquent : il s'exile en Libye.

Arafat participe aux combats. Coordonnant les mouvements de troupes, il renforce les positions, fait suivre l'intendance, organise les secours. Un matin, les renseignements militaires jordaniens localisent sa maison et la rasent.

Abou Iyad, dans la confusion, croit son compagnon tué. Il annonce la mort d'Arafat à la radio et appelle à l'arrêt des combats.

Arafat réapparaît. La guerre redouble. Quatre membres du Comité Central, Abou Iyad, Farouk Kaddoumi, Ibrahim Bakr et Abou Gharbia sont capturés par l'armée royale. Nayef Hawatmeh est blessé à l'épaule. Dans Amman privée d'eau et d'électricité, l'odeur de la mort s'installe. Des quartiers manquent de vivres.

Nasser réclame la tenue immédiate d'un sommet arabe extraordinaire. Comme Hussein refuse, il le menace d'intervenir militairement...

Tout le monde menace tout le monde. Débordé par la gauche du parti Baas, le ministre syrien de la Défense, Hafez el-Assad, se voit contraint d'envoyer des chars en Jordanie.

Conseil de crise à Washington : la Maison-Blanche menace à son tour d'intervenir. William Rogers condamne « l'intervention irresponsable » de Damas et s'entretient avec Yitzhak Rabin, le Premier ministre israélien.

Curieusement, les seuls qui n'interviennent pas sont les quinze mille irakiens stationnés en Jordanie. « Ils ont été payés », disent les Palestiniens.

Le 20 septembre, Rabin participe à un dîner de gala à New York, lorsqu'il est dérangé par un coup de fil de Kissinger : « Israël peut-il fournir à la Jordanie un appui aérien pour faire face à la progression des chars syriens ? » demande le conseiller de Nixon.

La réponse est positive. Mais, le lendemain, les troupes d'Hussein reprennent le dessus et contiennent les blindés de Damas. Toutes les unités syriennes repassent la frontière en sens inverse dans les soixante-douze heures... L'opération israélienne est annulée.

Du coup, l'armée royale se retourne contre Amman. Des maisons brûlent. Les ambulances osent à peine s'élancer au long des avenues jonchées de gravats. Dans la ville dévastée, la pénurie s'installe. Des familles sont ensevelies sous leurs maisons, d'autres se rationnent au fond des caves. Dans les rares hôpitaux épargnés, les chirurgiens opèrent à la lueur de bougies. Des bulldozers creusent des fosses communes.

Hussein comprend qu'il ne pourra reprendre sa capitale sans la raser. L'état-major refuse de laisser partir Arafat pour le Caire où doit se tenir le Sommet arabe. Lorsque le président soudanais Nimeiri vient en personne à Amman chercher le chef de l'OLP, l'armée bombarde sa résidence du djebel Louebdeh.

Arafat déclare qu'il ne se rendra pas au Caire, « la situation nécessitant que je reste au milieu de mon peuple afin de partager son destin ».

A son tour, le Koweit suspend son aide au roi Hussein. La Libye rompt les relations diplomatiques. Enfin, un cessez-le-feu de principe intervient le 25 septembre pour permettre à Arafat et à Hussein de venir au Caire. Mais les tirs continuent.

« Il n'y a pas de volonté réelle de mettre fin aux combats du côté jordanien, dit le Premier ministre tunisien Bahi Ladgham qui participe à la mission de médiation, parce qu'il y a un plan militaire qui n'est pas encore totalement exécuté : ce plan vise à éliminer le peuple palestinien. »

Le président Nimeiri, dont les Soudanais n'avaient jamais remarqué la sensibilité, décrit ce dont il a été témoin après le cessez-le-feu à l'hôpital palestinien du djebel Achrafieh : « Des centaines d'enfants, de femmes, d'impotents ont été traînés dans la rue où des voitures les ont écrasés. Les médecins et les infirmières ont été arrêtés et menacés de mort. »

Nasser écrit dans son rapport à la Ligue Arabe : « Un effroyable massacre est actuellement perpétré en Jordanie au mépris de toutes les valeurs arabes et humaines. »

Comment tirer Arafat de ce charnier ?

C'est le prince héritier du Koweit, cheikh Saad Abdullah as-Sabbah, qui trouve la solution. Venu à Amman pour conduire le chef de l'OLP au Caire, il s'aperçoit que les Jordaniens le suivent pour repérer Arafat et l'abattre. Parvenu dans son bunker, le prince se déshabille et tend à Arafat sa dishdash, la longue robe blanche des Arabes du Golfe, son manteau bordé d'or et son keffieh. Ainsi accoutré, le chef des fédayines grimpe dans le véhicule blindé de transport de troupes de l'héritier koweitien et gagne l'aéroport.

La nouvelle du départ d'Arafat plonge Hussein dans un grave embarras. Assailli par tous les chefs d'État arabes, il n'a plus d'autre choix que d'accepter un accord et il se rend au Caire, pilotant sa Caravelle personnelle.

La réunion a lieu le lendemain matin dans les salons de l'hôtel Hilton, au bord du Nil. Assis de part et d'autre d'une grande table en fer à cheval, Arafat et Hussein ont conservé tous deux leur revolver.

L'accord, un compromis sans vainqueur ni vaincu, est déjà préparé. Hussein, qui s'est placé au ban de la nation arabe, le signe sans sourciller. Il est sans doute heureux d'avoir gagné du temps. L'accord ne sera pas appliqué.

Nasser a jeté toutes ses forces dans cette conciliation. Le lendemain, 28 septembre, il meurt d'une crise cardiaque.

16.

« On a perdu la Jordanie! »

Arafat a déjà quitté le Caire lorsqu'il apprend la nouvelle. Il dîne à l'ambassade d'Algérie à Damas en compagnie du président syrien, Noureddine Atassi.

« Le raïs Nasser est mort », leur glisse un secrétaire.

Atassi et Arafat pleurent.

« Nous avons tout perdu », murmure le chef de l'OLP.

Les funérailles grandioses qui jettent dans les rues des millions d'Égyptiens en larmes marquent la fin d'une époque. Tous les protagonistes de ce mois effroyable sentent bien que, désormais, rien ne sera plus pareil.

A Damas, accusé d'avoir traîné les pieds pour secourir l'OLP en Jordanie, Hafez el-Assad renverse Salah Jedid et Noureddine Atassi. A Bagdad, le vice-président Takriti doit démissionner, suite au scandale de la non-intervention irakienne. Au Caire, un fils de paysan du delta, Anouar el-Sadate, succède à Nasser et s'apprête à bousculer l'histoire. Kissinger a compris qu'avec la mort du raïs, le plan Rogers n'avait plus cours et il se fixe désormais pour but de négocier des paix séparées. La Jordanie doit s'habituer à vivre à l'écart du monde arabe et les Israéliens, à voir monter chez les Palestiniens une violence aveugle qui n'a plus d'exutoire.

Trois mille quatre cent quarante Palestiniens sont morts en Jordanie durant les dix journées de Septembre noir, dix mille huit cent quarante autres ont été blessés et seize mille faits prisonniers. Cinquante mille réfugiés ont dû quitter leurs camps dévastés. La plupart ont rejoint le fragile Liban, où un autre drame les attend. Tout cela laisse un goût amer de sang et de révolte, surtout chez les plus jeunes.

Le 13 octobre, les accords jordano-palestiniens, finalisés, sont signés en grande pompe à l'ambassade de Tunisie à Amman. Tout le corps diplomatique est là. Arafat a passé son meilleur treillis et le roi Hussein son grand uniforme de maréchal de l'armée de l'air. Mais les deux hommes ne se donnent pas l'accolade. Leur accord sonne aussi faux que le style Louis XV du salon. Il ne reflète pas le rapport des forces sur le terrain.

Reconnaissant que l'OLP est « le représentant du peuple palestinien », la Jordanie accepte la présence des bases de fédayines hors de la capitale. Les Palestiniens peuvent continuer à frapper Israël sans rien demander à personne et recevoir des armes, les stocker. Cet accord est si défavorable pour Hussein que Radio-Amman n'en diffuse pas le texte. Le journal du Fatah, qui veut combler cette lacune, sera saisi sur le champ. Mais pourquoi s'étendre sur un texte qui ne sera pas appliqué ?

Dès janvier 1971, de nouveaux affrontements éclatent entre fédayines et Jordaniens. Cette fois, Hussein s'est trouvé un allié : l'Amérique. Ironie amère, armes et munitions sont déchargés des C-130 de l'US Air-Force sur les lieux mêmes des détournements de septembre : l'aéroport de la Révolution ! Le Premier ministre tunisien peut accuser la Jordanie de « violer d'une façon claire et nette » les accords passés avec Arafat, c'est trop tard. Hussein en a fait son deuil.

Lorsque les Palestiniens se réunissent enfin pour décider d'une politique, on entend beaucoup la voix des radicaux et peu celle des modérés. Habbache propose purement et simplement d'abattre le roi Hussein.

« Il n'y a pas de place pour les caprices d'un aventurier qui veut se donner bonne conscience, répond Arafat, alors qu'il souffre d'un complexe d'infériorité pour s'être trouvé en Corée du Nord lors des combats de septembre ! »

Il veut tenter de sauver ce qui peut l'être encore des accords du Caire, mais la colère triomphe sur les bancs du Conseil national. Les délégués rejettent l'idée de créer un « petit État » sur n'importe quelle partie du territoire palestinien libéré ou évacué par Israël, et rappellent que « l'objectif essentiel et fondamental est de libérer entièrement la patrie palestinienne occupée. » Pire : les radicaux tentent de rejeter sur Arafat la responsabilité de l'échec en Jordanie. Arafat encaisse. Au sein même du Fatah, la contestation gagne.

Au printemps, les fédayines doivent évacuer Amman et les villes du Nord pour se replier sur Jérash et Ajloum, en haut de la vallée du Jourdain. C'est là qu'Abou Iyad, qui prend la tête des radicaux au sein du Fatah, menace dans un meeting le roi Hussein et le nouveau Premier ministre, Wasfi el-Tall.

Le roi le convoque la semaine suivante. Avant septembre, ils avaient tous les deux des rapports amicaux. Au nom de cette amitié, Hussein veut savoir si Abou Iyad a réellement proféré des menaces contre lui.

« Votre Majesté, dit Abou Iyad, inutile de vous servir de vos espions, je redirai devant vous ce que j'ai dit à Jerash. Si le moindre mal est fait à mon peuple en Jordanie, je pourchasserai les responsables jusqu'au bout du monde et je les tuerai. »

L'armée resserre son étau. Le 2 mai, le petit roi de Jordanie promène avec fierté le secrétaire d'État William Rogers dans les rues de Wahdate, où Habbache avait son Quartier Général. La pacification va bon train, et Rogers repart impressionné. A la mi-juillet, l'armée écrase les dernières positions palestiniennes. Plutôt que de se rendre aux Jordaniens, certains fédayines préfèrent franchir le Jourdain pour se rendre aux Israéliens. Beaucoup sont abattus dans le dos au milieu du fleuve. Abou Ali Iyad, un commandant de trente-six ans, veut se battre jusqu'à la mort; mais, bien que blessé, il ne meurt pas. Alors les Jordaniens le torturent jusqu'à ce que son vœu soit exaucé.

Abou Ali Iyad rejoindra la longue liste des martyrs dans le culte desquels sont élevés les gamins révoltés des camps palestiniens. Et ses vengeurs ont déjà choisi leur cible.

17.

Attentat contre Arafat

Une fois débarrassé des Palestiniens, le gouvernement d'Amman n'a plus aucun scrupule à déclarer caducs les accords signés par Arafat. C'est fait le 18 juillet. Les Palestiniens ont définitivement perdu la Jordanie et toute la presse arabe annonce la fin de l'OLP.

Réuni à Damas, le Fatah rend Arafat partiellement responsable de cet échec. La majorité veut radicaliser le mouvement, retourner à la clandestinité et faire payer à Hussein les massacres de septembre. Arafat, lui, insiste pour se rendre à Djeddah où les Saoudiens patronnent une conférence de réconciliation. Pour la première fois, le mouvement échappe des mains de son fondateur. Pour la première fois, un de ses amis de la première heure s'oppose à Arafat : Abou Iyad.

« Il n'a jamais été très clair pour nous, dit en souriant un compagnon d'Arafat, si leur querelle était réelle ou feinte. Plus tard, on a beaucoup dit qu'en fait ils étaient tous les deux d'accord et qu'ils exprimaient des points de vues différents afin de garder la main sur le mouvement. Mais, à l'époque, ils se sont affrontés. Et je n'étais pas le seul à croire qu'Arafat était fini et qu'Abou Iyad allait prendre le dessus. »

Ce qu'Abou Iyad propose : le recours à la terreur. Assailli, isolé, le mouvement ne peut plus, selon lui, avancer sans employer la violence clandestine. Il faut frapper le régime réactionnaire de Jordanie et frapper Israël. Frapper avec audace, jusqu'à ce que changent les termes du débat.

Cette position, Arafat connaît suffisamment ses hommes pour savoir combien elle est partagée. Pour Khaled el-Hassan, si le Fatah avait condamné la terreur à l'époque, « nous n'aurions perdu notre crédibilité en tant que dirigeants. Personne à la base de notre mouvement ne nous aurait écoutés. La terreur aurait de toute façon eu lieu et certains d'entre nous auraient été assassinés. »

Pour Arafat, ces propositions ne peuvent tomber plus mal. Sur le plan politique, il dispose enfin d'engagements de la part des Soviétiques. Mais les Soviétiques condamnent « les escapades aventuristes et irresponsables. » Et que dira-t-il à Fayçal, à Djeddah ? Que ses dollars vont servir à assassiner un roi ? A embraser le Moyen-Orient ?

La conférence de réconciliation échoue. La base soupçonne Arafat d'avoir voulu chercher à gagner du temps. En septembre, il tente de remplacer les commandants du Fatah au Liban, qui le contestent ouvertement. Mais les nouveaux dirigeants, accusés d'être responsables de la défaite en Jordanie, sont rejetés par leurs troupes qui entrent en rébellion. Arafat fait machine arrière. Trop tard. Pour calmer le jeu, il entreprend une tournée des popotes. Face à face, il s'est toujours fait respecter de ses hommes.

Le 5 octobre, il inspecte une base du Fatah à Déraa, au sud de la Syrie. Tandis qu'il repart, sa voiture tombe dans une embuscade à la sortie de la ville. Il ne se sort de la fusillade qu'en prenant lui-même le volant. Son chauffeur a été tué...

Ainsi le débat est clos. Le Fatah acceptera le recours à la terreur, puisqu'aucune autre issue ne s'offre à l'organisation. C'est aussi le vœu des militants. La machine se met en marche. En attendant de l'arrêter une fois pour toutes, Arafat demeure décidé à en garder le contrôle...

18.

Les tueurs ont la parole

Des drapeaux flottent devant l'hôtel Sheraton du Caire. L'agitation des grands jours a envahi le lobby où gardes du corps et diplomates se pressent. Aujourd'hui, 28 novembre 1971, le Conseil uni de défense de la Ligue Arabe se réunit pour examiner les derniers développements du conflit israélo-arabe.

La limousine du Premier ministre jordanien fait une boucle devant le perron, la portière s'ouvre et, sa serviette à la main, Wasfi el-Tall descend. Il monte rapidement les marches. En haut, quelqu'un l'attend.

« Je suis arrivé à l'hôtel en même temps que Wasfi el-Tall, racontera à ses juges Izzat Ahmed Rabah. J'étais directement en face de lui. Avant de tirer je lui ai dit : « Abou Ali Iyad est mort, mais le peuple palestinien est vivant! »

Il vide le chargeur de son Browning 9 mm. Le Premier ministre s'effondre sur le tapis rouge. Des coups de feu, simultanément, ont éclaté dans la cour et dans le hall de l'hôtel. Dans la confusion, les policiers parviennent à ceinturer Izzat Ahmed Rabah et à le désarmer.

Izzat Ahmed Rabah est le premier « vengeur » d'une organisation secrète qui fera beaucoup parler d'elle dans les mois à venir : « Septembre Noir ». C'est cette organisation, qui, à Beyrouth, revendiquera « l'exécution » de Wasfi el-Tall.

Mais un mystère enveloppe ce meurtre : Wasfi el-Tall avait quatorze balles dans le corps. Un Browning 9mm n'en contient que treize. Il y avait donc plus d'un tueur.

Qui d'autre a pu tirer sur Wasfi el-Tall ? A-t-il été touché avant même que Rabah ouvre le feu ?

Dans des révélations faites en 1984 à Alan Hart pour son ouvrage *Arafat, Terrorist or Peacemaker ?*, Khaled el-

Hassan « éclaire » ce mystère de façon troublante. D'abord, il déclare qu'au moment de sa mort, Wasfi el-Tall était sur le point de conclure avec lui un accord d'une portée historique. Le roi Fayçal en avait négocié les termes : les Palestiniens auraient pu revenir en Jordanie, à la condition de continuer leur lutte par des moyens exclusivement politiques. On imagine dès lors tous les ennemis qu'un tel accord aurait pu susciter...

Wasfi el-Tall a-t-il été abattu simultanément par les hommes de Septembre Noir et des agents des services jordaniens, farouchement opposés à tout accord avec l'OLP ? Le doute demeure jusqu'à ce jour. Les expertises n'ont jamais été rendues publiques. Le procès de Rabah n'a pas eu lieu.

Et l'accord secret qu'el-Hassan et el-Tall s'apprêtaient à signer ? Bien sûr, il ne vit pas le jour. Rétrospectivement, on peut d'ailleurs douter qu'il eût connu le succès. De nombreux dirigeants s'y seraient opposés au sein même du Fatah ; le temps n'était plus au compromis mais à la vengeance.

La base fête bruyamment le meurtre de Wasfi el-Tall. On tire en l'air dans les camps de Beyrouth et des centaines de jeunes militants du Fatah se portent volontaires pour les opérations de Septembre Noir. Deux semaines plus tard, un autre commando ouvre le feu sur la Daimler de Zaïd Rifaï, devenu ambassadeur de Jordanie à Londres. L'ancien conseiller du roi s'en tire avec une blessure à la main.

Qu'est-ce que Septembre Noir ? Le Mossad israélien, la CIA, les services secrets européens ne mettent pas longtemps à répondre à cette question. Septembre Noir est une branche clandestine du Fatah, créée afin de ne pas compromettre l'organisation de Yasser Arafat. Mise sur pied à la suite des débats de l'été 1971, elle a pour chefs clandestins Ali Hassan Salameh et Salah Kalaf, dit Abou Iyad, qui dirige déjà les renseignements du Fatah et de l'OLP.

Yasser Arafat en restera toujours à l'écart. Malgré les

efforts du Mossad (qui se félicitera plus tard d'avoir placé l'un de ses agents parmi les dirigeants de Septembre Noir), jamais le chef de l'OLP ne sera impliqué, directement ou indirectement, dans le moindre acte terroriste.

C'est donc par amalgame qu'on lui fera endosser la responsabilité de l'effarant cortège de bombes et de détournements qui font cette année-là l'actualité.

Le 6 février 1972, une usine à gaz hollandaise accusée de liens commerciaux avec Israël est dynamitée, et cinq agents jordaniens sont abattus dans un appartement de la banlieue de Cologne. Un bulletin du Fatah annonce ces deux opérations. Le 22 février, le FPLP détourne sur Aden un 747 de la Lufthansa et réclame une rançon de cinq millions de dollars. La compagnie paie, tandis que des branches rivales du FPLP se disputent le magot. Arafat condamne cette forme de « violence révolutionnaire » inédite et lucrative.

Septembre Noir monte son premier détournement le 8 mai. La cible : un Boeing 707 de la compagnie belge Sabena, qu'un commando de deux hommes et deux femmes force à atterrir sur l'aéroport de Lod-Tel Aviv. Menaçant de faire sauter l'appareil, les pirates exigent la libération de cent six Palestiniens détenus en Israël. Mais, circonvenant les délégués de la Croix-Rouge qui tentent de négocier, des policiers israéliens déguisés en personnel de piste donnent l'assaut à l'avion. Un passager et les deux hommes du commando sont tués. Les deux femmes terroristes, Thérèse Halasseh, une chrétienne de dix-neuf ans, et Rima Issa Tannous, vingt-deux ans, seront condamnées à la prison à vie. Six mille manifestants enthousiastes les soutiennent à Beyrouth.

Le 31 mai, l'aéroport israélien devient le théâtre d'une boucherie effroyable. De véritables kamikazes de l'Armée Rouge japonaise, agissant pour le compte du FPLP, débarquent d'un vol Air France et ouvrent le feu dans la salle des bagages. Après avoir tué vingt-six personnes et en avoir blessé soixante-dix-huit autres, deux des tueurs retournent leurs armes contre eux et se suicident. Le FPLP annonce triomphalement qu'il s'agit de son « Deir Yassine », en référence au massacre de deux cent cinquante Arabes par les troupes de l'Irgoun en avril 1948.

« Horrifié », Arafat devra attendre pour avouer qu'il l'est. En ce terrible printemps de 1972, la situation lui échappe et il ne peut rien obtenir des instances de l'OLP. Le Conseil national du mois d'avril ne s'est mis d'accord que sur la création d'une agence de presse.

De plus, la dégradation de la situation au Liban préoccupe Arafat. Au sud les raids se multiplient. Des bulldozers israéliens tracent des routes d'invasion sur les flancs du mont Hermon. Quand, le 21 juin, l'armée de défense d'Israël bombarde une demi-heure durant le village druze de Hasbaya, il y a quarante-huit morts. Le Vice-Premier ministre Ygal Allon s'excuse de cette « erreur technique ».

Personne alors ne parle de terrorisme.

19.

Sous la botte

Tandis que les terroristes font une sanglante réputation au peuple palestinien, Israël poursuit à marche forcée l'intégration des territoires occupés depuis 1967.

« Créer des faits. » Moshé Dayan a résumé ainsi la politique qu'il applique dans les territoires où vivent plus d'un million de Palestiniens. « C'est la réalité qui se concrétise jour après jour qui dictera les prochaines frontières d'Israël, déclare-t-il peu avant la guerre d'octobre 1973. Il faut considérer que les points sur lesquels nous nous sommes déjà implantés ne seront pas restitués aux Arabes. »

Dès 1967, quatre mille Palestiniens sont expulsés de la

vieille ville de Jérusalem. En cinq ans, quarante-quatre colonies juives sont implantées sur des terres confisquées.

Le scénario ne change pas. D'abord, les militaires posent des barbelés et annoncent qu'ils établissent un poste. Puis ils s'en vont, les barbelés restent et des colons armés surveillent la construction d'un village. Lorsque les paysans refusent d'évacuer leurs terres, comme c'est le cas en avril 1972 au Sud-Est de Naplouse, l'armée arrose les champs cultivés de désherbant.

Après qu'on eût bouché leurs puits et démoli leurs maisons, et qu'on leur eût confisqué cent vingt kilomètres carrés de terres, vingt mille habitants de Rafah, dans la bande de Gaza, vont croupir dans les ghettos urbains; il ne leur reste plus qu'à vivre de l'aide humanitaire ou à travailler au noir dans les entreprises israéliennes.

Cela, aussi, fait partie de la stratégie du ministre de la Défense. Pour diminuer les liens des populations occupées avec les voisins arabes, Dayan veut les intégrer à la vie économique d'Israël. Les entreprises israéliennes qui s'implantent dans les territoires reçoivent des avantages, et trente mille, puis soixante-dix mille travailleurs palestiniens sont « autorisés » à venir chaque jour pour travailler en Israël. Mais pas à y dormir. Comme les Noirs des townships en Afrique du Sud, pays avec lequel Israël développe d'excellentes relations, ces milliers de Palestiniens constituent des réservoirs de main-d'œuvre sous-payée. Chaque matin, les hommes partent pour les villes israéliennes. Après une longue attente aux points de contrôle de l'armée, des fouilles humiliantes, ils arrivent à la porte des entreprises, sur les chantiers, et proposent leurs services. On les paie à la journée, deux à trois fois moins cher que des ouvriers juifs. L'immense majorité n'a ni stabilité d'emploi ni sécurité sociale. D'ailleurs, les statistiques révèlent l'hypocrisie de l'intégration économique. En 1971, le montant total des salaires versés aux Palestiniens s'élève à 300 millions de livres, soit 80 millions de moins que le montant des exportations israéliennes vers les territoires occupés. C'est finalement l'argent arabe qui paie l'armée d'occupation. De plus, avec la livre israélienne qui remplace le dinar jordanien, arrive aussi l'inflation : les prix quadruplent.

Plus vaste, mieux structurée, la Cisjordanie prospère néanmoins sous l'occupation. Des entreprises arabes fonctionnent et le tourisme se développe. Grâce à l'argent des pèlerins de Bethléem et de Jérusalem, mais aussi à celui des ingénieurs du Golfe ou des cousins émigrés en Amérique latine, le niveau de vie s'élève.

La situation est radicalement différente à Gaza. Sur cette bande de territoire où croupissent près d'un demi-million de réfugiés, quarante-trois pour cent des terres ont été réquisitionnées en quelques années. L'armée interdit aux pêcheurs de sortir en mer. Les conserveries ferment. Quant aux oranges dont la culture assurait le principal revenu agricole, elles ne trouvent plus de débouchés. Obligés de passer par les ports israéliens d'Ashdod et Ashkelon, les exportateurs se voient réclamer des droits exorbitants alors que leurs stocks pourrissent sur place. Les oranges des kibboutz partent en priorité.

Condamnés à la servilité en Israël ou à l'ennui dans leurs camps surpeuplés, les jeunes de Gaza nourrissent une haine profonde de l'occupant. De là, vingt ans plus tard, naîtra la « révolution des pierres ». Mais, dès 1969, il se trouve presque chaque jour quelqu'un pour jeter une grenade contre une patrouille israélienne. Le Fatah est minoritaire. Les keffiehs rouges qu'arborent les partisans du FPLP de George Habbache, pour se distinguer des « arafatistes » aux foulards noirs, dominent dans les ruelles.

Puis vient le général Ariel Sharon. Nommé commandant militaire de Gaza en 1971, il a pour consigne de faire cesser les attentats. L'état-major ne l'a pas attendu pour faire régner l'ordre dans l'ensemble des territoires : ici on rase une rue entière parce qu'un adolescent a jeté un cocktail Molotov, là on saisit des magasins, on punit collectivement la population d'un village qui refuse de dénoncer les fédayines, on bastonne à la sortie des mosquées. S'abritant derrière les lois d'exception britanniques en usage avant 1948, les Israéliens justifient les arrestations sommaires et les milliers de détentions administratives qui nécessiteront bientôt la construction de camps. Pourtant, les barbelés et les miradors ainsi dressés dans le désert ne peuvent pas ne pas rappeler certains souvenirs. Des cas de sévices sont établis. Condamné à cent soixante-cinq ans de prison, William Nasr, jeune militant du Fatah, de mère juive, subira durant des jours des tortures à l'électricité dans la prison de Safarand.

Mais en arrivant à Gaza, Sharon innove. Il décide d'ouvrir au bulldozer des avenues larges de quatre-vingts mètres dans les camps de réfugiés si denses que les patrouilles n'osent pas s'y aventurer. Les engins arrivent à l'aube. Les militaires réveillent les habitants et leur donnent l'ordre de partir sur-le-champ. Ils n'ont le droit d'emmener avec eux que ce qu'ils peuvent porter. Quand les familles s'obstinent, les bulldozers défoncent les murs avant même qu'elles évacuent. Le gouvernement n'interrompt les démolitions qu'en septembre, à l'approche de l'Assemblée générale de l'ONU.

Car, à New York, les représentants de la communauté internationale se posent tous la même question. Que veut faire Israël avec ces territoires ? Cette question, en fait, est posée depuis 1967. En vingt-trois ans, aucun gouvernement israélien n'a donné de réponse claire. Un grand débat s'est développé en Israël. Il n'a jamais été tranché.

Pour un Ygal Allon qui remarque finalement, en 1973, que la « communauté palestinienne a aussi ses droits légitimes », il y a des voix de plus en plus nombreuses qui réclament l'annexion pure et simple des territoires occupés. La droite ne parle pas de Cisjordanie, mais de Judée-Samarie, et se base sur la Bible pour en revendiquer l'incorporation dans le Grand Israël.

« L'annexion fera de nous un peuple de surveillants, de bureaucrates et de policiers, écrit le respecté professeur Leibovitch. Aujourd'hui nous dynamitons des maisons. Demain, nous serons obligés d'ouvrir des camps de concentration et, qui sait, de dresser des potences. »

Le patron du puissant syndicat Histadrout, Itzhak Ben Aron, rappelle que « le socialisme sioniste n'a jamais envisagé l'éventualité que le peuple juif puisse devenir, sur sa propre terre, une nation régnant sur d'autres nations ».

Et, lorsque David Ben Gourion, depuis sa retraite désertique de Sde Boker, déclare en 1973 que l'État Juif doit restituer les territoires à l'exception du Golan et de Jérusalem, une classe politique un peu gênée se tait ou laisse entrendre à demi-mot que le Père de la Nation est devenu sénile...

Israël prend déjà le chemin d'une annexion qui ne dit pas son nom. L'opinion glisse lentement vers la droite et, les cartes routières vendues dans les stations-service cessent de mentionner les frontières de 1967. Des noms hébreux sont donnés (rendus, diront certains), aux villes palestiniennes. Naplouse devient S'chem et, à Hebron, la mosquée du Haram al-Ibrahimi, où repose Abraham le fondateur des trois grandes religions monothéïstes, est partiellement transformée en synagogue. On y entre désormais chaussé, on y mange et on y boit du vin. Bientôt, les partis de la droite religieuse réclameront l'évacuation du mont du Temple à Jérusalem, où se trouvent la mosquée Al-Aqsa et la mosquée d'Omar, troisième lieu saint de l'Islam.

Or, l'annexion pose un second problème qu'Israël est incapable de résoudre. L'opinion est d'accord pour garder la terre. Mais que faire des hommes ?

A l'idée d'absorber dans la citoyenneté israélienne plus d'un million d'Arabes, Moshé Dayan se récriait : « Nous aurions alors un État bi-national, et ce serait la fin d'Israël! » Les quatre cent mille Arabes assimilés en 1948 sont devenus huit cent mille, et le taux de natalité est encore plus élevé dans les territoires. Israël se retrouve ainsi assis sur une bombe démographique. Malgré tous les efforts pour faire venir de nouveaux immigrants juifs, la population israélienne commence à baisser dans le courant des années soixante-dix. Au début du XXIe siècle, les Juifs pourraient ainsi se retrouver en minorité sur le sol qu'ils revendiquent. Ils seraient alors contraints, soit de disparaître, soit de se transformer en société raciste de type sud-africain, soit de se débarrasser par un moyen ou un autre de millions d'êtres humains.

Tous les dirigeants israéliens vivent depuis vingt ans avec ce cauchemar. Golda Meïr a raconté qu'elle se faisait communiquer chaque matin à son réveil le bilan des naissances arabes et juives. Quand les premières dépassaient les secondes, elle ne prenait pas sa tasse de thé...

Arafat, lui aussi, est conscient de ce dilemme. Il défiera d'ailleurs souvent les dirigeants israéliens d'accepter les Palestiniens dans un état bi-national. Et il assiste, en attendant, aux efforts déployés par Israël pour faire émerger des territoires une force palestinienne indépendante de l'OLP...

Cette volonté de court-circuiter l'OLP apparaît très tôt chez les responsables israéliens. Dans ses mémoires, Moshé Dayan raconte qu'à deux reprises, il a tenté en vain de rencontrer Arafat. D'abord, en promettant la liberté à un prisonnier du Fatah qui a refusé de servir d'intermédiaire. Ensuite, en passant par la fille d'un notable modéré. En dépit de ces deux tentatives, les Israéliens disent et répètent que l'OLP ne représente rien. Depuis 1967, ils cherchent désespérément dans la population des territoires un nouvel interlocuteur. Les patriarches modérés ne manquent pas. Le maire d'Hébron, cheikh Mohammed al Jaabari, discute avec Moshé Dayan des problèmes de l'occupation et tente de définir avec lui un modus vivendi. En août 1971, l'ancien maire de Naplouse, Hamdi Kanaan, propose la tenue d'élections municipales. Elles ont lieu dans le calme au printemps 1972. Seuls peuvent voter les hommes de plus de vingt et un ans, et les cartes d'identité doivent être tamponnées dans les bureaux de vote. Malgré cela, la participation dépasse 80 %, ce qui est interprété comme un désaveu pour le radicalisme de l'OLP. Gaza la subversive a été exclue du scrutin.

En Cisjordanie, sans doute, la population ne regrette pas le temps des bombes. Pour l'instant plus préoccupée par son niveau de vie que par la guerre à outrance, elle n'oublie pas son idéal national. Les maires élus seront destitués par les Israéliens lorsqu'ils prendront position pour la centrale palestinienne. « Je n'ai jamais douté de nos masses », dit Yasser Arafat.

Les retrouvailles viendront.

20.

Du sang et des Jeux

Lorsqu'il se rend à Moscou en juillet 1972, Yasser Arafat s'attend à trouver ses interlocuteurs inquiets. Au Caire, Anouar el-Sadate vient d'exiger le départ immédiat de quatre mille conseillers soviétiques. Comme lui, les maîtres du Kremlin pressentent ce qui se passe en Égypte : Sadate a décidé de jouer la carte américaine.

Mais les Soviétiques ne pensent pas que l'incident du Caire change l'équilibre fondamental au Moyen-Orient. Tout en reportant leur aide sur la Syrie, ils savent que Sadate, pour gagner, aura aussi besoin d'eux.

La seule chose qui inquiète Moscou, en somme, ce sont les Palestiniens. Peu après la visite d'Arafat, la *Pravda* résume les conseils que les « grands frères » lui ont donnés : collaborer avec les gouvernements arabes progressistes, abandonner « la politique du tout ou rien », ou encore « faire la différence entre ce qui est possible et impossible à réaliser ».

Décodé, cela donne : renoncer clairement à la destruction d'Israël et promouvoir l'idée d'un petit État indépendant qui vivrait en paix avec son voisin juif.

Enfin, il y a une troisième demande des Soviétiques : rompre avec la terreur.

Cela peut surprendre. La propagande israélienne et certaines sources américaines tentent à l'époque d'accréditer la thèse selon laquelle la main du KGB est derrière tous les attentats. Des groupes clandestins, c'est vrai, ont reçu çà ou là un soutien ponctuel de la part de certains services de l'Est – mais généralement pas des Soviétiques. L'analyse de la littérature officielle, de Staline à Gorbatchev, prouve que la politique du Kremlin n'a pas bougé d'un pouce au Moyen-Orient : existence d'Israël, soutien aux États arabes socialistes et laïques. De plus, à l'époque où s'engagent les délicates négociations sur le désarmement stratégique, quel intérêt aurait le Kremlin à jouer la carte folle du terrorisme ?

A son retour d'URSS, Arafat discute avec ses compagnons de la position des Soviétiques. Avec les balbutiements du dialogue entre les deux superpuissances, explique-t-il, les Palestiniens ont une chance politique à saisir.

La dernière opération de Septembre Noir doit avoir lieu au mois de septembre. Ensuite, le Fatah suspendra les actions clandestines hors du Moyen-Orient.

Hélas, l'opération ne se passe pas comme prévu.

5 septembre 1972. Il fait encore nuit sur le village olympique de Munich lorsque huit hommes pénètrent dans le bâtiment où dorment les athlètes israéliens. Des coups de feu éclatent. Il y a déjà deux morts quand la police intervient.

Barricadés avec neuf otages, les terroristes font ensuite

connaître leurs exigences. Un homme masqué jette un papier par la fenêtre.

« Pourquoi le monde entier s'amuserait-il, alors que toutes les oreilles sont sourdes à notre souffrance ? »

Le communiqué réclame la libération de deux cent trente-six Palestiniens emprisonnés en Israël. Prévenu par le chancelier Willy Brandt, le gouvernement israélien demande à réfléchir, et l'autorisation d'envoyer sur place une unité antiterroriste, dans le but de « conseiller » les policiers allemands.

Golda Meïr réunit un cabinet de crise. La plupart des ministres sont prêts à transiger, d'autant que le chancelier Brandt veut un règlement pacifique. Il se propose d'obtenir la liberté des otages contre celle des terroristes. Ainsi les deux cent trente-six prisonniers resteraient en Israël, et tout le monde aurait sauvé la face en évitant le sang.

Mais Dayan menace de démissionner. « Pas question de céder... »

Dès lors, « les otages étaient condamnés à mort à 99 % », dira plus tard Manfred Shreiber, préfet de police de Munich.

Willy Brandt continue à négocier. Le 6 septembre, on semble parvenu à un accord. A 22 heures, terroristes et athlètes atterrissent en hélicoptère sur l'aéroport militaire de Fürstenfeldbrück. De là, un 727 doit les emmener au Caire.

Un premier terroriste monte dans l'avion : il n'y a pas d'équipage. C'est un piège : les terroristes reçoivent l'ordre de se rendre.

Qui a tiré le premier ? Les tireurs d'élite allemands ? Le commando israélien ? Devant les corps des onze athlètes, des cinq Palestiniens et celui d'un policier, la presse allemande posera la question. Ce drame, qui a ensanglanté les Jeux Olympiques et terni l'image allemande, laissera un goût amer au chancelier Willy Brandt : il n'avait pas été informé du plan d'intervention. Les trois terroristes survivants seront libérés le mois suivant, à l'issue du détournement d'un vol de la Lufthansa entre Damas et Francfort.

L'Occident est effaré par l'horreur de Munich. Mais le lendemain, à Beyrouth, en Syrie, à Gaza, dans tous les camps de réfugiés, de jeunes Palestiniens manifestent leur joie. Pour eux, la mort de onze Israéliens est une victoire. Leur joie morbide ne dure pas longtemps : le 8 septembre, les représailles israéliennes font trois cents morts.

Arafat, qui s'est battu tout l'été pour garder le contrôle du mouvement au Liban, se retrouve à nouveau débordé.

Certains de ses lieutenants le dénoncent en public. La querelle dégénère. Arafatistes et anti-arafatistes se battent à l'arme automatique dans les camps de Beyrouth et Mohammed Yazid, l'ambassadeur d'Algérie, doit négocier une trêve.

A peine ont-ils fini de se battre entre eux que les Palestiniens doivent faire face à une invasion israélienne au Sud-Liban. Cent personnes meurent les 16 et 17 septembre. Le camp de Nabatiyeh est quasiment rasé. A l'entrée de Jouaya, un char Centurion a laminé une voiture avec ses sept passagers.

« Voilà pourquoi nous hésitons, déclare Abou Iyad au cours d'une interview, à condamner franchement les attentats commis par ces groupes clandestins. »

21.

Arafat reprend le dessus

En janvier 1973, le Conseil National Palestinien réuni au Caire se fixe un programme officiel : renverser le roi Hussein de Jordanie.

Khaled el-Hassan est contre. On l'exclut du Comité

exécutif de l'OLP. C'est un avertissement pour Arafat qui décide néanmoins de faire échouer le plan adopté par sa propre organisation.

Arafat a deux raisons de vouloir épargner Hussein. D'abord, le chef de l'OLP sait qu'Anouar el-Sadate prépare sa « guerre du Destin » contre Israël. Dans cette période cruciale, les Palestiniens doivent éviter d'affaiblir le camp arabe. Ensuite, Hussein semble enfin prêt à d'importantes concessions. Arafat l'a appris par des émissaires. Et, le 3 février, vient la confirmation.

Dans un article publié par le *Times* de Londres, Hussein accepte le principe de l'autodétermination des Palestiniens et celui d'un état indépendant. Pour la première fois, le souverain hachémite renonce aux prétentions de sa famille sur toute la Palestine.

Hélas, le complot est en route. L'homme chargé de l'exécuter, Abou Daoud, se trouve déjà en Jordanie, et une partie de Septembre Noir refuse d'ajourner l'opération. Cette fois, Arafat tranche et Abou Iyad le suit. Il informe les Jordaniens.

Arrêté le 8 février, Abou Daoud sera emprisonné huit mois. Le roi Hussein lui-même viendra ouvrir la porte de son cachot et bavarder avec lui.

Arafat a retrouvé prise sur son organisation. Il vient d'épargner un nouveau spasme au monde arabe. Il est résolu à rompre le cycle de la terreur.

La dernière opération de Septembre Noir devait être celle de Munich. En détournant l'énorme faisceau médiatique focalisé sur les Jeux Olympiques, Septembre Noir espérait créer un choc international autour de la cause palestinienne. A cause des policiers allemands et israéliens, il n'a laissé qu'une indélébile flaque de sang. Frustrés de leur victoire, les terroristes veulent un dernier coup d'éclat.

Le 1er mars ils envahissent l'ambassade d'Arabie Saoudite à Khartoum. On y donne une réception en l'honneur du nouveau chargé d'affaires américain, Curtis Moore. L'ambassadeur américain, Cleo Noel, les chargés d'affaires belge et jordanien se pressent autour de l'ambassadeur d'Arabie Saoudite. Claquent des rafales de pistolet-mitrailleur. En quelques minutes, les militants de Septembre Noir, qui exigent la libération d'Abou Daoud, transforment l'ambassade en camp retranché. L'ultimatum s'écoule. Ils exécutent les deux diplomates américains et le chargé d'affaire belge.

Arafat déclenche son offensive.

« Il faut comprendre les actions de Septembre Noir », écrit un éditorial de l'hebdomadaire de l'OLP. Mais après cette précaution introductive, *Falestina as-Saoura* émet pour la première fois une réserve : « Toutefois, cette organisation ne peut en aucun cas remplacer la révolution et la lutte armée populaire de longue haleine, seule voie pour la libération. »

Le glas de Septembre Noir a sonné. L'organisation, en tant que telle, éclate ; Abou Iyad rentre dans le rang et le Fatah retire son soutien aux quelques têtes brûlées qui décident malgré tout de continuer l'action.

Les modérés, enfin, osent s'exprimer. En juillet, ils dénoncent le détournement d'un 747 de la compagnie Japan Airlines. Puis ils condamnent « les éléments suspects » qui commettent un attentat à Athènes le 5 août. Enfin, le 5 septembre, lorsqu'un commando de militants perdus de Septembre Noir prend en otage des diplomates dans l'ambassade d'Arabie Saoudite à Paris, Arafat leur promet publiquement un « châtiment exemplaire ». Ils seront arrêtés après leur fuite au Koweit. En ce qui concerne le Fatah, la terreur appartient au passé.

22.

Coup pour coup

Israël joue la force. Face au terrorisme, l'institution pour le renseignement et les tâches spéciales, *Mossad Le*

Aliyah Beth, s'est rapidement fait une politique. Cette politique dépassera vite le cadre strict du terrorisme et se résumera à abattre les dirigeants palestiniens.

Dès l'époque jordanienne, Arafat, Abou Jihad, Abou Iyad ont reçu des lettres ou des colis piégés. Des Palestiniens ont été utilisés pour tenter d'empoisonner leur nourriture. Aucune de ces tentatives n'a réussi mais le Mossad ne s'est pas découragé.

A l'ombre du conflit au Moyen-Orient une guerre vicieuse s'engage... En 1972, l'écrivain Ghassan Khanafani, principal propagandiste du FPLP, est tué avec sa nièce alors qu'une bombe explose sous sa voiture à Beyrouth. Quelques jours plus tard, c'est son bras droit, le journaliste Bassam Abou Charif, qui reçoit une lettre explosive. Il perd un œil, plusieurs doigts et souffre de graves brûlures au visage et à la poitrine.

Les Palestiniens se mettent eux aussi à l'élimination physique. Ils ont développé des réseaux d'action et de renseignement dans le monde entier : ils s'en servent. Un diplomate israélien travaillant pour le Mossad, Tsadok Ophir, est liquidé dans un café de Bruxelles le 9 septembre. Le même jour, à Londres cette fois, un autre diplomate, Ami Shachori, est tué dans son bureau par un colis piégé.

C'est l'escalade. Le 16 octobre, une bombe tue Abdel Wael Zouaiter, représentant de l'OLP à Rome, alors qu'il rentre dans son appartement. Puis Mahmoud Hamchari, délégué de l'OLP à Paris, est mortellement blessé par un téléphone piégé le 8 décembre.

En janvier 1973, Septembre Noir réplique en abattant un agent israélien, Baruch Cohen, sur la Gran Via à Madrid. A la fin du même mois, une bombe explose à l'hôtel Olympic de Nicosie, sous le lit de Hussein Bechir Aboul Khayr, représentant de l'OLP à Chypre. Le 28 février, le Mossad commet sa première bavure : il abat en vol un avion de la compagnie Libyan Airlines avec plusieurs dizaines de passagers à bord. Les services israéliens espéraient que les dirigeants de Septembre Noir s'y trouveraient eux aussi... Mais ils sont restés au sol et préparent, à Chypre, la vengeance d'Aboul Khayr. Un agent du Mossad, Simha Gulitzer y est assassiné en mars. Le mois suivant, un ami de George Habbache, le docteur Koubeissi, est abattu par les Israéliens dans le VIIIe arrondissement de Paris.

Puis le Mossad réalise sa plus grosse opération. Dans la nuit du 9 au 10 avril 1973, un commando israélien débarque sur une plage, au sud de Beyrouth. Des complices ont loué des voitures. Le commando se sépare en deux groupes et disparaît dans la nuit.

Leur objectif : un appartement de la rue Verdun. Yasser Arafat et Abou Iyad y dorment parfois. Aucun des deux ne s'y trouve ce soir-là, mais on dénombrera deux cents impacts d'armes automatiques dans le lit où aurait dû dormir Abou Iyad. En prenant leur temps, les assaillants abattent Abou Youssef et sa femme, Kamal Adouane, importants dirigeants du Fatah. Puis ils vident leur chargeurs dans la bouche de Kamal Nasser, le porte-parole de l'organisation.

Au même moment, le second groupe attaque le bureau d'Arafat dans le quartier de Fakhani. Nombreux dans le quartier, les fédayines résistent et permettent à Arafat de fuir par la forêt des Pins. Longeant le couvent des Franciscaines, il trouve refuge dans le secteur chrétien de Beyrouth.

Le commando repart, laissant le Liban en état de choc.

Le lendemain, grève générale en réaction contre l'impuissance de l'État libanais. Aux funérailles des dirigeants assassinés, tous les protagonistes de la guerre imminente sont réunis : Pierre Gémayel, le fondateur des Phalanges chrétiennes, est venu s'associer à Yasser Arafat et aux chefs de la gauche libanaise qui lancent ce jour-là un mot d'ordre : « Défendons-nous nous-mêmes ! »

Les Palestiniens installent des armes lourdes dans les camps. Les adultes offrent des Kalashnikov aux adolescents. La guerre civile n'est plus qu'à sept cents jours et les incidents se multiplient entre l'armée du président Suleiman Frangié et les Palestiniens.

Lorsque l'armée libanaise arrête un commando du FPLP qui tentait de passer des explosifs à l'aéroport, les hommes de George Habbache et de Wadi Haddad répliquent en arrêtant à leur tour des soldats. L'incident embrase ces camps de la capitale libanaise dont le monde va découvrir les noms : Sabra, Chatila, Tell el-Zaatar, Quarantaine, Bourg el-Brajneh...

Après deux jours de combats, Arafat arrache un nouvel accord libano-palestinien le 17 mai.

Cela ne met pas fin à la guerre de l'ombre. Le révolutionnaire algérien Mohammed Boudia est tué le 23 juin 1973 dans l'explosion de sa voiture, devant la faculté de Jussieu, à Paris. Une semaine plus tard, l'attaché militaire adjoint israélien à Washington, Yossef Allon, est abattu.

Une bavure du Mossad freinera un temps la tuerie. Le 21 juillet 73, dans la station de ski de Lillehammer, en Norvège, un garçon de café marocain est assassiné dans les règles de l'art. Manque de chance, la police norvégienne coince les six membres de l'équipée sanglante. Deux d'entre eux s'étaient réfugiés chez un diplomate israélien à Oslo. L'enquête révèle qu'ils cherchaient à abattre Ali Hassan Salameh, dit « le Prince rouge », l'un des chefs présumés de Septembre Noir. Ils se sont trompés d'Arabe.

Le procès, qui a lieu six mois plus tard, embarrasse le Mossad. On y apprend que le réseau de Lillehammer avait commis d'autres attentats en Europe, notamment ceux contre Zouaiter et Boudia. Les barbouzes israéliennes disposaient d'un lot de faux papiers, de sept appartements à Paris, et une commission rogatoire a même établi que le service de contre-espionnage français, la DST, était parvenu à « casser » l'un des codes qu'ils utilisaient. Du matériel électronique a été saisi. Mais nous sommes en France. En 1973, certaines enquêtes trop délicates peuvent ne pas aboutir.

23.

Cette guerre n'est pas la nôtre

L'URSS commence son aide militaire à l'OLP durant l'été 1973, moyennant un abandon clair et total du terrorisme. Arafat s'y est engagé lors de son cinquième voyage à Moscou, du 16 au 18 août. Septembre Noir ayant cessé d'exister, le Fatah aborde une phase nouvelle.

De nouveaux bruits de bottes résonnent dans la région... En septembre, le président égyptien Sadate a réuni au Caire « les pays du champ de bataille ». Il leur a exposé son plan de « guerre du Destin ». Puisque la situation politique est bloquée, il se propose de créer militairement un nouveau contexte pour des négociations. Il ne s'agit plus de vaincre Israël. Simplement, de le forcer à restituer les territoires perdus en 1967...

Sadate a placé deux atouts dans son jeu. Le premier, c'est Fayçal. Le roi d'Arabie, consulté en août, a donné son accord pour se servir d'une arme nouvelle : le pétrole. Au moment qui sera le plus favorable, l'ensemble des pays producteurs décrétera un embargo vers l'Occident, et Israël sera bien contraint de négocier.

La seconde carte s'appelle Nixon. « Le temps est venu d'arrêter de tenir la chandelle à l'intransigeance d'Israël, écrit le président américain dans un mémo à Henry Kissinger. Nos actions passées leur ont laissé penser que nous serions de leur côté quelque déraisonnables qu'ils fussent. »

Nommé secrétaire d'État fin septembre, Kissinger semble assez disposé à faire, lui aussi, pression sur Israël. Il a besoin d'établir son autorité, et un compromis historique avec l'Égypte arrangerait ses projets d'un nouvel équilibre géopolitique. En contact permanent avec Sadate, il lui confirme dès le 23 septembre, par la bouche de David Rockefeller, que les États-Unis ne seraient pas contre « un petit réchauffement ».

Pour une fois, Israël va s'engager dans la bataille en état d'infériorité. L'allié américain se gardera de l'avertir des préparatifs arabes. Et, tandis que les Égyptiens disposent des renseignements fournis par six nouveaux satellites espions soviétiques, lancés à la veille des combats, Israël restera seul dans le noir. Ni le Premier ministre, Golda Meïr, ni le général Dayan n'ont cru Sadate lorsqu'il s'est déclaré prêt à « sacrifier un million d'hommes ». Jusqu'au bout, Dayan affirmera que les mouvements syriens et égyptiens aux frontières ne sont que des manœuvres traditionnelles. D'ailleurs les Arabes observent le Ramadan : ils ne vont pas attaquer le ventre vide!

Certains généraux israéliens sont plus occupés par la spéculation immobilière dans les territoires que par l'état de leurs troupes. Des régiments entiers manqueront de jumelles à l'heure de l'offensive, des commandos passeront la nuit sans couvertures dans le Sinaï et des unités blindées partiront en retard parce qu'elles n'ont plus de carburant. Empêtré dans ses querelles intestines, paralysé par une série de scandales financiers et, en définitive, un peu trop sûr de sa force, l'État juif va subir le choc de son histoire.

Jour J : 6 octobre. A quatre heures du matin, Golda Meïr est réveillée par le téléphone. Son chef des renseignements militaires l'informe de l'imminence de l'offensive arabe. Elle aura lieu l'après-midi même. Le Premier ministre rassemble en hâte son cabinet, disséminé en raison des fêtes du Kippour.

Arafat sait déjà ce qui se prépare. Égyptiens et Saoudiens l'ont tenu informé. Et, lorsque l'armée syrienne fait interrompre les émissions de la radio palestinienne située près du front du Golan, il est devenu clair que l'offensive est imminente.

Heure H : 18 heures. Dès les premières minutes, les chars syriens réalisent une percée fulgurante sur le mont Hermon et le plateau du Golan. Sur le front Sud, un barrage d'artillerie colossal pilonne la ligne Bar-Lev dans le Sinaï, parallèlement au canal de Suez. Les nouveaux missiles soviétiques Frog font leur baptême du feu sur les défenses israéliennes, tandis que toutes les bases du Sinaï subissent d'intenses raids aériens. Avant la nuit noire, trente mille Égyptiens ont repris pied dans le Sinaï. Ils ont jeté onze pontons en travers du canal et, grâce aux nouvelles armes antichars, enfoncent les lignes israéliennes sur plusieurs kilomètres.

Affolée, la population israélienne voit le drapeau égyptien flotter sur la Ligne Bar-Lev à la télé jordanienne car, en Israël, la censure étouffe l'information durant plusieurs heures. Le premier jour, Israël perd cinq cents tanks et des dizaines d'avions.

« La guerre a rendu leur honneur aux Arabes, proclame le général égyptien Chazli. Même si nous étions battus maintenant, personne ne pourra dire que le soldat égyptien n'est pas un combattant d'exception! »

Le 9 octobre, les Israéliens se replient. Mais les Égyptiens ne bougent plus.

« Nous avions des gens au Caire à l'état-major, racontera Arafat. Ils ont demandé aux Égyptiens : « Pourquoi vous n'avancez pas ? » Les généraux avaient honte. Ils nous ont dit qu'ils n'avaient pas d'ordres. Pas d'ordres! Il devient clair et évident qu'une fois de plus les espoirs de la nation arabe ont été trahis. Sadate attend sa petite récompense de Kissinger. Il veut une victoire pour vendre, non pour gagner... »

Dès le début des combats, Arafat a donné l'ordre à tous les fédayines de frapper Israël. Le plus grand succès sera la grève totale des travailleurs palestiniens dans les territoires occupés : « Un travailleur arabe dans une entreprise israélienne équivaut à un soldat supplémentaire au front! »

Mais, devant l'arrêt soudain de la progression arabe, les Palestiniens disent : « Cette guerre n'est pas la nôtre... »

Sadate attend son cessez-le-feu pour pouvoir négocier en position de force. L'armée israélienne se ressaisit. Le cessez-le-feu promis par Washington ne vient pas. Et le vent tourne dans le Golan...

Le 10 octobre, les Israéliens reprennent la ville de Kuneitra. Ayant tout jeté dans la bataille des premiers jours, les Syriens n'ont plus grand-chose à leur opposer. L'Union soviétique met en route un pont aérien. Le lendemain, les États-Unis accèdent enfin aux requêtes d'Israël : de nouveaux blindés arrivent.

Le Conseil de Sécurité se réunit le 12 octobre. L'ambassadeur d'URSS à Washington, Anatoli Dobrynine, informe Kissinger que les divisions aéroportées soviétiques sont prêtes à protéger Damas. Du coup, le secrétaire d'État tente d'imposer à Israël un cessez-le-feu sur place. Vingt-quatre heures plus tôt, il y serait peut-être parvenu...

Le front Nord soulagé, les Israéliens peuvent retourner leur force contre le Sinaï. Les Égyptiens perdent deux cent cinquante tanks en essayant de contenir leur poussée. Le 15 octobre, la brigade d'Ariel Sharon atteint le canal de Suez.

Dayan lui ordonne de s'arrêter. Sharon s'en moque. Le 16 octobre, il franchit le canal et menace d'encercler la 3e armée égyptienne, bloquée dans le Sinaï.

Les ministres arabes du pétrole sont réunis à l'hôtel Sheraton de Koweit. Dans la soirée, ils font connaître leur décision de limiter les exportations. Le prix du brut bondit de 20, puis de 70 %. L'Europe s'apprête à grelotter et à rationner l'essence.

La ville de Suez est menacée. Tandis que le général Chazli doit dégager les blindés du Sinaï pour protéger la rive ouest du canal, Sadate voit son rêve s'effondrer : la situation de force qu'il voulait créer tourne pour lui au cauchemar. Kossygine vient le consoler. L'URSS ne tolèrera pas une humiliation de l'Égypte, elle le fait savoir, et Kissinger doit supplier Golda Meïr d'arrêter Sharon.

Puis le secrétaire d'État se rend à Moscou. Il négocie directement avec Brejnev un accord de cessez-le-feu, qu'Israël accepte le 21 octobre et que le Conseil de Sécurité entérine le 22, par la résolution 338.

Commence alors une étonnante course contre la montre. Le cessez-le-feu doit entrer en vigueur à 18 h 50. Sharon met le paquet : il coupe la retraite à la 3e armée. Du coup, à l'heure du cessez-le-feu, les Égyptiens se battent avec désespoir pour dégager un corridor. Sadate panique, appelle le peuple égyptien à se lever en armes pour défendre Le Caire. L'ambassadeur Dobrynine réveille Kissinger en pleine nuit et lui lance un ultimatum. Un nouveau cessez-le-feu est mis au point, mais Sadate réclame qu'une force d'interposition soviéto-américaine soit envoyée sur le terrain. Washington refuse. Les Soviétiques annoncent qu'ils sont prêts à agir unilatéralement...

Pour la troisième fois en moins de vingt ans, le Moyen-Orient pousse la planète au bord de la guerre mondiale. Quand les forces américaines sont placées en alerte nucléaire le 24 octobre, Golda Meïr saute dans un hélicoptère et se rend auprès d'Ariel Sharon : c'est la première fois qu'un Premier ministre israélien pose le pied au-delà du canal de Suez!

« Je suis le Premier ministre, et je vous ordonne de ne pas avancer contre la 3e armée! »

Enfin, le cessez-le-feu est mis en place. Une force des Nations unies se déploie pour le faire respecter, et chacun fait ses comptes.

Les Israéliens viennent de vivre la guerre la plus coûteuse de leur histoire : plus de deux mille cinq cents morts et quelque 7 milliards de dollars engloutis en matériel, en pertes économiques. Ce gâchis entraînera la chute de Moshé Dayan et un long, douloureux débat. Les Arabes, eux, ont perdu dix mille hommes, deux mille chars, cinq cents avions...

« Sadate doit profiter pleinement du parfum de la défaite », dit Golda Meïr, qui refuse le ravitaillement de la 3e armée encerclée. Finalement, sous l'égide de l'ONU, des négociations directes s'engagent le 27 octobre sur la route Suez-Le Caire. Au kilomètre 101, sous une tente, les généraux Yariv et Gamazi s'asseyent face à face. Après de longues négociations, une série de onze lettres privées, échangées entre Nixon, Meir et Sadate, concrétiseront l'accord de désengagement.

« Cet accord n'est pas considéré par l'Égypte et Israël comme un accord de paix définitif, précise le dernier article. Il constitue le premier pas vers une paix définitive, juste et durable, conformément aux dispositions de la résolution 338 du Conseil de sécurité et dans le cadre de la conférence de Genève. »

La route s'ouvre donc à des négociations directes entre l'Égypte et Israël et, au bout de cette route, il y a la paix séparée. Pour les Palestiniens, les retombées sont catastrophiques : après la Jordanie, ils ont perdu l'Égypte. Surtout, en neutralisant l'Égypte, l'effort diplomatique israélo-américain écarte durablement l'éventualité d'une autre guerre. Si, tout entier, le camp arabe n'a pu vaincre, on peut gager que, divisé, il ne combattra plus.

Arafat prend acte de la nouvelle donne de la « guerre du Ramadan ». Et il en tire la conclusion.

Maintenant le combat sera politique.

24.

Enfin, la reconnaissance

Cette menace d'éclatement du monde arabe, Yasser Arafat n'est pas bien sûr le seul à la percevoir. La Syrie, l'Irak, la Lybie, l'Algérie, le Yemen du Sud s'accordent avec l'OLP pour rejeter toute solution négociée. Ils appellent leur union le *Jabhat al-Summud*, littéralement « Front de la Fermeté ».

L'OLP joue maintenant un rôle central dans le débat

proche-oriental. C'est l'avenir du peuple palestinien que menacent les velléités de paix séparée, et c'est cet avenir que le Sommet Arabe réuni à Alger le 26 novembre 1973 décide de préserver.

Après dix ans de divisions et de persécutions, l'ensemble des dirigeants arabes reconnaissent l'OLP comme « l'unique représentant du peuple palestinien » et ils réclament « le rétablissement des pleins droits nationaux des Palestiniens ».

Arafat siégera désormais à tous les sommets arabes. Hussein de Jordanie, qui a voté contre, doit s'incliner. D'autant que, la semaine suivante, la principale autorité des territoires occupés, le Conseil Suprême de Jérusalem-Est, se détourne de lui et prend publiquement parti pour l'OLP...

Hussein et Sadate, qui se rendent à la Conférence de Genève le 21 décembre, sont violemment critiqués dans tout le monde arabe. Mais l'OLP ne peut s'en tenir à la critique. Elle doit, dans la perspective d'une paix séparée, adopter une position plus réaliste. Et faire, comme disait la *Pravda*, « la différence entre ce qui est possible et impossible à réaliser »...

En clair, à partir de cette époque, tout le débat tournera autour d'un point central : la reconnaissance ou non d'Israël et de son droit à exister.

Lorsqu'on lui pose la question, à cette époque, Arafat répond invariablement que « ce n'est pas à la victime de reconnaître le bourreau ». Éventuellement, une reconnaissance mutuelle serait ultérieurement envisageable. En attendant, il continue de défendre son projet d'État unique.

Mais qui fera le premier pas ?

Chez les Palestiniens, les maximalistes n'ont pas baissé les bras. La violence quotidienne ne calme pas les esprits. Pourtant, dès février 1974, un document de travail circule au sein de l'OLP. Il reprend une vieille idée, rejetée en 1971 : la possibilité pour les Palestiniens d'établir « une autorité nationale sur tout territoire qui peut être récupéré à l'occupant sioniste ».

Qu'est-ce que cela veut dire ? Que l'OLP est prête à se contenter, au moins dans un premier temps, d'une partie de son sol national. Qu'elle y créerait un État, et que cet État vivrait donc côte à côte avec l'État hébreu.

Tel qu'il est proposé en février 1974, ce concept de mini-État reste encore flou. Le Fatah ne précise pas en quels termes vivraient les deux États et si les Palestiniens renonceraient à revendiquer ultérieurement le reste de leur territoire. Il faudra encore trois ans d'efforts à Yasser Arafat pour faire entériner le projet de mini-État par le Conseil National Palestinien. Pour cela, il plaidera sa cause auprès des trois cents membres. Un à un...

« Lorsqu'un peuple réclame qu'on lui rende cent pour cent de sa terre, dit-il, il n'est pas simple pour ses leaders de lui dire : « Non, tu n'auras que trente pour cent. »

Mais, d'ores et déjà, ce document entrouvre la porte à une éventuelle reconnaissance et à une cohabitation des deux peuples sur un même territoire. C'est le début d'une solution politique.

L'Occident ne s'y trompe pas. Déjà, au lendemain de la guerre d'Octobre, les Européens ont appelé à l'autodétermination du peuple palestinien. « Nous nous serions honorés, soupire un diplomate français, si nous n'avions pas attendu d'être quasiment privés de pétrole pour prendre cette position... »

Peu importe. Des contacts sont noués, ils ne se dénoueront plus. A Londres s'installe un brillant émissaire officieux de Yasser Arafat. Saïd Hammami développe d'importantes relations politiques, rencontre des opposants israéliens et ose proposer, dans les colonnes du *Times*, une reconnaissance mutuelle d'Israël et de l'OLP. Cela lui vaudra d'être abattu quatre ans plus tard, au même titre qu'une vingtaine d'envoyés personnels d'Arafat et représentants de l'OLP. Au Moyen-Orient, la modération est un acte de courage.

25.

Les promesses de Nixon

Les Européens ne sont pas les seuls à percevoir la nouvelle voix, timide, de l'OLP. La CIA, qui fait bien son métier, s'en rend compte elle aussi. Et, au mois de mars 1974, Richard Nixon envoie le général Vernon Walters, directeur-adjoint de la CIA, faire une tournée au Moyen-Orient. Pourquoi la CIA ? Parce qu'assailli par le scandale du Watergate, Richard Nixon se méfie de tout, même du Département d'État qui est devenu le jouet privé du bon docteur Kissinger...

A Beyrouth, Walters rencontre les dirigeants de l'OLP. Il écoute leur analyse et les perspectives qu'elle ouvre : les Palestiniens veulent une issue politique. Ils ont déjà tenté, en vain, d'engager le dialogue avec Washington et souhaitent rattraper le temps perdu.

« Si ce que vous dites est vrai, leur dit Vernon Walters en prenant congé, et si j'ai raison de vous croire, alors, nous autres Américains avons perdu beaucoup de temps... »

Il promet d'arranger une rencontre ultérieure. Mais, fâché de voir son domaine réservé piétiné, Kissinger fera avorter les rendez-vous suivants. Il a déjà résolu de survivre à Nixon, dont les jours sont comptés. Et il regarde, peut-être avec pitié, les gesticulations du président, qui vient de découvrir la scène arabe.

« Votre Majesté, écrit-il à Fayçal, ayez confiance que je réaliserai la justice pour les Palestiniens... »

La dernière grande tournée diplomatique du président américain sera pour le Moyen-Orient. En juin, il visite l'Égypte, l'Arabie, la Syrie, la Jordanie et Israël, où il froisse les hôtes du grand banquet donné en son honneur en proclamant : « La paix, tout comme la guerre, nécessite du courage ! »

Le 6 août, une demande israélienne d'aide militaire à

long terme est posée sur le bureau du président américain, dans le bureau ovale. Nixon informe Kissinger qu'il la rejette : il suspendra toute aide à Israël tant que le gouvernement hébreu refusera la paix et ajoute qu'il regrette de ne pas avoir pris cette décision plus tôt. Il demande à Kissinger de préparer les documents nécessaires.

Kissinger traîne un peu. Le 9 août, Nixon a démissionné.

26.

Le fusil et le rameau d'olivier

L'OLP poursuit son offensive diplomatique.

En juin 1974, faute d'accepter le concept de mini-État, le Conseil National Palestinien a fait un premier pas : il a adopté l'idée « d'étapes intermédiaires » avant l'établissement d'un État démocratique sur toute la Palestine. Refusant « d'assumer la responsabilité de la déviation historique dans laquelle s'engage la direction de l'OLP », George Habbache et les cadres du FPLP démissionnent des instances dirigeantes de la centrale palestinienne.

En revanche, à l'étranger, l'horizon s'élargit brusquement.

Le 14 octobre, par cent cinq voix, l'Assemblée Générale de l'ONU adopte la résolution suivante :

« L'Assemblée Générale, considérant que le peuple palestinien est la partie principale de la question palestinienne, invite l'OLP, représentant le peuple palestinien, à participer aux délibérations de l'Assemblée Générale sur la question de la Palestine. »

Dans toutes les chancelleries, cela fait l'effet d'une bombe. Arafat à New York, dans la plus grande ville juive du monde!

Ce vote a été rendu possible par la mobilisation des États arabes, africains, asiatiques et du bloc socialiste. De plus, l'un des cinq membres permanents du Conseil de Sécurité a voté pour : la France.

Le camp occidental craque. Traditionnellement, la France suivait les Américains ou s'abstenait dans les votes sur le Moyen-Orient. Mais la diplomatie française a décidé de jouer son rôle, elle aussi, dans la recherche d'un règlement et, la semaine suivante, chez l'ambassadeur de France à Beyrouth, sous les lambris encore intacts de la Résidence des Pins, le ministre français des Affaires étrangères, Jean Sauvagnargues, reçoit Yasser Arafat.

En France, la communauté juive proteste. Les députés posent des questions. Les journalistes aussi. Et le président de la République, M. Giscard d'Estaing, y répond en estimant que le peuple palestinien « doit disposer d'une patrie ».

Avant d'aller à New York, Arafat fait escale à Rabat. Les rois et chefs d'État arabes y sont réunis et consacrent le « droit du peuple palestinien à établir un pouvoir national indépendant sous la direction de l'OLP ». Ils accueillent l'OLP, « seul représentant légitime du peuple palestinien », avec rang d'État au sein de la Ligue Arabe, et préparent son triomphe à l'ONU.

Ils ne sont pas les seuls. A la veille de cette journée historique, le 13 novembre, des milliers de Palestiniens bravent l'armée dans les territoires occupés aux cris de : « Nous sommes tous des fédayines. » Des coups de feu claquent dans la vieille ville de Jérusalem.

Pendant ce temps, à New York, l'hôtel Waldorf Astoria s'est transformé en forteresse : c'est là que loge le chef de l'OLP. On a mis des tireurs sur les toits, des policiers armés de fusils M-16 et même des chiens dans les couloirs. Des hélicoptères survolent le quartier et des vedettes de garde-côtes patrouillent dans les eaux troubles de l'East-River. Le FBI prend les menaces au sérieux : quelques jours plus tôt, le directeur de la Ligue de Défense Juive, exhibant un revolver, a promis au cours d'une conférence de presse que Yasser Arafat ne quitterait pas New York vivant. D'imposantes manifestations ont attiré Moshé Dayan et Abba Eban à Manhattan. Et, le 14 novembre, Arafat est transféré en pleine nuit par hélicoptère sur le toit du palais des Nations unies, où il passera huit heures avant de prononcer son discours.

Jusqu'à la dernière minute, Arafat a hésité à venir à New York. Il n'a pas l'habitude des forums internationaux et a songé un temps envoyer à sa place Khaled el-Hassan. Peut-être a-t-il le trac, lorsqu'à midi, rasé de frais, vêtu d'un blouson beige et de son inséparable keffieh, il pénètre dans l'immense salle bleu, vert et or, de l'Assemblée des Nations unies.

Le trac s'envole alors sous les applaudissements. C'est un homme résolu qui marche vers la tribune et prend place dans le grand fauteuil blanc des chefs d'État que le président de l'Assemblée, l'Algérien Abdelaziz Bouteflika, a fait préparer pour lui. Les deux mille sièges sont pleins, à l'exception de ceux d'Israël et de l'Afrique du Sud.

Après une introduction prononcée par le président libanais Frangié, Arafat s'avance vers les micros. En arabe, d'une voix vibrante qui résonne en direct dans tous les camps de réfugiés, dans tous les villages, dans tous les faubourgs du monde arabe, il évoque d'abord « ceux qui occupent nos maisons, cueillent les fruits de nos arbres, cultivent nos champs et prétendent que nous sommes des fantômes, sans aucune existence, sans patrimoine et sans avenir (...) Ils ont cherché à tout détruire; comment peut-on décrire la déclaration faite par Golda Meïr lorsqu'elle exprime son inquiétude au sujet des " naissances d'enfants palestiniens qui se produisent chaque jour ? "

Resituant le sionisme dans le contexte colonialiste (il rappelle les liens de Théodor Herzl avec l'Afrique du Sud, le soutien d'Israël à l'OAS et au Sud-Vietnam), il affirme : « Si cette immigration des Juifs en Palestine avait eu pour but de leur permettre de vivre à nos côtés et de bénéficier des mêmes droits et devoirs, nous leur aurions ouvert les portes, comme nous l'avons déjà fait pour les Arméniens et les Circassiens (...) Dès le début, notre Révolution n'a pas été motivée par des facteurs raciaux ou religieux. Elle n'est pas dirigée contre l'homme juif en tant que tel, mais contre le sionisme raciste et l'agression. (...) Nous respectons la foi juive. »

Récusant les accusations de terrorisme, il rappelle qu'Israël lui-même pratique envers les Palestiniens un « terrorisme empli de haine, » et dresse le lourd bilan de vingt-six ans d'oppression. « Je suis un révolutionnaire luttant pour la liberté, dit-il. Je sais qu'il y a parmi vous des hommes qui ont mené une lutte identique à la mienne. »

Sur les bancs des pays du Tiers Monde, l'émotion a figé les visages. Puis Arafat demande aux délégués :

« Pourquoi ne pas rêver ? Pourquoi ne pourrais-je espérer, alors, que la Révolution est la concrétisation des rêves et des espoirs ? Travaillons ensemble afin que le rêve devienne réalité, afin que, de mon exil, je rentre avec mon peuple (...) pour vivre dans un pays démocratique unique où Chrétiens, Juifs et Musulmans vivraient en toute égalité, dans la justice et la fraternité. »

Puis il s'adresse aux Israéliens : « Nous les invitons à quitter l'isolement moral dans lequel ils se trouvent pour un royaume plus ouvert, un royaume de libre choix, et à écarter le complexe de Massada dans lequel leurs dirigeants actuels s'efforcent de les enfermer. (...) Je suis venu porteur d'un rameau d'olivier et d'un fusil de combattant de la liberté. Ne laissez pas le rameau tomber de ma main... »

Et, se redressant, il répète :

« Ne laissez pas tomber le rameau de ma main ! »

La salle explose sous un tonnerre d'applaudissements qui dure plusieurs minutes. Pour un début, Arafat a réussi sa performance. Américains et Britanniques demeurent assis sans applaudir, tandis que la délégation française, avec une mesure tout à l'image de notre diplomatie, s'est levée mais n'applaudit pas.

Puis vient la réponse israélienne.

« Lorsque l'Assemblée générale a invité l'OLP, dit Yosef Tekoah, elle a opté pour le terrorisme, elle a opté pour la sauvagerie. Les Nations-Unies peuvent s'accommoder du terrorisme et de la barbarie qu'elles ont pour devoir de combattre. Israël ne le fera pas. (...) Israël traquera les meurtriers de l'OLP jusqu'à ce que justice soit faite. Israël ne permettra l'établissement de l'autorité de l'OLP sur aucune parcelle de Palestine. (...) Aucune résolution ne peut établir l'autorité d'une organisation qui n'en a aucune, qui ne représente personne et qui n'a aucune présence sur aucune partie du territoire qu'elle cherche à dominer. L'OLP restera ce qu'elle est et où elle se trouve : hors la loi et hors de Palestine ! »

Mais pas de l'ONU. Quelques jours plus tard, la résolution 3236 confère à l'OLP un statut d'observateur. La France, l'URSS et la Chine ont voté pour.

Arafat a fait son entrée en diplomatie. Il a dû quitter New York en pleine nuit, alerté d'un complot par les autorités américaines, et l'avion mis à sa disposition par le président algérien Boumedienne a changé son plan de vol pour des raisons de sécurité. Mais ni les bombes, ni la haine, ni les assauts de ses ennemis ne dérouteront plus le président de l'OLP.

CHAPITRE IV

LE BOURBIER LIBANAIS 1974-1982

1.

La poudrière

Arafat a rêvé. Un court ınstant, du haut de la tribune de l'ONU, il a imaginé *sa* Palestine face au monde entier. Maintenant il retrouve la réalité : le Liban des complots et de la guerre qui couve.

Avec ses dix-sept communautés montées les unes contre les autres par un système confessionnel dépassé qui assure la prédominence à une petite classe de bourgeois maronites, avec ses centaines de groupes gauchistes de tous poils qui commencent à s'armer et parler fort, le pays du Cèdre est devenu une poudrière.

Un demi-million de Palestinien y prospèrent et y prolifèrent, dans les camps, les villages, les villes aussi où ils se mêlent à l'élite locale. Affaires, professions libérales, information, ils brillent partout, rivalisent avec les commerçants libanais et, tout comme eux, poussent parfois le sens des affaires au-delà du cadre un peu restreint des lois... On leur pardonne, car les Palestiniens ont drainé avec eux d'énormes capitaux qui ont fait de Beyrouth la première place financière du monde arabe. Un marché noir florissant s'est développé. Sous le couvert de l'aide aux réfugiés, les importations des Palestiniens échappent aux taxes. Ils vendent des armes aux Libanais de tous bords et, à quelques règlements de comptes près, ce pays cosmopolite et généreux les accepte. Il règne à Beyrouth pour quelques mois encore un air de fête orientale, dans l'odeur des narguilés, du chic français et des profits faciles...

Mais Septembre Noir a poussé au Liban une nouvelle génération de fédayines. Plus rebelle, violente. Ils trouvent ici une espèce de Jordanie sans Hussein, un pays à prendre, une tête de pont vers Israël. Chaque mouvement palestinien fait main basse sur un camp, ou une partie d'un camp. Le FPLP a ouvert une académie militaire à Bourj al-Brajneh, la Saïka joue les gros bras dans la Békaa, le Fatah règne à Chatila et à Tell-el-Zaatar, « la colline du Thym... »

Situé sur une hauteur au nord-est de la ville, ce camp est devenu le symbole de l'arrogance palestinienne aux yeux de la droite libanaise : en quelques années, il a enflé jusqu'à recouvrir dix kilomètres carrés. Les gendarmes libanais se gardent de mettre les pieds dans ses venelles sinueuses, que jonchent tuyaux et tas d'ordures. Le chaos cache une incroyable structure martiale : stocks d'armes, de vivres, batteries de DCA. Hôpitaux et postes de commandement sont terrés sous des mètres de béton, faisant de Tell-el-Zaatar une ville fortifiée qui inquiète les banlieues chrétiennes étendues à ses pieds...

L'État libanais n'a pas les moyens de s'opposer à une telle vitalité. Et le jour où il essaiera, le Liban éclatera.

Entre les dix-neuf mille hommes des milices chrétiennes et les vingt mille des musulmans de gauche, dit progressistes, Arafat n'a jamais hésité. Idéaux, culture, religion, alliances, tout le pousse à soutenir la gauche dont le chef de file, Kamal Joumblatt, est son ami depuis de longues années. La gauche et les Palestiniens se sont développés ensemble, dos à dos, face à la suspicion des Chrétiens.

Mais cela place un poids énorme sur les épaules du

chef de l'OLP. Le jour où il jettera dans la bataille ses vingt-deux mille fédayines, Arafat prendra, il le sait, une grave responsabilité historique.

En participant à une guerre civile dans un pays d'accueil, il réveillera les craintes de tous les régimes arabes. Il réveillera aussi l'hostilité d'Israël, trop heureux de prendre l'OLP au piège d'une nouvelle guerre...

L'OLP a-t-elle le choix? Les Palestiniens ont perdu l'Égypte, la Syrie, la Jordanie. Le Liban est le dernier pays de la « ligne de front ». A moins de renoncer à la confrontation, ils doivent s'enterrer ici et se battre jusqu'au dernier.

« Cette situation dramatique est née du cerveau malade de la diplomatie américaine, du refus de dialogue et des efforts de Kissinger pour scinder les Arabes, dit Arafat. Pendant qu'il tentait d'arracher un accord à l'Égypte, il ficelait les mains des autres au Liban... »

Depuis son quartier général de la corniche Mazraa, Yasser Arafat règne tant bien que mal sur son petit peuple armé et turbulent. Son problème n'a pas changé depuis la Jordanie : les extrémistes et leurs provocations.

Fin 1974, à peine Arafat rentré d'Amérique, le FDLP de Nayef Hawatmeh abat quatre Israéliens dans un immeuble de Beit Shean en Israël, histoire de montrer que le rameau d'olivier n'a pas remplacé le fusil. En janvier 1975, des incidents de plus en plus violents opposent Palestiniens et soldats libanais, puis Palestiniens et miliciens chrétiens. Les escarmouches avec l'armée israéliennes redoublent au Liban Sud. A tout instant, Israël peut franchir la frontière et frapper l'OLP. Tous les ingrédients détonants du conflit sont là, mélangés, et fermentent. Ils attendent l'étincelle...

2.

Des voisins pyromanes

« Nous allons conquérir le Liban jusqu'au Litani, annexer le sud, créer un État maronite au nord qui signera un traité de paix avec Israël ; les parties non chrétiennes seront annexées par la Syrie ou bien l'on trouvera d'autres arrangements. »

L'homme qui parle, c'est David Ben Gourion. Dès 1948, le père d'Israël voit le parti qu'il peut tirer des faiblesses du Liban. D'ailleurs, soulignent les religieux, la domination juive sur le Liban n'est-elle pas inscrite dans le Deutéronome ?

En 1954, Moshé Dayan reprend à son compte le projet de Ben Gourion et en 1967, dans l'euphorie de la victoire, l'état-major ressort ses plans d'expansion vers le Nord. Enfin, la guerre civile va donner à Israël la possibilité d'accomplir en partie son dessein...

Tandis que les combats s'annoncent, Israël courtise les Chrétiens libanais. Non par compassion. Les Chrétiens palestiniens posent assez de problèmes au gouvernement de Jérusalem, et ceux du Liban, après tout, pour n'être pas musulmans, n'en sont pas moins arabes. Mais Israël a besoin de « voir plusieurs craquements dans le mur de l'hostilité arabe, comme dit le professeur Itmar Rabinovitch. C'est parmi les opposants au panarabisme, chez les musulmans non sunnites et les autres communautés en conflit avec les régimes nationalistes qu'on les trouve ». De la même façon qu'il a aidé les Kurdes d'Irak, Israël va aider les Chrétiens du Liban parce que cela brise l'unité arabe.

Et cela donne des maux de tête à Hafez el-Assad, le président syrien.

D'abord, il a lui aussi des prétentions hégémoniques sur le Liban, qui fait selon lui partie de la Grande Syrie. Ensuite, tandis que l'Égypte dérive rapidement vers une paix séparée, Assad doit s'accrocher à tout prix à de nouvelles cartes s'il veut garder une stature internationale. Il n'y a pas, pour lui, de meilleure carte que la carte palestinienne. Depuis le début des années 1960, au prix d'une vive inimitié avec Arafat, Assad a cherché à contrôler le mouvement palestinien. Cette fois, il va fournir un gros effort.

« N'oubliez pas une chose, dit-il à Kissinger : il n'y a pas de peuple palestinien, il n'y a pas d'entité palestinienne, il y a la Syrie ! La Palestine fait partie intégrante de la Syrie. Donc, c'est nous, responsables syriens, qui sommes les représentants du peuple palestinien. »

Enfin, la guerre civile pose à Hafez el-Assad un cruel dilemme.

Si les Maronites l'emportent, ils mettront sur pied un régime pro-israélien inacceptable pour la Syrie. Si les palestino-progressistes gagnent, leurs excès entraîneront tôt ou tard une invasion israélienne tout aussi dangereuse. Bref, si la Syrie n'intervient pas, Israël gagne, et si la Syrie intervient, Israël gagne aussi. Voilà le cauchemar que constitue pour Hafez el-Assad la guerre civile libanaise.

Dès janvier 1975, lui qui sort peu de chez lui, il se rend au Liban pour convaincre le président Frangié d'accepter des réformes constitutionnelles. Il tente d'imposer un compromis à la gauche musulmane et aux Palestiniens. Ses plus proches collaborateurs, Abdelhalim Khaddam, le général Khouli et même son frère Rifaat, en charge des forces spéciales, effectuent d'incessantes médiations au Liban.

L'inquiétude du président syrien n'échappe pas à Henry Kissinger. Le Secrétaire d'État américain passe fréquemment par Damas, alors qu'il négocie le second accord de désengagement dans le Sinaï et tente, en vain, d'entraîner Assad à des négociations directes avec Israël.

« Assad était aussi prudent que passionné, écrit Kissinger avec admiration dans ses mémoires, et aussi réaliste qu'imbu d'idéologie (...). Il avait une intelligence de premier ordre et un humour méchant (...). Jamais décontenancé, il négociait avec audace et ténacité comme ces joueurs qui exerçaient jadis leurs talents sur les bateaux à aubes du Mississippi, jusqu'au moment où il était sûr d'avoir obtenu la dernière bribe de concession possible. »

Assad n'a pas cédé sur l'essentiel : le retrait total d'Israël derrière ses frontières de 1967, une solution acceptable pour les Palestiniens. Et comme ni Kissinger ni Israël n'ont l'intention d'en donner tant, ils cherchent une alternative pour immobiliser le « lion » syrien...

En 1975, cinq ans après avoir sacrifié le Cambodge à sa théorie des « conflits latéraux », le Secrétaire d'État américain découvre le petit Liban.

« Avant 1975, dit M. McMurthrie-Godley, ambassadeur des États-Unis à Beyrouth au début de la guerre, la plupart de mes collègues au Département d'État ne savaient pas où mettre le Liban sur une carte. Quand les combats ont commencé, Kissinger a compris l'importance stratégique du Liban et les télégrammes ont commencé à pleuvoir. Des tas de gens à l'odeur bizarre se sont mis à venir de Washington... »

Y a-t-il eu un accord secret entre la Syrie, Israël et Kissinger ? Oui, répondent aujourd'hui les Chrétiens libanais et certains Palestiniens. En fait, Israël et la Syrie vont se découvrir au Liban une communauté d'intérêts : le besoin de contrôler les Palestiniens, et celui de préserver à tout prix le statu quo politico-militaire.

Grâce au machiavélisme agissant de Kissinger, va naître une coopération vicieuse, ambiguë, qui connaîtra son apothéose en 1983, à Tripoli au Nord-Liban, quand Yasser Arafat recevra en même temps sur la tête les bombes de l'artillerie syrienne et celles de la marine israélienne.

« Nous nous apprêtions à vivre un nouveau complot, dit-il. Le plus grand d'entre tous... »

3.

L'étincelle

Durant le compte à rebours qui conduit à la guerre du Liban, un meurtre bouleverse et inquiète Arafat. Il se produit le 25 mars 1975, trois semaines à peine avant que n'éclatent les combats à Beyrouth.

Ce jour-là, un prince dégénéré ouvre le feu sur son oncle Fayçal ibn Abdul Aziz al-Saoud, l'intransigeant roi d'Arabie. D'abord, on croit le meurtrier fou. Mais avant de le faire décapiter en place publique, ses juges découvriront qu'il a vécu aux États-Unis, qu'il se droguait, et avait récemment rencontré une jeune Israélienne...

« Si je dis la mauvaise chose, ou si je dis la bonne d'une mauvaise façon, avait dit Fayçal à Khaled el-Hassan, tout le Moyen-Orient s'embrasera... »

Les résultats de l'enquête furent cachés de longues années. Pour beaucoup de ceux qui l'ont connu, Fayçal a été tué parce qu'il représentait, avec sa colossale puissance financière et sa rigueur morale, le dernier pilier solide du monde arabe. Il a payé pour s'être servi de l'arme pétrolière lors de la guerre de 1973...

« Fayçal était notre protecteur, dit Arafat. S'il avait été vivant, la guerre du Liban se serait arrêtée rapidement. Il n'aurait jamais laissé faire Kissinger. » Le Liban glisse donc sans frein vers le chaos...

13 avril 1975 : beau temps clair à Beyrouth. Jour de fête. Sur la corniche Mazraa, le FPLP-CG d'Ahmad Djibril organise un défilé militaire. Dès l'aube, à la sortie de tous les camps, les fédayines ont rassemblé des armes lourdes.

Des convois de bus et de voitures palestiniennes arrivent de la Békaa, du Sud, de Tripoli...

Pendant ce temps à Aïn er-Remanneh, faubourg chrétien de la capitale, les Phalangistes inaugurent l'église Saint-Michel. Sur le parvis, de nombreux gardes du corps entourent Pierre Gémayel, le fondateur des Phalanges. Une foule dense, endimanchée, déborde sur la chaussée où passent des voitures palestiniennes. Un véhicule refuse de s'arrêter au barrage de la gendarmerie, situé en contre-bas. Premier échange de coups de feu. La tension monte. Et, lorsqu'un bus entier de réfugiés palestiniens passe au même endroit en tentant de regagner Tell el-Zaatar après le défilé, les gardes du corps de Pierre Gémayel ouvrent le feu.

Vingt-sept cadavres seront retirés de la carrosserie du bus transformée en passoire.

En quelques heures, tout Beyrouth retentit du tir d'armes automatiques. Les milices barrent les routes, dressent des barricades. Les habitants se terrent dans les caves, ils y passeront la nuit sous les premiers obus de la guerre du Liban.

Durant les premiers mois, Arafat veut négocier un compromis. A quatorze reprises durant l'année, il va intercéder à Damas auprès d'Assad. Hani el-Hassan, part, lui, rencontrer au péril de sa vie les Phalangistes dans leur quartier général de Jounieh. Il leur propose un pacte de non-ingérence, et s'empresse de préciser que l'OLP signera un accord semblable avec les milices de gauche. Les Phalangistes ne croient pas à la neutralité de l'OLP. L'antenne de la CIA à Athènes leur fournit déjà des armes et des conseils stratégiques assez étroits...

Arafat doit aussi convaincre Joumblatt, son allié, qu'il n'a rien à gagner à une victoire militaire : « Nous ne nous battons pas contre les Phalangistes, explique-t-il, mais contre l'équilibre stratégique du Moyen-Orient ! Il n'y aura que des perdants... »

Hélas, Arafat marche une fois de plus à contre-courant de ses troupes. Même au sein du Fatah, certains dirigeants sont obnubilés par cette victoire qu'ils croient à portée de main. Et ils se soucient peu des répercussions internationales, sûrs qu'ils sont d'avoir « enlevé Beyrouth et pris ses habitants en otage, comme dans le cas des avions détournés, pour faire pression sur l'opinion mondiale et l'Occident ». C'est ce que dira plus tard Abou Iyad, numéro deux du Fatah.

Chaque camp essaie immédiatement de consolider ses positions, d'unifier ses lignes de défense. C'est quasi impossible pour les Palestiniens. Leurs camps sont dispersés partout au Liban. La Quarantaine, Dbayé, Tell el-Zaatar, Jisr el-Bacha se trouvent dans la partie chrétienne. Les troupes du Fatah réussissent la jonction entre Jisr el-Bacha et Tell el-Zaatar, mais « rien qu'en regardant une carte, dira Abou Jihad, on pouvait se rendre compte de la complexité de cette guerre. Les camps constituaient des verrous inquiétants pour les Chrétiens. En même temps, ils pouvaient à tout instant être isolés et écrasés. Chacun avait l'impression de se battre pour sa survie. Nous, Palestiniens, nous nous étions déjà trouvés au bord de l'extermination. Les Chrétiens aussi. Psychologiquement, cela a beaucoup compté dans la violence qui a suivi. »

En juillet, une milice communiste massacre plusieurs civils à El-Kaa, un village du Nord-Liban. S'engage une suite sans fin de massacres, rétorsions, représailles et autres mesures punitives. Au simple vu de leur carte d'identité, Chrétiens ou Musulmans sont enlevés aux innombrables check-points des milices qui divisent le Liban en autant de cantons.

Le 5 décembre, quatre jeunes Chrétiens sont retrouvés égorgés sur une route près de Tellel-Zaatar. L'un d'eux est le fils d'un journaliste chrétien, qui a déjà perdu un fils durant l'été. Le lendemain, fou de douleur, l'homme sort avec son fusil et abat tous les Musulmans qui lui tombent sous la main. La panique s'empare du quartier, puis de Beyrouth tout entière. Quand s'achève le Samedi Noir, deux cents Musulmans gisent sur les trottoirs.

Et, en janvier 1976, les Chrétiens attaquent la Quarantaine, l'un des camps les plus sordides, près du port. Trente mille Chiites, Kurdes, Palestiniens s'y entassent, coupés du reste de Beyrouth-Ouest. Retranchés quatre jours dans la fabrique de literie « Sleep Comfort », les

Palestiniens seront massacrés jusqu'au dernier. Puis les Phalangistes amènent des bulldozers et rasent la totalité du camp. Aujourd'hui, le quartier général des Forces Libanaises, la milice créée par Béchir Gémayel, se dresse à cet emplacement. Deux jours plus tard, en représailles, les Palestiniens et miliciens de gauche dévastent la ville chrétienne de Damour, au Sud de Beyrouth. Meurtres et pillages durent une semaine.

La folie remonte ensuite à Beyrouth, où les milices se battent pour le contrôle du centre-ville, pillent une à une les plus grandes banques du Moyen-Orient, les magasins, les logements, et envahissent les grands hôtels. La bataille de l'Holliday Inn occupera tout le printemps, les Palestiniens conquérant étage par étage l'hôtel de luxe tenu par les Phalangistes. Le port sera saccagé de fond en comble, hangars et cargos vidés de centaines de millions de dollars de marchandises. Pour sa part, le Fatah fait main basse sur les archives de la Sûreté Générale dans l'immeuble même où Arafat, dix ans plus tôt, avait été interrogé.

Le chef de l'OLP parvient à s'extirper de cette violence pour se rendre à Moscou, parcourir les capitales arabes afin d'assembler les soutiens en vue d'une solution politique. L'OLP a ouvert un bureau d'information et de liaison à Paris en octobre, elle enregistre partout des succès diplomatiques, que la guerre risque de ruiner d'une seconde à l'autre.

Le malaise de Hafez el-Assad s'accroît. Kamal Joumblatt, qui sent la victoire à sa portée, le presse d'intervenir aux côtés de la gauche et des Palestiniens. Mais Assad sait qu'Israël entrera au Liban à la minute où la Syrie interviendra. Lors de sa visite d'adieux à Damas, fin 1975, c'est ce que Kissinger lui a laissé entendre et la rencontre, glaciale, a duré moins d'une heure. L'ambassadeur américain à Damas, Richard Murphy, ne cesse de rappeler la menace au président syrien.

Alors Assad va chercher lui aussi un compromis. En février 1976, il discute avec son homologue libanais d'un nouveau document constitutionnel, qui donnerait plus de droits aux Musulmans, et désamorcerait la crise. Frangié hésite, il sera bientôt contraint à démissionner. Quant à Joumblatt, malgré l'insistance d'Arafat, il dénonce le projet d'accord. Assad est si préoccupé qu'en mars il annule son premier voyage en Occident : une visite d'État en France. Ses services secrets l'ont alerté du développement qu'il redoutait : Israël livre ouvertement des armes aux Chrétiens libanais.

Le 11 mars, des combattants phalangistes à court de munitions avaient refusé de rejoindre le front, et s'étaient rassemblés à la porte de leur quartier général. Sans même consulter le vieux Pierre Gémayel, Joseph Aboukhalil, un dirigeant désespéré, a décidé de sauter le pas. Sur un petit bateau de pêche, il s'est rendu à Haïfa, où les Israéliens l'ont arrêté. Aboukhalil a décliné son identité et demandé à être reçu par le ministre de la défense. Shimon Pérès l'a rencontré le soir même.

« Je ne suis mandaté par personne, dit Aboukhalil. Dans la situation où ils se trouvent, les Chrétiens du Liban ne sont pas en mesure de prendre des options engageant l'avenir, c'est en désespoir de cause que je m'adresse à Israël. »

Après un conseil restreint, le gouvernement israélien décide de saisir l'occasion. Dès le lendemain, des navires israéliens débarquent à Jounieh des tonnes d'armes soviétiques prises aux armées arabes durant les deux guerres précédentes. Les Israéliens ont décidé le même jour d'armer les Chrétiens du Sud-Liban, qui vivent de l'autre côté de leur frontière.

Pour Assad, c'est l'alerte. Le 27 mars, il convoque Joumblatt à Damas et tente durant sept heures de le raisonner. « Pourquoi persistez-vous à vous battre ? tonne-t-il. Les réformes du document constitutionnel vous donneront 95 % de ce que vous demandez. Qu'est-ce que vous voulez de plus ? »

Ce que veut Joumblatt, c'est la totalité du pouvoir, une refonte dans la masse du système politique libanais. Pas un ravalement de façade. Pour cela, il vient de fédérer les forces de gauche en une armée unique et espérait qu'Assad lui donnerait le feu vert pour lancer l'assaut final.

« Écoutez, plaide Assad, c'est pour moi une occasion historique d'orienter les maronites vers la Syrie, de gagner leur confiance... »

La rencontre se termine mal. A son retour au Liban, Joumblatt attaque violemment Assad.

« Les Syriens m'ont trompé, dit-il aux Palestiniens. Dites à Arafat de négocier la paix comme il l'entend, je le soutiendrai ! »

Arafat prend à son tour le chemin de Damas. Assad l'accuse : « Vous encouragez la guerre. N'avez-vous pas retenu la leçon que les Jordaniens vous ont enseignée en 1970 ? »

Il ordonne à Arafat d'arrêter ses troupes et de coordonner sa politique avec Damas. « Cela se résumait à abandonner à la Syrie notre indépendance de décision, dira le chef de l'OLP. C'était la dernière chose que nous étions prêts à faire. »

Le Liban implose. L'armée se divise, officiers chrétiens et musulmans rejoignent leur camp respectif avec hommes et armes. L'affrontement est désormais inévitable.

Alors, à Washington, le Secrétaire d'État passe à l'attaque.

4.

La manœuvre

C'est en accueillant le roi Hussein de Jordanie à l'aéroport Dulles International de Washington, le 29 mars 1976, que Henry Kissinger aurait eu l'illumination. Parmi les personnalités alignées pour saluer le souverain hachémite figure en effet l'ancien ambassadeur en Jordanie, Dean Brown. Durant les événements de septembre 1970, Brown a joué un rôle crucial en poussant le roi à écraser les Palestiniens.

Kissinger ne traîne pas. L'après-midi même, l'ambassadeur en retraite a repris du service, et le lendemain, il s'envole vers le Moyen-Orient.

Car le Secrétaire d'État vient d'appliquer un virage radical à la politique américaine au Liban. Désormais, de nouveaux messages partent vers Hafez el-Assad : « Si vous n'intervenez pas au Liban, Israël interviendra. »

Après avoir menacé pour tenir la Syrie hors du Liban, les États-Unis menacent pour qu'elle y entre. Dean Brown offre à Assad un marché : vous nettoyez vous-même le Liban des gauchistes et des Palestiniens, et Israël n'aura pas à s'en charger. Parallèlement, Brown rencontre Joumblatt et Gémayel, assurant à l'un que les États-Unis se sont résignés à la partition du Liban, à l'autre qu'Israël est tout prêt à renforcer l'aide aux Chrétiens. Ainsi les Américains poussent les Syriens au Liban, et s'arrangent pour qu'ils y restent longtemps.

Dean Brown retrouve ensuite Kissinger à Jérusalem pour la phase deux de la mission : convaincre les Israéliens que l'intervention syrienne est dans leur intérêt. Après mûre analyse, le chef d'état major Mordéchaï Gur et le patron des renseignements brossent un tableau idyllique du projet à Yitzhak Rabin : un déploiement au Liban affaiblirait la Syrie. Rabin donne son accord.

Dans les jours qui suivent, le ministre des affaires étrangères Ygal Allon précise par lettre à Kissinger les modalités de l'intervention syrienne fixées par Israël : pas de déploiement de missiles sol-air en territoire libanais, pas plus d'une brigade au sud de l'axe Damas-Beyrouth, et pas d'aviation syrienne à proximité de l'espace israélien. Richard Murphy, l'ambassadeur américain à Damas, s'empresse de communiquer ces détails à Assad.

Déjà, les communiqués officiels américains changent de ton. Jusqu'à la fin mars, ils mettaient en garde Damas contre une intervention. Début avril, ils soulignent désormais le « rôle constructif » de la Syrie.

Pour les Palestiniens et leurs alliés de la gauche libanaise, le glas sonne le 12 avril 1976. Assad déclare que la Syrie est « prête à faire le mouvement vers le Liban pour y défendre tous les opprimés sans distinction de confession. »

Cette fois, ce sont les Chrétiens qui se sentent invincibles et refusent le dialogue. A coups de canon, dans un dernier effort, les palestino-progressistes les chassent du cœur de Beyrouth. Le vieux Souleimane Frangié lui-même doit déguerpir de son palais présidentiel.

Arafat sait qu'il ne trouvera pas la clé de la crise à Beyrouth. Profitant des dernières heures d'ouverture de la frontière, il quitte le pays le 30 mai 1976 et s'envole de Damas pour une tournée du monde arabe. Il croise Alexis Kossyguine, qui arrive trop tard.

Le lendemain matin, les chars syriens entrent au Liban.

5.

L'intervention

Le président libanais Souleimane Frangié n'a même pas été consulté. Ayant directement arrangé l'intervention avec les Phalangistes, Assad a mis Frangié devant le fait accompli. Il devra signer a posteriori une lettre d'appel à l'aide. Quelle importance ? Les députés viennent d'élire à sa place Elias Sarkis, qui doit prendre ses fonctions en septembre.

En quelques heures, les colonnes blindées syriennes brisent l'encerclement des villes chrétiennes. Damas lance un ultimatum aux Palestiniens et à leurs alliés. Le délai passé, la chasse syrienne entre en action.

De violents combats embrasent la montagne druze pour le contrôle de la route Damas-Beyrouth. D'autres unités syriennes s'arrêtent aux portes de Tripoli. A Saïda, les fédayines font sauter plusieurs tanks. Et la bataille de Beyrouth redouble, en attendant que les forces spéciales de Rifaat el-Assad ne viennent y mettre un terme provisoire.

Arafat mendie au Caire quelques canons de gros calibre qui arrivent au Liban en même temps qu'une brigade palestinienne dont Anouar el-Sadate n'est pas fâché de se débarrasser. Éternel rival de la Syrie, l'Irak envoie ses troupes sur leur frontière commune, et rompt avec Damas dans une violente diatribe. Enfin, le 8 juin, une réunion de la Ligue Arabe décide de constituer une dérisoire force de paix de deux mille cinq cents hommes, qui ne se presse pas d'intervenir...

« Les Arabes nous soutenaient avec les lèvres mais pas avec la main, dira Abou Jihad. Ils n'étaient pas fâchés de voir l'OLP ramenée à un peu plus d'humilité. Quant aux Soviétiques, ils étaient encore plus embarrassés de devoir choisir entre leurs amis libanais et leur allié syrien... »

Arafat est prisonnier. « J'étais libre d'aller partout, dit-il, sauf dans l'unique endroit où je désirais aller : le Liban. » Ne pouvant plus utiliser l'aéroport de Damas, il décide après huit semaines d'absence de forcer le blocus de la marine israélienne. Pure folie. Mais Arafat a ses raisons : il vient d'apprendre qu'Abou Iyad s'est proclamé à sa place commandant en chef des forces de l'OLP.

Coup d'État ? Pas vraiment; pourtant Arafat s'inquiète. Déguisé en matelot, il a pris place sur un vraquier de maïs égyptien qui se faufile entre les bâtiments de la marine israélienne. Un second bateau égyptien sert de leurre. Tandis que les Israéliens le fouillent de pont en cale, Arafat vogue tous feux éteints vers la côte libanaise...

A terre il trouve une situation catastrophique. Abou Iyad a pris les rênes pour une double raison. « Un commandant doit être avec ses hommes en temps de crise », explique-t-il, faisant comprendre à Arafat qu'il fallait contenter la base des fédayines, poussée à tous les excès par l'intervention syrienne. Massacres, exécutions sommaires et gangstérisme de droit commun ponctuent les combats dans la capitale. Le FPLP a même assassiné l'ambassadeur américain, alors qu'Arafat avait donné des garanties pour sa sécurité. Le Fatah prend en charge la protection rapprochée de plusieurs diplomates, et l'évacuation des civils américains.

Comment arrêter les combats ? Le 20 juin, les Phalangistes resserrent leurs griffes sur Tell el-Zaatar. Impossible de briser le siège, qui va durer cinquante-deux jours.

Hani el-Hassan tente une dernière médiation chez Assad. Le prix du président syrien n'a pas changé : il veut le contrôle de l'OLP. Assad menace de faire nommer un successeur à Arafat, en la personne de Khaled al-Fahoum, président du Conseil National Palestinien en exercice et prosyrien breveté.

Fin juillet, les Israéliens manquent de lui donner un fier coup de main. L'un de leurs agents, infiltré dans le bureau d'Arafat, est découvert alors qu'il allait incorporer à la nourriture du président de l'OLP des grains de riz empoisonnés.

Un jour, deux enfants parviennent jusqu'au bureau de Yasser Arafat et demandent à le voir : ils arrivent des territoires occupés. « L'un devait avoir treize ans, raconte Arafat, l'autre neuf ans. Ils étaient exténués car ils avaient marché plusieurs jours à travers les frontières en se nourrissant de ce qu'ils trouvaient sur leur chemin. Je leur ai demandé : « Quel bon vent vous amène ? » Ils m'ont répondu : « Nous avons entendu à la radio que la Révolution était encerclée, alors nous sommes venus l'aider à s'en sortir ! »

Hélas, Tell el-Zaatar tombe le 12 août. Les Phalangistes sablent le champagne sur les cadavres de quelque trois mille Palestiniens. Comme à la Quarantaine, ils ont abattu systématiquement les hommes, et lorsqu'enfin des camions de la Croix-Rouge évacuent les civils, il n'y a plus que des femmes et des enfants pour se hisser à bord.

Le sang appelle le sang. Non la réconciliation, qu'Arafat, débordé par ses lieutenants, renonce à proposer. Lorsque les troupes syriennes menacent de donner l'assaut aux camps palestiniens de Saïda, Arafat, acculé, appelle les chefs d'État arabes à « déployer tous leurs efforts afin d'arrêter les massacres. »

Ne pouvant plus reculer, les Arabes se réunissent enfin. D'abord à Riyadh, puis au Caire. L'OLP demande le départ des Syriens.

« Ce que réclame Yasser Arafat, dit Assad, c'est la démission de l'État libanais. C'est une atteinte sans précédent à la souveraineté d'un État arabe. C'est insensé! »

Comme à leur habitude, les maîtres du monde arabe s'en tirent par un compromis lourd de nouveaux drames. La présence syrienne au Liban est entérinée, mais dans le cadre d'une Force Arabe de Dissuasion à laquelle Damas fournira vingt-cinq mille hommes (sur trente mille!). La Syrie trouve même le moyen d'arracher une subvention de 90 millions de dollars pour cet « effort de pacification... »

Le comité quadripartite chargé de l'application des accords du sommet s'installe au Liban. Manœuvré par l'habile représentant syrien, Mohammed el-Khouli, il exige bientôt que les Palestiniens remettent leurs armes aux « casques verts » arabes.

Arafat refuse. « Voulez-vous livrer nos nuques au régime alaouite de Damas ? » s'écrie-t-il.

L'OLP conserve ses armes, et le Liban son statu quo mortel. Fort à propos, des voitures piégées explosent à cette époque dans la capitale libanaise, y justifiant le déploiement syrien. Un grand portrait du président Assad orne en janvier la place Sassine, au cœur du Beyrouth chrétien, souligné de cette proclamation : « Le Liban restera arabe ».

Pour n'avoir pas voulu plier, Kamal Joumblatt sera brisé.

Le 16 mars, sa voiture est interceptée sur une route du Chouf. Deux hommes ouvrent la portière et lui brûlent la cervelle. On retrouvera sur les lieux, accidentée, la Pontiac appartenant au chef des renseignements syriens au Liban, Ibrahim Houaiji. Des dizaines de Chrétiens innocents seront massacrés dans la montagne druze, mais Walid Joumblatt, le fils de Kamal, a compris la leçon. Réaliste, il s'incline, et se rend à Damas au terme des quarante jours de deuil.

« Comme tu ressembles à ton père ! » lui glisse le président Assad en l'embrassant.

6.

Un Chrétien à la Maison-Blanche

Lorsqu'il remporte les élections américaines en novembre 1976, James Earl Carter a des progrès à faire. Il n'a rencontré qu'une seule fois un Arabe dans sa vie – sur un champ de courses en Floride !

Malgré ce lourd handicap, guidé par son attachement aux Écritures, il veut œuvrer pour la paix en Terre Sainte, et s'affirme disposé à trouver une solution au problème palestinien. Pour la première fois depuis quarante ans, Washington ne consulte plus systématiquement Israël avant d'établir des contacts sur la scène arabe.

Arafat profite de cette ouverture. En mars 1977, il fait parvenir à Carter, par l'intermédiaire du prince héritier d'Arabie Saoudite Fahd, un document secret d'une vingtaine de pages qui contient les propositions de compromis de l'OLP. Les Palestiniens se disent prêts à se contenter d'un petit État qui vivrait aux côtés d'Israël, serait confédéré à la Jordanie, et donnerait des garanties de sécurité à l'État juif.

Carter, enthousiaste, exprime son intérêt. Le moment lui paraît mûr : les candidats nationalistes proches de l'OLP ont remporté un net succès aux dernières élections dans les territoires occupés et, en mars 1977, le Conseil National Palestinien adopte la ligne modérée d'Arafat. En mai, enfin, Arafat rencontre des représentants de la gauche pacifiste israélienne à Prague...

A travers le prince Fahd et le roi Hussein de Jordanie, le dialogue s'engage entre les États-Unis et l'OLP. Le Secrétaire d'État américain, Cyrus Vance, dresse un échéancier. Tout d'abord, il propose un processus de reconnaissance simultanée entre Israël et l'OLP. Des ébauches de textes sont réalisées...

Hélas, l'euphorie initiale se dissipe vite. Ni les Israéliens, en pleine campagne électorale, ni les Syriens ne sont prêts à un tel accord. Assad convoque Arafat à Damas. Il lui promet de détruire l'OLP si l'accord est signé...

Les membres du Comité Exécutif mettent eux aussi des obstacles. Et en fin de compte, Arafat se prend à douter : Carter peut-il vraiment tenir ses promesses ? Va-t-il faire front au lobby sioniste ?

L'OLP refuse d'aller plus loin sans garanties précises. Hani el-Hassan doit expliquer à un roi de Jordanie hors de lui que l'accord avec Washington est « retardé... »

« Nous n'allions pas devoir attendre beaucoup pour voir qu'une fois de plus, nos espoirs sur la volonté réelle des Américains n'étaient pas fondés, dit Arafat. Il s'est passé ce qui s'est passé avant, et ce qui se passera encore après. Au moment de faire pression sur leur enfant gâté, les Américains ont reculé. Ils ont manqué de courage. »

Carter n'est pas dupe. Il a identifié le blocage côté arabe. Le 9 mai 1977, il tente de convaincre Hafez el-Assad au cours d'un sommet marathon de sept heures à l'hôtel Inter-Continental de Genève. Assad lui inflige un long cours magistral sur la vision arabe du conflit et, studieux, Carter prend des notes.

« Les Israéliens disent qu'ils ont pris le Golan pour protéger leurs colonies, explique le président syrien, mais ensuite ils ont construit de nouvelles colonies dans le Golan à seulement trois cents mètres de nos lignes. »

Il ne croit pas à la volonté de négociation d'Israël, refuse de céder et même de discuter, tant que le gouvernement de Jérusalem n'a pas fait des concessions de principe sur le retrait total des territoires et la participation des Palestiniens aux négociations.

Carter promet les deux. Hélas, Kissinger a piégé le terrain. Avant de quitter le secrétariat d'État, il a donné à Israël un droit de veto qui lui permet de rejeter tous les nouveaux participants à la conférence de Genève. De plus, il a fait la promesse publique que les États-Unis ne parleraient pas à l'OLP tant que celle-ci ne reconnaîtrait pas la résolution 242. Il faut donc convaincre les Israéliens de modérer leur position...

Cet espoir-là s'effondre le 17 mai, jour où Menahem Begin remporte les élections législatives.

Immigrant polonais, Begin a milité dans l'Irgun, un groupe terroriste sioniste responsable de l'attentat contre l'hôtel King David en 1948 : quatre-vingt-dix morts... après la création d'Israël, il a fondé le parti ultranationaliste Herout, dont Albert Einstein et Hannah Arendt ont écrit dans un article du *New York Times* qu'il était « très proche par son organisation, ses méthodes, sa philosophie politique et son attrait social des partis nazi et fasciste. »

Après la guerre d'Octobre, Menahem Begin s'est allié au populaire général Sharon pour fédérer les petits partis de droite sous le nom de Likoud, et sa victoire laisse peu de chance au dialogue. Il n'a guère de respect pour le président américain, qu'il qualifiera, après leur première rencontre, de « chou à la crème. »

Begin a son propre dessein, celui du « Grand Israël. »

Il n'inclut pas les Palestiniens. A peine entré en fonction, le nouveau Premier ministre se rend à Bucarest. Il demande à Nicolae Ceaucescu, un ami qui « vend » les immigrants juifs soviétiques à Israël, de l'aider à rencontrer Sadate. Quelques jours plus tard, le ministre des Affaires étrangères Moshé Dayan tente la même démarche auprès du shah d'Iran, puis du roi Hassan II du Maroc. C'est à Tanger, dans le plus grand secret, que tout se noue. Le Vice-premier ministre égyptien Hassan Touhami y rejoint Dayan début septembre pour mettre au point le sommet Sadate-Begin.

Cette paix séparée, Begin le sait, brisera durablement le front arabe. Après cela, Israël n'aura plus besoin de négocier, ni avec les Palestiniens, ni avec personne.

Aussi quand, le 1er octobre, les États-Unis et l'URSS, co-présidents de la conférence de Paix, publient un communiqué commun déclarant qu'il faut donner satisfaction « aux droits légitimes du peuple palestinien, » Begin a quelque raison d'être irrité. Le communiqué précise que doivent se rencontrer à Genève « les représentants de toutes les parties, y compris les Palestiniens. »

« C'était un moment historique » dira Arafat de ce communiqué qui est acclamé partout dans le monde arabe. « Nous avions l'impression pour la première fois que les deux superpuissances étaient prêtes à faire avancer la paix en terrain solide. »

Dayan a obtenu une copie du communiqué avec deux jours d'avance. Le lobby juif se mobilise et lance une vigoureuse campagne de presse. Enfin, le 4 septembre dans la soirée, Dayan retrouve à New York Carter, Cyrus Vance et Zbignew Brzezinski, dans les bureaux de la délégation américaine à l'ONU. La réunion dure toute la nuit.

D'emblée, Dayan menace de rendre publics tous les accords secrets passés entre Israël et Washington si l'administration américaine ne fait pas machine arrière. Il exige que Carter se prononce solennellement contre toute forme d'État palestinien, et évoque les conséquences que pourraient avoir l'hostilité de la communauté juive pour le président américain, une menace que le conseiller national de sécurité Brzezinski qualifiera de « chantage. »

Telle la chèvre de Monsieur Seguin, Carter se bat jusqu'au matin. Puis il cède. Le 5 octobre à 10 heures, le communiqué américano-soviétique est mort, remplacé par un « document de travail » américano-israélien qui prévoit une forme d'autonomie limitée pour les Palestiniens des territoires, dont l'occupation se poursuivra. La seule concession de Moshé Dayan porte sur une participation marginale d'élus de Cisjordanie non membres de l'OLP au processus de négociation...

C'est à des kilomètres de tout ce que l'OLP peut décemment concéder. Arafat plaide à nouveau son projet auprès de la journaliste d'ABC Barbara Walters. « J'ai déclaré, et cela a été enregistré : je suis prêt, au nom des Palestiniens, à établir des liens spéciaux avec la Jordanie. A supposer que la Jordanie accepte, cela ne peut être entrepris qu'après l'indépendance. (...) Nous avons dit que nous acceptions un État indépendant dans n'importe quelle partie de la Palestine que nous aurons libérée, ou dont les Israéliens se seront retirés. (...) Je m'oppose à toute forme de terrorisme, qu'il s'agisse du passé, du présent ou de l'avenir. (...) Nous ne demandons pas la lune. Nous vivons avec la réalité. Personne ne peut réaliser toutes ses ambitions, mais seulement une partie de celles-ci. Je m'efforce d'obtenir qu'une partie des ambitions de mon peuple soit réalisée... »

Personne à Washington ne semble déceler dans ces propos l'audace dont Arafat fait preuve à l'endroit de sa propre organisation. Contraint en permanence au grand écart entre sa base et les conditions américaines, Arafat peut tomber au moindre incident.

Les incidents ne manquent pas. Le plus grave de tous se produit le 9 novembre 1977, à l'initiative d'Anouar el-Sadate.

7.

Un Arabe à Jérusalem

Ce jour-là, Arafat a reçu une demande pressante du raïs, qui requiert sa présence lors d'un discours devant le parlement égyptien. Comme à son habitude, Arafat saute dans un avion à la dernière minute et débarque au Caire. Sadate entame devant les députés un long monologue sur les difficultés du processus de Genève. En direct sur les téléviseurs de tout le monde arabe, on voit de temps à autre Arafat hocher la tête.

Puis la bombe explose.

« Je suis si décidé à obtenir la paix, lâche Anouar el-Sadate, que je suis prêt pour cela à me rendre en Israël ! »

Arafat bondit, furieux. Il a été trahi, manipulé. Il quitte la séance, ratrappé par le vice-président Hosni el-Moubarak, qui tente en vain de l'apaiser.

« Vous vous rendez compte de ce que vous m'avez fait ? » hurle Arafat.

Il sait qu'à son retour au Liban, il devra se justifier devant tous les radicaux qui l'accuseront de complicité avec Sadate, son ami depuis plus de vingt ans.

Le monde arabe tout entier se déchaîne pour condamner Sadate, le faire plier. Dans la nuit du 16 au 17 novembre, Hafez el-Assad tente sa chance auprès du raïs en visite à Damas.

« Allons ensemble à Jérusalem ! propose Sadate. Ou si tu ne viens pas, alors tais-toi. Ne me condamne pas. Si j'échoue, je dirai à mon peuple de te considérer comme son leader ! »

Hors de lui, Assad (qui de toute façon se croit déjà depuis longtemps le leader du monde arabe) envisage sérieusement de séquestrer le président égyptien à Damas. A contrecœur, il le laisse partir le lendemain matin sans le raccompagner jusqu'à l'aéroport.

Lorsqu'il prononce son discours devant la Knesseth, le

19 novembre 1977, Sadate souligne qu'il n'y aura pas de solution au Moyen-Orient sans la reconnaissance des droits des Palestiniens. Y compris à établir un État. Menahem Begin doit faire taire un député communiste qui fait remarquer que des mots ne suffiront pas aux Arabes des territoires...

Sadate s'est coupé du monde arabe en venant à Jérusalem. Il n'a plus les moyens de retourner en arrière. Sans défense face à l'appétit de Begin, sans rien à jeter dans la balance des négociations, il cédera peu à peu sur tous les tableaux. Les Israéliens lui rendront le Sinaï, pas son honneur, ni même Gaza ou des droits pour les Palestiniens. A l'issue de dix-huit longs mois d'une négociation humiliante, le traité de Paix avec Israël constituera aux yeux du monde arabe, selon le mot d'Abdelhalim Khaddam « le dernier strip-tease de Sadate... »

Mais une immense fierté domine le président égyptien ce 19 novembre 1977, lorsqu'il se rend, drapé dans le vêtement rituel d'étoffe blanche, en pèlerinage à la mosquée el-Aqsa. Sur son visage de paysan du Nil, chacun peut lire la satisfaction d'être entré dans l'Histoire. Peut-être aussi le mépris, et la revanche sur ces Arabes du Golfe qui le dénoncent après avoir fait fortune sur les cadavres égyptiens, en augmentant le prix du pétrole lors de la guerre de 1973. Qu'ont-ils fait pour aider l'Égypte ? A Jérusalem, Sadate a gagné un ticket d'aide américaine, une sorte de plan Marshall dont les détails lui ont été communiqués au cours des semaines précédentes.

Il a aussi gagné sa propre condamnation à mort.

8.

L'effet de choc

C'est un tremblement de terre. Rien, sur la scène arabe, n'est plus semblable avant et après la visite de

Sadate à Jérusalem. Chacun voit ses positions bousculées, depuis Arafat, mis en cause par ses lieutenants à Beyrouth, jusqu'à Hafez el-Assad qui se propose, soudain, de venir à Genève si les Américains parviennent à modifier l'ordre du jour. Les Saoudiens eux-mêmes tentent un dernier compromis. Israël s'en moque.

Ayant arraché l'Égypte au camp arabe, l'État hébreu n'a plus besoin de personne. Sans l'Égypte, qui osera attaquer Israël. A Genève, la délégation israélienne fait retirer le petit drapeau palestinien, noyé parmi ceux de la Ligue Arabe.

Arafat retrouve à Tripoli, en Lybie, les pays du Front de la fermeté. Ils accusent Sadate de « haute trahison » et rompent les relations avec l'Égypte. Arafat espère encore que Sadate ouvrira les yeux, abandonnera le processus de paix, mais l'intransigeance arabe rend son retour en arrière de plus en plus improbable.

Le jour de Noël 1977, Menahem Begin expose son plan d'autonomie pour les territoires occupés. Les pires craintes d'Arafat se trouvent vérifiées : loin de modérer Israël, le rapprochement avec l'Égypte permet à l'État hébreu de durcir sa position face aux Palestiniens. Curieuse autonomie : elle prévoit, selon Begin, un maintien de l'occupation militaire, la poursuite des implantations juives, permet aux Palestiniens de choisir entre la nationalité israélienne ou jordanienne, et de prendre en charge leur administration de base.

« L'autonomie, dit Yasser Arafat, c'est la permission de ramasser nos ordures! »

Devant ce blocage, la violence radicale s'apprête à resurgir. Une fois de plus, Abou Nidal vient faire le jeu de l'extrême-droite israélienne en abattant les Palestiniens modérés et ouverts au dialogue.

Le 1er janvier 1978, un ami d'Arafat est assassiné à Londres. C'est Said Hammani. Représentant de l'OLP, il avait réussi à convaincre la classe politique et les médias britanniques qu'il existait au sein de l'organisation palestinienne une force capable de compromis. Il avait eu des contacts avec des membres de la Knesseth, comme Uri Avnery, ou des responsables du mouvement pacifiste israélien. C'est à ce titre qu'il a été abattu : les services secrets britanniques, eux-mêmes renseignés par la CIA, l'avaient prévenu que son nom se trouvait sur une liste du Mossad.

« Qu'est-ce qu'Abou Nidal, sinon un agent du Mossad ? me dira avec amertume Arafat quelques années plus tard. La liste de ses victimes parle d'elle-même. Il a tué dix fois plus de Palestiniens que d'Israéliens, et toujours des modérés du courant central de l'OLP. C'est pour cela que nous l'avons condamné à mort dès 1975. Lorsqu'il tue des Israéliens, c'est pour justifier les actes de terrorisme encore plus grands que ceux de l'armée israélienne. Regardez les dates, regardez les victimes. Comment pouvez-vous en douter ? »

C'est au Liban que les répercussions du voyage de Sadate seront les plus violentes. Cette fois, Israël ne risque plus de déclencher une conflagration générale en intervenant. La Syrie ne bougera pas, même si les Soviétiques, pour contrebalancer la perte de l'Égypte, ont décidé « d'augmenter la capacité de défense » de Damas.

Le prétexte de l'intervention, planifiée depuis Noël, sera la prise en otage des passagers d'un bus israélien au sud de Haïfa, le 11 mars. Dans l'assaut, trente personnes trouveront la mort...

Trois jours plus tard, dans un ordre de bataille impeccable, les bataillons de choc israéliens passent la frontière et envahissent le Liban jusqu'au fleuve Litani. L'opération s'appelle « Pierre de Sagesse », intitulé peu en rapport avec ses conséquences : deux mille morts, pour la plupart civils, jonchent les rues des villages par où sont passés les Hébreux. Deux cent mille réfugiés libanais et palestiniens fuient vers le nord et vont grossir les camps déjà engorgés de Beyrouth.

Le Conseil de Sécurité de l'ONU vote l'envoi de casques bleus au Sud-Liban. Même les États-Unis, cette fois, ont voté contre Israël. En quelques jours, six mille

Fidjiens, Népalais, Ghanéens, Finlandais, Irlandais et Norvégiens se déploient le long de la zone occupée par Israël, qui conserve néanmoins un petit couloir entre la ville de Marjayoune et le château de Beaufort, d'où il pourra continuer ses incursions au nord. La bande de cinq à dix kilomètres occupée par Israël est confiée aux miliciens du commandant chrétien Saad Haddad, véritables supplétifs de l'armée israélienne : leurs soldes, leurs rations, leurs armes, leurs munitions, leurs chaussures et leurs vestes pare-éclats sont fournies par le ministère de la Défense à Tel Aviv. Un an plus tard, Haddad proclamera à Marjayoune la création d'un État du Liban libre, sur une superficie de deux cent cinquante kilomètres carrés, satellite dérisoire du nouvel empire israélien...

L'intervention sonne le glas de l'alliance syro-chrétienne. S'il veut maintenir l'équilibre des forces, Assad doit changer de côté. Tout l'été, ses canons pilonnent Beyrouth et Zahlé, tandis qu'il fait main basse sur le Liban Nord, avec le consentement du vieux patriarche Frangié dont le fils vient d'être assassiné par les hommes de Béchir Gémayel.

A l'automne, les Arabes assistent, impuissants, à la consommation du mariage israélo-égyptien. Sadate, qui avait promis d'obtenir à Camp-David quelque chose pour les Palestiniens, se contente d'une promesse vague sur l'autonomie et signe, le 17 septembre 1978, les accords qui lui rendent le Sinaï. En novembre, les chefs d'État arabes réunis en sommet « invitent » une dernière fois Sadate à rejeter la paix et envoient des délégués au Caire. Ils ont dans leurs valises une offre de 5 milliards de dollars, mais c'est trop tard, Sadate refuse de les recevoir. Où étaient les milliards saoudiens quand l'Égypte en avait besoin ?

La paix israélo-égyptienne est signée à Washington, sur la pelouse de la Maison-Blanche, le 29 mars 1979. Les ambassades d'Égypte sont attaquées dans tout le monde arabe, la Ligue Arabe déménage à Tunis, l'Égypte se retrouve exclue de toutes les instances interarabes et islamiques.

« C'était un moment impossible pour la nation arabe, dit Arafat. Il fallait trouver de nouveaux moyens pour faire avancer notre cause, tout en faisant face aux multiples urgences... »

Le Conseil National Palestinien réuni à Damas en janvier 1979, sans le FPLP, ne parvient même pas à renouveler le comité exécutif de l'OLP et les débats s'enlisent dans la colère contre l'Égypte.

Deux semaines plus tard, un autre tremblement de terre secoue le Moyen-Orient. Un vieil ayatollah à barbe blanche, Ruollah Khomeyni, retourne à Téhéran et y plante l'étendard de l'Islam. La tyrannie des Pahlavi s'effondre, laissant place au chaos de la première révolution mystique de l'Histoire moderne. Arafat rend visite aux ayatollahs. « N'oubliez pas, dit-il, que le but suprême des fondamentalistes est de libérer Jérusalem! »

Mais leurs routes se séparent bientôt. Si Arafat sert de médiateur au début du conflit Iran-Irak, il sera vite dénoncé par Téhéran à cause de ses liens avec l'Union soviétique, de sa position sur l'Afghanistan et de son refus de proclamer la guerre sainte en Palestine. « Je ne me bats pas contre le judaïsme au nom de l'Islam, explique-t-il, mais contre l'occupation sioniste au nom du nationalisme palestinien. »

Au printemps 1979, il a d'autres soucis que les querelles théologiques. Israël a annoncé le maintien de sa souveraineté sur la Cisjordanie et sur Gaza et, plus que jamais, la véritable reconquête de la Palestine ne se joue pas en Israël, mais aux États-Unis...

9.

Un dialogue piégé

Sortir de l'impasse... Pour Arafat, une fois de plus, cela veut dire faite preuve d'audace.

Avec Hassan al-Rahman, représentant palestinien à Washington, il élabore en juin 1979, un nouveau document. C'est le moment de profiter de l'intense activité diplomatique qui agite la capitale américaine, et Arafat est bien décidé à ne pas laisser passer la chance.

Transmis au président en exercice du Conseil de Sécurité, le britannique Ivor Richard, le document de l'OLP propose une percée spectaculaire : la reconnaissance simultanée de la résolution 242 et du droit des Palestiniens à l'autodétermination.

« C'est le plus grand développement depuis 1948 », pense le diplomate anglais, qui transmet la proposition palestinienne à Andrew Young, le premier ambassadeur noir américain auprès de l'ONU. Young, à son tour, tente de convaincre le Département d'État. Il a la confiance de Carter, qui envoie un émissaire sonder les capitales moyen-orientales sur le projet de l'OLP. Jérusalem, Le Caire, Damas et Amman rejettent l'ouverture pour des raisons diverses.

Mais le rejet ne suffit pas. Pour tuer l'initiative de l'OLP, le lobby juif, une fois de plus, va démontrer sa vigilance.

Quand Andrew Young croise le délégué de l'OLP à l'ONU, Zahidi Terzi, chez l'ambassadeur du Koweït le 26 juillet 1979, il ne s'agit nullement de négociations secrètes. La rencontre dure quelques minutes et porte sur le report d'un débat à l'ONU, car la diplomatie américaine souhaite gagner du temps. Comme tous les diplomates, Young consigne dans un rapport les termes de cette entremise et le transmet à Washington. Le rapport ne met guère de temps à atterrir entre les mains du lobby juif, qui, de la tribune du Congrès aux colonnes des principaux journaux, réclame la démission de Young. Accusé d'avoir trahi les promesses faites par l'administration Nixon, Carter doit accepter le départ de son ambassadeur. Il vit cette démission, dit-il, comme une « déchirure personnelle. »

Immobilisée aux États-Unis, la question palestinienne progresse néanmoins dans le reste du monde. En mars 1980, le président français Giscard d'Estaing, qui visite le Koweït, soutient le droit des Palestiniens à l'autodétermination, une position qui sera désormais réitérée lors de chaque sommet européen, comme à Venise où, cette année-là, la CEE souhaite voir l'OLP « associée » à la négociation.

« J'espère venir à Paris avant la fin de l'année », déclare – déjà – en mai 1980 Arafat au micro d'Europe 1. « Je lance un avertissement à l'Europe. Qu'elle prenne conscience de ses intérêts ! Dans la région vous ne voyez qu'Israël, la stabilité d'Israël, le niveau de vie d'Israël. Et rien d'autre. Si cette politique continue, vous le paierez très cher. »

Ces maigres gains diplomatiques ne ralentissent pas le pourrissement au Liban. Discrètement, les Iraniens envoient à partir de janvier 1980 des Gardiens de la Révolution. Fuyant ses responsabilités, la Ligue Arabe retire ses contingents de casques verts, mais les Syriens n'ont pas l'intention de partir. « Que le conseil de la Ligue Arabe renouvelle ou non le mandat de pacification confié à la Force arabe de dissuasion, dit Abdelhalim Khaddam, l'armée syrienne restera au Liban aussi longtemps que l'exigeront les intérêts supérieurs arabes. »

Arafat voit d'un mauvais œil la permanence de cette tutelle encombrante. Dans une OLP chaque jour plus divisée, les Syriens tentent de l'isoler et de l'évincer.

Lorsque les gauchistes du Fatah réclament au congrès de mai 1980 la « liquidation d'Israël », Arafat sent le vent du boulet. La motion est rejetée. Mais pour contenir les extrémistes, Arafat préfère nommer Abou Jihad chef des opérations au Liban. Plus proche des combattants, il sait mieux que quinconque apaiser les rancœurs, rallier les loyautés.

Israël, de son côté, semble tout faire pour contredire la timide ouverture entamée par l'OLP. Dans les territoires, l'administration militaire multiplie les mesures arbitraires contre les élus nationalistes. Les maires de Hébron et Halhoul sont expulsés en mai et, début juin, des attentats frappent ceux de Naplouse et Ramallah. L'armée accuse l'OLP. Mais, deux ans plus tard, trois colons juifs seront arrêtés et reconnus coupables.

Attentats et sanctions contre les maires palestiniens vont se multiplier à un rythme affolant au cours des mois qui suivent. Huit ans après avoir chanté les mérites des élections, Israël découvre que la démocratie a aussi ses inconvénients. Loin de la court-circuiter, les élections locales ont permis à l'OLP d'obtenir des relais officieux au sein de la population des territoires.

Le 30 juillet 1980, Bégin pose la première pierre de son grand Israël : la Knesseth proclame Jérusalem « entière et réunifiée » capitale de l'État d'Israël.

La France conserve son ambassade à Tel Aviv. A Jérusalem le consul général reçoit ostensiblement les principaux notables palestiniens. Mais, pour l'OLP, le grignotage historique de la Palestine vient de franchir un seuil critique.

10.

Explosion en Iran, escalade au Liban

La guerre Iran-Irak éclate en septembre 1980. Derrière un litige de frontières surgit l'antique rivalité entre les blocs arabo-persans. Et un élément nouveau, combien plus dangereux : le défi lancé par une révolution théocratique à tous les régimes laïques de la région...

« Je tiens à souligner que ce mouvement n'aurait jamais connu une telle ampleur sans la stupide politique de l'administration américaine et de certains pays européens envers les Palestiniens, dira Yasser Arafat. Vous devez vous souvenir que la Palestine est une terre sainte, pas seulement pour les Juifs et les Chrétiens, mais aussi pour les Musulmans, qui ne peuvent accepter l'occupation de leurs mosquées de Jérusalem par les Israéliens. De même, certains Chrétiens, tels les coptes ou ceux d'autres églises d'Orient, refusent l'occupation de leurs lieux saints à Jérusalem et Bethléem. Mais cette politique stupide de soutien sans limite à Israël provoque une réaction de la part des Musulmans. Toute action entraîne une réaction! Aujourd'hui, c'est l'Occident qui encourage ce courant fondamentaliste à travers la région. »

En attendant, Arafat se lance dans une médiation désespérée pour enrayer la guerre Iran-Irak. « Une nouvelle guerre dans la région affaiblit la cause arabe et renforce Israël », répéte-t-il. Les Arabes, en effet, n'ont guère besoin de cela : jamais ils n'ont été aussi divisés. De nombreux sièges restent vides, lorsqu'en novembre 1980 Amman accueille le sommet arabe. La Libye, la Syrie se rangent bientôt au côté de l'Iran.

Tandis que le monde arabe assiste, impuissant, à sa propre dérive, au Liban, où Béchir Gémayel vient de fédérer l'ensemble des troupes chrétiennes avec l'appui d'Israël, une nouvelle convulsion se prépare. L'accord secret Allon-Assad, parrainé par Kissinger, connaît au printemps 1981 son premier accroc. Face à l'aide que reçoivent les Chrétiens, Assad décide de renforcer ses troupes d'occupation. Il encercle et bombarde en avril la ville chrétienne de Zahlé, dans la Békaa.

Le 25 avril, Damas déploie des troupes héliportées sur la crête du mont Sassine, menaçant directement le réduit chrétien et rompant le statu quo établi en 1976. Le 28 avril, la chasse israélienne réplique en abattant deux hélicoptères syriens. C'est l'escalade. Damas envoie dans la Békaa quatre batteries de missiles Sam-6, d'un rayon d'action suffisant pour frapper Israël.

Le monde se réveille soudain au seuil d'une nouvelle guerre. Washington dépêche au Liban le diplomate Philip Habib, fils d'un épicier maronite émigré à Brooklyn, afin de désamorcer la crise.

Mais Arafat sait que Hafez el-Assad n'ira pas jusqu'au bout. Le président syrien pratique une nouvelle fois sa « politique du gouffre » dans le seul but d'arracher aux Américains des concessions et de garder l'initiative au Liban. Pour l'OLP, une victoire syrienne ne vaudrait guère mieux qu'une victoire israélienne. L'une et l'autre signifieraient l'éclatement de la centrale, cela aussi Arafat le sait : il a failli le payer de sa vie.

Du 11 au 19 avril, un conseil national palestinien s'est tenu à Damas. Le FPLP, de retour au sein du comité exécutif, a prêté la main aux radicaux du Fatah qui réclamaient un retour à une phase militaire violente. Arafat a tenu tête mais, en rentrant au Liban, son convoi s'est trouvé pris dans une fusillade. Sa Mercedes blindée est passée au travers.

De retour à Beyrouth, Arafat doit accomplir un double exploit : empêcher ses combattants de donner aux Israéliens le prétexte qu'ils attendent pour attaquer le Sud-Liban, et participer à l'élaboration des accords de Beït ed-Dine qui marquent une trêve dans la guerre libanaise. Patronnés par le comité quadripartite de la Ligue Arabe et signés le 5 juillet, ces accords prévoient la programmation d'un retrait syrien, en échange de la rupture entre les Chrétiens de Béchir Gémayel et les Israéliens.

La semaine suivante, Israël bombarde le Sud-Liban. La campagne pour les élections à la Knesseth fait rage, et le Likoud de Menahem Begin entend profiter du thème porteur de la sécurité dans les kibboutz du nord.

L'OLP ne répond pas. Elle laisse Israël voter sans

offrir au Likoud le moindre obus de mortier. Menahem Begin remporte les élections le 16 juillet et, le lendemain, il ordonne des bombardements aériens d'envergure au Liban, y compris sur Beyrouth. Tableau de chasse de l'aviation israélienne : cent trente-quatre personnes tuées dans un pays souverain. L'OLP ne peut s'empêcher de répliquer. Bilan, six morts et cinquante-neuf blessés.

Dans une tension extrême, Philip Habib parvient à bricoler un accord syro-palestino-israélien. Comme l'envoyé spécial américain n'a pas le droit de rencontrer les dirigeants palestiniens, il communique avec Arafat par l'intermédiaire du chef de la diplomatie saoudienne, cheikh Aziz, et du sous-secrétaire général de l'ONU, Brian Urqhart.

Les deux hommes font la navette entre la frontière et le bureau d'Arafat à Beyrouth, ou d'autres lieux tenus secrets. Begin est excédé : les négociations donnent à Arafat une sorte de crédibilité, d'autant que le chef de l'OLP se permet d'ironiser sur la chaîne ABC : « Vous avez raison, Begin devrait reconnaître qu'au travers de cette confrontation il y a un dialogue. »

Enfin, le 24 juillet, Habib met la dernière main à un accord inespéré, quoique minimaliste : la Syrie conserve ses missiles mais ne s'en servira pas, Israël continuera ses survols du Liban mais sans frapper les Syriens, Palestiniens et Israéliens cesseront les combats sur la frontière, et Assad se portera garant du comportement des Palestiniens. Arafat accepte.

Le 26 juillet, à trois heures du matin, Philip Habib appelle Brian Urqhart pour l'informer d'une ultime exigence israélienne : le cessez-le-feu ne sera pas limité au Sud-Liban, mais à tout le territoire israélien ! En un mot, l'OLP doit renoncer à jamais à combattre Israël.

Urqhart explose. Il rappelle à Habib que le droit de résister à l'occupation est inscrit dans la Charte de l'ONU et refuse de communiquer une exigence aussi absurde à l'OLP. Habib parvient à faire reculer Begin, et le cessez-le-feu entre en vigueur.

Deux heures après, les soldats de la Finul découvrent des roquettes à retardement au Sud-Liban et les désamorcent. Elles auraient dû partir sur Israël, et servir de prétexte à une nouvelle flambée. Arafat parvient à imposer à l'OLP un respect total de l'accord signé.

La guerre du Liban s'offre un répit d'un an.

11.

Plan de paix contre plan de guerre

Pour l'OLP, l'accord Habib ouvre enfin la porte de la diplomatie américaine. Une porte arrière, mais une porte tout de même. Dès août 1981, Yasser Arafat reçoit dans le plus grand secret M. John Mroz, directeur d'études à l'Académie internationale de la Paix, une fondation new-yorkaise semi-officielle comme il en existe beaucoup aux États-Unis. Les contacts Mroz-Arafat ne seront révélés qu'en février 1984, par le *New York Times,* qui précise en outre qu'ils ont eu lieu à l'initiative du secrétraire d'État Alexander Haig, avec l'assentiment de Reagan. John Mroz rend d'ailleurs compte de chacune de ses rencontres à Nicholas Veliotes, le secrétaire d'État adjoint pour le Moyen-Orient, et peu à peu, au fil des quatre cents heures d'entretiens avec Arafat, d'août 1981 à mai 1982, s'ébauche un plan de reconnaissance mutuelle entre l'OLP et Israël. Le plan devait être finalisé en juin 1982. Il sera tué dans l'œuf par l'invasion israélienne au Liban.

Car, en août 1981, tandis que John Mroz prépare sa valise, la guerre elle aussi marque des points. Le 5 août, le Premier ministre israélien Menahem Begin constitue enfin son cabinet, et un portefeuille, un seul, retient tous les regards : celui de la Défense. Il est confié au général Ariel Sharon...

Le bouillant officier de la guerre du Sinaï a pris de la panse, mais ses idées sur la question palestinienne n'ont guère molli depuis le temps où il nettoyait Gaza au bulldozer. Il les exprimera un jour à un Philip Habib abasourdi : « Je vais vous montrer comment on traite les Palestiniens », rugit Sharon. Déployant une carte du Liban sur son bureau au ministère de la Défense de Tel Aviv, il la bourra de coups de poings ici et là, pour montrer comment il envisageait de détruire l'OLP et de balayer les Palestiniens de Beyrouth, sinon du Liban tout entier.

Que faire face au durcissement d'Israël ? Le prince héritier saoudien Fahd, pressé depuis des mois par Arafat et Khaled el- Hassan, rend public, à la hâte, le 7 août, un plan de « juste règlement » en huit points.

Le point n° 7 marque un tournant historique : il reconnaît le « droit de tous les États de la région à vivre en paix ». En un mot, Israël a le droit de vivre au milieu des Arabes.

Un seul chef d'État arabe avait jusque-là osé le dire tout haut. Ironie sinistre, c'est au moment où le reste de la nation arabe s'apprête à lui emboîter le pas qu'il est assassiné. Le 6 octobre, le raïs assiste à un défilé militaire dans son grand uniforme de général de l'armée de l'air. Deux soldats membres des Frères musulmans sortent du rang et ouvrent le feu sur la tribune...

Aucun leader arabe n'assistera à ses funérailles. Menahem Begin, lui, est venu au Caire, et profite de l'occasion pour s'entretenir avec Alexander Haig, le Secrétaire d'État américain. Il lui dévoile l'un des projets les plus secrets de l'état-major hébreu : envahir le Liban et écraser l'OLP.

« Vous irez seuls », dit Haig.

De retour à Jérusalem, Begin confère avec Sharon et les généraux. Tant pis, si les Américains ne suivent pas, Israël mettra quand même son plan à exécution. Tout est prêt. Sauf le prétexte...

Ariel Sharon signe avec son homologue américain,

Caspar Weinberger, un accord de coopération stratégique semblable à celui signé, un an plus tôt, entre l'URSS et la Syrie.

S'apercevant que tous les voyants de la guerre passent un à un au rouge, Arafat donne son accord au plan Fahd avant même la tenue du sommet arabe de Fès, au Maroc. Le 25 novembre 1981, le roi Hassan II est là, sur le tarmac de l'aéroport, pour accueillir ses hôtes. Les jets des chefs du monde arabe se succèdent sur la piste. Mais vingt minutes avant l'heure prévue de son arrivée, la nouvelle tombe : Hafez el-Assad ne viendra pas. En désaccord avec le plan Fahd, le président syrien torpille le sommet. Hassan II prend acte : « Le cas est dangereux et les conséquences sont graves », dit-il avant de congédier ses invités. La rencontre est devenue inutile.

Aucun n'est aussi conscient du danger que Yasser Arafat. Aucun n'est aussi visé par ce danger que lui. Si la paix n'avance pas, la guerre, elle, progresse. Le moment venu, comme à Karameh, comme à Amman, comme à Tell el-Zaatar, les fédayines n'auront que leur courage pour échapper à l'anéantissement.

Le 13 décembre, Israël annexe le Golan qu'il occupe depuis 1973. Devant le tollé international, les États-Unis sont obligés de suspendre leur accord de coopératioon stratégique avec Israël. « C'est un test, dira Abou Jihad. En annexant le Golan, Israël a voulu rappeler aux Syriens leur impuissance. Une leçon qui n'allait pas tarder à leur servir. »

Sur un bateau au large de Beyrouth, le général Sharon rencontre Béchir Gémayel pour mettre au point les derniers préparatifs. Les officiers de renseignement des Forces libanaises sont envoyés en stage à Tel Aviv, et reviennent en arborant fièrement des pistolets mitrailleurs Uzi. Pendant ce temps, des contacts sont pris avec les Chiites d'Amal et les Druzes de Walid Joumblatt, afin de s'assurer de leur neutralité.

Conscient du danger, Arafat fait lui aussi la tournée des capitales arabes pour glaner des armes sophistiquées :

la guerre du Liban sera une guerre de tanks et il lui faut des missiles antichars modernes. Les Arabes lui tournent le dos, et l'OLP doit se résoudre à acheter sur le marché parallèle quelques Milan français.

Ils ralentiront à peine l'avancée des redoutables Merkeva, dans un Liban où les complots redoublent, où les services secrets et les milices règlent leurs comptes les plus obscurs. L'ambassadeur de France Louis Delamare, médiateur efficace entre l'OLP et les différentes parties libanaises, a été assassiné en septembre 1981, sans doute par les services syriens. D'autres diplomates sont fréquemment enlevés, exécutés. En avril 1982, le chiffreur de l'ambassade de France et sa femme sont revolvérisés par une femme blonde qui leur apportait des fleurs, et en mai, une voiture piégée fait onze morts dans la cour de la chancellerie, rue Clemenceau. Paris n'a sans doute pas écouté l'avertissement que lui lançait le président Assad dans le quotidien *al-Moustaqbal* : « Sortez du Liban, c'est une terre arabe qui nous appartient ! »

Malade de la violence, le Liban attend l'Apocalypse comme on attend l'orage. Et à sa frontière sud, des nuages noirs s'amoncellent.

12

« Paix en Galilée »

Isarël a un problème : Comment attaquer le Liban ? Le général Yehoshua Saguy, chef des renseignements militaires, est chargé de trouver un prétexte, et sa quête le mène parfois fort loin de la frontière nord. Un jour où des fédayines attaquent Israël depuis la Jordanie, il pousse Bégin à considérer cela comme une rupture du cessez-le-feu. Malheureusement, Brian Urqhart, le sous-secrétaire général de l'ONU, se trouvait ce jour-là chez

Menahem Begin. Il entre dans une rage blanche et menace d'un scandale. Le gouvernement israélien doit encore attendre. Begin préfère du reste laisser passer la phase finale de restitution du Sinaï à l'Égypte, prévue le 25 avril, avant de s'engager au nord.

En attendant, il fait le ménage dans les mairies palestiniennes. Après l'expulsion des maires de Hebron et Halhoul, l'administration militaire dissout le 18 mars la municipalité d'El-Bireh, destitue les maires de Naplouse et Ramallah le 25, celui d'Anabta le 30. Ceux de Gaza, Kalkiliyah, Djénine et Doura seront déposés pendant l'été. La stratégie qui consistait depuis 1972 à vouloir faire émerger dans les territoires un leadership palestinien indépendant de l'OLP a échoué, même les vieux potentats projordaniens se sont finalement ralliés à la centrale, et l'administrateur israélien des territoires, Menahem Milson, remettra sa démission à la fin de l'année, après s'être rendu compte de l'impossibilité de sa tâche.

Las d'attendre les obus de l'OLP, Israël va les chercher. En dépit du cessez-le-feu, son aviation multiplie les raids et, le 9 mai, enfin, les commandants fédayines du sud retournent le feu sans se préoccuper des consignes de Beyrouth. Arafat les rappelle sèchement à l'ordre. De nouveau, l'armée israélienne piaffe à la frontière, d'autant plus impatiente qu'Alexander Haig met les points sur les « i » : les États-Unis se désolidariseront de toute invasion du Liban, explique-t-il à Sharon le 20 mai, « s'il n'y a pas eu une provocation majeure et internationalement reconnue ».

L'Histoire, ou plutôt ceux qui sont parfois chargés de lui donner un coup de pouce se chargent de remplir cette condition. La provocation majeure et internationalement reconnue se déroule le 3 juin 1982. Pas au Sud-Liban, ni même en Jordanie : à Londres. L'ambassadeur d'Israël, Shlomo Argov, sort de l'hôtel Dorchester et s'apprête à monter dans sa limousine. Bondissant de derrière un taxi, des tueurs du groupe Abou Nidal le criblent de balles.

Le diplomate restera des semaines dans le coma, entre la vie et la mort. Arafat se trouve en Arabie Saoudite et rentre à Beyrouth en voiture, pied au plancher. Il a compris qu'Israël tient enfin son prétexte. Qu'importe si l'OLP a condamné Abou Nidal à mort voilà déjà sept ans...

« Abou Nidal, ou Abou Shmidal, clame le chef d'état-major Raphaël Eytan, nous devons frapper l'OLP. »

Il frappe. Les 4 et 5 juin, tandis que son armée de l'air bombarde en saturation Beyrouth et tout le Sud-Liban, Israël fait savoir aux Syriens qu'il n'attaquera pas leurs troupes si elles restent à l'écart. Dans une lettre à Reagan, Begin confirme cet engagement, et Philip Habib se rendra à Damas pour rassurer Assad. L'OLP sera seule face au déferlement de l'armée israélienne.

Soixante-seize mille hommes, mille deux cent cinquante chars, mille cinq cents transports de troupes blindés, douze mille camions et plus de six cents chasseurs bombardiers attaquent le Liban à l'aube du 6 juin 1982. A Tel Aviv, un communiqué militaire annonce que l'opération « Paix en Galilée » vient de commencer, sous le commandement du général Amir Drori. Selon Sharon, la liquidation de l'OLP sera l'affaire de quelques jours. Pourtant, son état-major a déjà prévu des tenues d'hiver pour les soldats : ils passeront quatre années au Liban.

Au sud, les troupes israéliennes peuvent compter sur les milices chrétiennes du général Haddad. Ensemble, elles balayent en quelques jours les vingt-cinq mille fédayines du Sud-Liban, qui se battent avec désespoir, vite encerclés. Pour les prendre à revers, les Israéliens ont pénétré dans la zone contrôlée par les casques bleus de l'ONU, qui les regardent passer, impuissants, tandis qu'à New York, les États-Unis opposent leur véto à la condamnation d'Israël par le Conseil de Sécurité.

Dans la Békaa, des accrochages opposent Syriens et Israéliens, mais demeurent limités : l'armée de Damas se garde de jeter tout son poids dans une bataille qu'elle ne veut pas livrer. Les généraux savent que, dans l'ombre, les diplomates préparent déjà un cessez-le-feu.

Le monde découvre très vite la brutalité de l'attaque, les bilans : des centaines de morts en quelques heures, bientôt des milliers. Les camps de Rashidiyeh, d'Aïn el-Heloueh, de Miyeh-ou-Miyeh, sont écrasés sous un tonnerre de feu de plusieurs jours. Trois éminentes personnalités juives, Pierre Mendès France, Nahum Goldmann et Philip Klutznick, lancent au gouvernement israélien un appel à la paix, au dialogue. Trop tard. Begin justifie déjà devant la Knesseth la violence aveugle dont la population civile libanaise est aussi victime. Elle qui dans la plupart des cas, a accueilli les chars israéliens avec des poignées de riz et de l'eau de fleurs d'oranger. « Depuis quand les habitants du Sud-Liban sont-ils devenus des gens charmants ? dit-il. (...) Pas un instant je n'ai douté que la population civile mérite une punition ! »

Mais les excès déployés au Sud-Liban provoquent bientôt des haut-le-cœur chez certains réservistes israéliens. Des officiers dénoncent publiquement l'arbitraire et la brutalité, d'autres créent un mouvement qui aiguillonnera tout l'été l'opinion publique israélienne. Son nom : « Il y a une limite. » Des réservistes refusent, par dizaines, de rejoindre leurs unités au Liban. Ils seront jugés devant des cours militaires.

Pendant l'examen de conscience, l'invasion continue. Sans tirer un coup de feu, les Israéliens se déploient dans le Chouf. Ils ont pris soin d'y envoyer en tête un bataillon druze israélien – depuis des mois déjà, les druzes des deux côtés de la frontière ont préparé l'intervention. Pour Walid Joumblatt, il ne s'agit en aucun cas de traîtrise. Son peuple montagnard, minoritaire, a survécu au fil des siècles grâce à son réalisme. Joumblatt sait que ni lui ni Arafat n'arrêteront les Israéliens. Alors il les laisse passer et, dans son délicieux palais de Moukhtara, il accueille Shimon Pérès, son camarade de l'Internationale Socialiste.

Le Parti Socialiste Progressiste de Joumblatt obtient

ainsi le droit de conserver ses armes. Il s'en sert pour bloquer le passage des Palestiniens qui, chassés du Sud, tentent de remonter vers la capitale. « L'OLP doit quitter Beyrouth », déclare le chef druze après une violente conversation téléphonique avec Yasser Arafat.

Grâce au Chouf, l'armée israélienne surplombe Beyrouth et verrouille la Békaa. De là, ses artilleurs peuvent clouer au sol les positions syriennes. D'heure en heure l'illusion s'estompe : Assad ne veut pas se battre. Lui qui est entré au Liban voilà six ans, non pas pour faire la guerre mais pour l'empêcher, cherche par tous les moyens une issue honorable au conflit. Eytan le rassure publiquement : « Nous faisons tout notre possible pour éviter la confrontation avec les Syriens, dit-il. Notre objectif au Liban, ce sont les terroristes. » Le 9 juin, Begin lui lance à son tour un appel. Sous la pression d'escarmouches aériennes humiliantes, Assad saisit l'occasion et, le 11 juin, sans même consulter l'OLP, il donne son accord au cessez-le-feu.

« Scandaleux », dit Arafat.

Jamais il ne pardonnera à Assad. Du monde entier, des volontaires palestiniens affluent pour se battre. Certains ont abandonné leurs affaires au Brésil, leurs études aux USA, leurs familles dans le Golfe. Parvenus à l'aéroport de Damas, – le seul qui permette d'accéder à Beyrouth –, ils sont refoulés sans ménagement après plusieurs jours de détention et d'interrogatoire.

Sûr de la bienveillante neutralité d'Assad, Sharon passe à la phase suivante : écraser Arafat dans Beyrouth. Le 12 juin l'étau se resserre autour de la capitale sous des raids aériens incessants. Vague après vague, les Kfir et les Phantom de l'armée de l'air israélienne ravagent les camps de réfugiés de la capitale et les quartiers où sont installés les bureaux de l'OLP. L'artillerie perchée dans la montagne druze, puis la marine, complètent le pilonnage. Objectif : terroriser la population jusqu'à ce qu'elle se retourne elle-même contre Arafat. Une fois, une seule, les notables musulmans de Beyrouth se rendent en délégation auprès d'Arafat et lui demandent de partir pour épargner la ville. Il leur fait un discours sur l'honneur et le destin de la nation arabe. « Entre la résistance et la reddition, dit-il, il n'y a pas d'alternative. Plutôt le martyre que l'esclavage ! » Il ajoute que les Arabes ne doivent pas se battre pour eux-mêmes à Beyrouth, mais pour la génération suivante. La question est de savoir, explique-t-il en substance, si nous voulons lui donner en exemple l'héroïsme ou l'humiliation.

Jusqu'au bout, les combattants libanais resteront aux côtés de ceux de l'OLP.

13

« Les vents du Paradis... »

Juillet. Dans la chaleur d'un été torride, Beyrouth vit un siège infernal. Dans son ordre de bataille quotidien, Arafat cite, un matin, la Bible : « Car la violence faite au Liban retombera sur toi et le ravage des bêtes te terrifiera, à cause du sang des hommes et de la violence subie par les pays, par les cités et par tous ceux qui habitent en elles. » (Habacuc, II, 17.)

Sharon s'est arrêté aux portes de la ville. La prise de Beyrouth maison par maison coûterait trop cher à Israël. Alors il bombarde sans relâche la ville et traque Arafat à l'aide de ses avions.

La chasse à l'homme la plus sophistiquée de l'Histoire dure des semaines. Pour la mener à bien, Israël a implanté depuis des mois à Beyrouth des dizaines d'espions. Juifs arabophones, Libanais stipendiés, ils sont parfaitement intégrés au paysage de la capitale et communiquent à l'aide d'émetteurs miniatures. Les journalistes qui résidaient cet été-là à l'hôtel Commodore se souviennent du clochard qui traînait devant l'hôtel, vendant des billets de loterie, des chewing-gums ou des cigarettes à l'unité. Un mendigot inoffensif, devant lequel personne ne se gênait pour parler. Il était colonel dans l'armée israélienne. Rasé, en uniforme, il guidera les troupes de Tsahal à travers le quartier, en septembre, lors de la chute de la ville.

En attendant, ce réseau de taupes sert à tout autre chose : détecter les mouvements d'Arafat. La chasse israélienne suit avec une effarante précision le chef de l'OLP : à peine est-il arrivé quelque part, les jets décollent et frappent.

« Ce que les Israéliens n'avaient pas réussi à faire avec des tueurs, dit Arafat, ils ont essayé de le faire avec leurs avions. Les bombes tombaient après quelques minutes seulement sur les endroits que je venais de quitter. »

Temps le plus long : vingt minutes. Temps le plus court : deux minutes. Journalistes, diplomates, politiciens libanais qui suivent partout le chef de l'OLP participent eux aussi à cette hallucinante partie de cache-cache, pour laquelle l'aviation israélienne teste un nouveau type de projectile sorti des arsenaux américains : la bombe à implosion.

Perforant plusieurs étages de l'immeuble sur lequel elle s'abat, la bombe à implosion répand en quelques secondes un gaz qui enveloppe le bâtiment. Au lieu d'exploser au sens propre, l'immeuble est comme soufflé sur lui-même, aspiré vers l'intérieur. Pulvérisés par l'effet de choc ou piégés sous les décombres, les occupants n'ont aucune chance.

Durant l'été, l'armée de l'air effectuera des dizaines de bombardements d'une précision chirurgicale ne frappant à chaque fois qu'un seul immeuble : celui d'où Arafat vient de s'enfuir...

Une nuit, lassé par cette course perpétuelle, il dort dans une voiture au beau milieu d'un terrain vague. Abou Iyad, pour détourner les bombardements, pratique avec talent la désinformation : on voit la voiture d'Arafat, vide, partir dans une fausse direction. Des rendez-vous sont donnés à des adresses fantômes que les bombes viennent frapper peu après.

Mais cette guerre qui s'enlise laisse le temps à la communauté internationale de se ressaisir et de s'interposer. Aux Nations-Unies, Israël, finalement condamné, voit la France et un groupe de pays occidentaux proposer un compromis : l'évacuation de l'OLP. Arafat sauvé, le monde arabe échappe à la dislocation et la paix conserve ses chances. En même temps, Israël sauve la face.

Cela ne suffit pas au général Sharon. Empêché de raser Beyrouth par l'opinion mondiale, incapable d'écraser Arafat par ses propres moyens, il tente de forcer ses alliés libanais à entrer dans Beyrouth-Ouest pour faire le sale boulot. Il fait pression sur Béchir Gémayel, le chef des Forces Libanaises, qui vient d'annoncer sa candidature à la présidence de la République à la tête d'un gouvernement de salut national. Le jeune chef de guerre chrétien hésite. Fin juillet, il va trouver Philip Habib à l'ambassade américaine et lui demande conseil. Touché par la candeur de ce jeune homme qui le considère comme son « oncle », Habib a rapporté leur conversation au journaliste anglais Patrick Seale.

« Sharon veut que je nettoie les camps, dit Béchir. Qu'est-ce que je dois faire, mon oncle ?

– Eh bien, à ton avis ?

– Il y aura beaucoup de morts. Ça sera dur et je perdrai beaucoup d'hommes. Mais comment résister à Sharon ?

– Tu sais, Béchir, que je suis en train de négocier le retrait des Palestiniens. Tu sais aussi que tu veux devenir président. Si tu fais ce que demande Sharon tu seras damné. Tu ne pourras plus devenir président de tous les Libanais, Musulmans et Chrétiens. Ne fais pas ça, Béchir. Dis non ! »

Comme sur la rive occidentale du canal de Suez en 1973, Sharon entame une course contre la montre, contre l'ONU et, dans une large mesure, contre son propre gouvernement. Il jette toutes ses réserves dans la bataille de Beyrouth.

Lorsqu'il se réveille à l'aube du 4 août, Yasser Arafat regarde pour la première fois la défaite dans les yeux. En quelques heures les blindés israéliens ont complètement encerclé le secteur ouest de la ville et se massent pour l'assaut final : au port, au musée, à Ouzaï, à l'aéroport. Ils vont attaquer sur tous les axes. C'est fini.

Choqué, Arafat fait ses ablutions. Tout Musulman doit se purifier avant de retourner à son créateur. Tandis que ses lieutenants piétinent dans la pièce voisine, le chef de l'OLP prie durant vingt longues, très longues minutes.

Paisible, il retrouve ses hommes et, ce matin encore, rédige l'ordre de bataille. Celui-ci sera le dernier. Arafat n'a plus d'autre consigne à donner à ses hommes que celle de se souvenir pourquoi ils vont mourir. Paraphrasant le Coran, l'ordre s'intitule : « Les vents du Paradis se sont mis à souffler... »

C'est dans le désespoir que les Palestiniens trouvent la force de tenir encore. Ariel Sharon, furieux, jette à Philip Habib : « Quel genre d'hommes sont ces Palestiniens ? Ils ne sont pas comme les autres Arabes ! Je leur ai lancé toutes les sortes de bombes à ma disposition et ils sont toujours là ! Dites à Arafat qu'il ne me reste plus que la bombe atomique ! »

Philip Habib fait son métier. A défaut de rencontrer Arafat, il lui transmet par l'intermédiaire de Saeb Salam, l'ancien président du conseil libanais, le message de Sharon. Le vieux gentleman sort de ses gonds, et ne prend même pas la peine de contacter Arafat. « Dites à cet imbécile d'envoyer sa bombe ! » répond-il à Habib.

Le 12 août, Arafat accepte la médiation internationale. Il partira de Beyrouth avec ses hommes, dans la dignité, en emmenant leur armement léger sous la protection d'une force multinationale d'interposition. « J'ai reçu l'assurance de Philip Habib, dit-il, que les civils palestiniens qui resteront à Beyrouth ne seront pas inquiétés. »

Sharon lui répond par un nouveau bombardement de saturation ; celui-ci dure douze heures sans interruption : des milliers de tonnes de fer et de feu s'abattent sur la ville.

La suite des événements échappe au ministre de la Défense israélienne. Les États-Unis, la France, l'Italie, se portent garants de l'évacuation des Palestiniens et à Tunis, une commission prépare déjà l'accueil des combattants de l'OLP. Les Libanais profitent de l'embellie, se retrouvant dans un sursaut national inattendu. Béchir Gémayel, sur qui Israël avait placé tant d'espoirs, promet de ne pas tirer sur ses « frères » de l'Ouest, et le Parlement décide de se réunir afin d'élire le nouveau président.

Le 20 août, le Département d'État publie le plan d'évacuation mis au point par Philip Habib. Les flottes française, italienne et américaine sont déjà en route, les Palestiniens préparent leurs valises sous les bombes, et Menahem Begin doit faire contre mauvaise fortune bon cœur : « Israël peut s'attendre à une longue période de paix, déclare-t-il, car il n'existe plus de pays arabe voisin capable de l'attaquer. » La veille encore, Israël a été condamné par l'ONU.

Trois cent cinquante paras français débarquent le 21 août, à 5 heures 15 du matin, dans le port de Beyrouth. Premier accroc : en contradiction avec le plan Habib, les Israéliens sont toujours là. Le colonel français donne à ses hommes l'ordre de se déployer... et de repousser les « éléments étrangers » qui lèvent le camp en rechignant. En fin de matinée, les trois cent quatre-vingt-dix-sept premiers combattants palestiniens embarquent à bord du cargo *Sol Georgia* sous les youyous des femmes et des enfants. Les hommes tirent en l'air, brandissent des portraits d'Arafat. Ils remettront leurs armes à Chypre, où les attend Farouk Kaddoumi, avant de rejoindre par avion Amman et Bagdad. Les scènes exubérantes se succèdent durant plusieurs jours, au fur et à mesure que les dix mille hommes embarquent : les seules victimes sont celles des balles de joie, tirées en l'air mais qui retombent au hasard sur la foule. Hani el-Hassan embarque le 25 août pour Tartous et, cinq jours plus tard, avec l'avant-dernier contingent, Arafat monte triomphalement à bord de l'*Atlantes*. Il fait beau. Il a revêtu un uniforme frais. Il devise sur le pont durant la traversée. On pourrait croire qu'il s'agit d'une croisière.

« Quoiqu'en dise Sharon, confie-t-il à Sélim Nassib de *Libération*, nous sommes partis de Beyrouth avec les honneurs militaires. Sa tentative s'est soldée par un échec. (...) C'est la plus longue de toutes les guerres arabes. Et les Israéliens ont perdu plus d'hommes que dans toutes les précédentes. Au moins, la bataille de Beyrouth et la guerre du Liban ont prouvé que personne ne pouvait liquider l'OLP. Nous en sommes là... »

C'est avec ce brevet d'endurance, mais sans avenir certain, qu'il débarque au Pirée, accueilli en chef d'État par le premier ministre grec Papandhréou. A Athènes, il croise, sans le rencontrer, un autre chef d'État qui a beaucoup fait pour lui sauver la mise : François Mitterrand.

14.

« Est-il possible que des hommes aient fait cela ? »

L'été aura été meurtrier. On compte encore les quelque vingt mille morts et quarante mille blessés quand, le 1er septembre 1982, Ronald Reagan annonce au monde le plan de « règlement durable » qu'il a imaginé durant le siège de Beyrouth.

« Je demande au peuple palestinien d'accepter le fait que ses propres aspirations politiques sont inextricablement liées à la reconnaissance du droit d'Israël à un avenir sûr », dit-il.

Cela, Arafat l'accepte. Il l'a dit à John Mroz, l'émissaire secret du département d'État, durant leurs quatre cents heures d'entretiens. Il l'a même écrit sur un bout de papier, fin juillet, au fond de son bunker. Le bout de papier a été transmis par Saeb Salam à Philip Habib. Les Américains ont donc entre les mains un document et plusieurs rapports qui leur permettent de penser que l'OLP est prête, sous certaines conditions, à reconnaître la résolution 242.

L'ennui, c'est que Reagan n'a pas l'intention de donner aux Palestiniens la contrepartie légitime de cette reconnaissance : une patrie. « Les États-Unis, précise-t-il, ne soutiendront ni l'instauration d'un État palestinien dans cette région, ni une initiative de la part d'Israël visant à l'annexion de cette zone. »

Il propose un statut d'autonomie dans les territoires occupés, pour une durée de cinq ans, à la suite de quoi les Israëliens devront se retirer et laisser les Palestiniens vivre « en association avec la Jordanie ».

C'est peu, très peu. Mais l'OLP n'a plus ni bases militaires, ni cartes à son jeu diplomatique. Sa direction est dispersée aux quatre coins du monde arabe et, estimant qu'il ne peut pas fermer la porte aux Américains, Arafat déclare qu'il y a « matière à discussion ».

D'autres se chargeront d'enterrer le plan Reagan pour lui. Au sein même de l'OLP, le FPLP et le FDLP refusent la discussion. Ils sont rejoints, le lendemain, par le plus invraisemblable des alliés : Menahem Begin. « Rien n'empêcherait le roi Hussein d'inviter son nouvel ami Yasser Arafat à se rendre à Naplouse, et de lui remettre le pouvoir », objecte le premier ministre israélien. Trois jours plus tard, il annonce la création de nouvelles implantations en Cisjordanie.

Le 2 septembre, après avoir renvoyé Ronald Reagan à ses chères études, Menahem Begin convoque en Israël son « jeune ami » Béchir Gémayel. Le chef des Forces Libanaises vient d'être élu président de la République. Il entrera en fonctions à la fin du mois. C'est donc le moment de lui rappeler combien il doit à Israël, d'autant que, depuis qu'il s'est découvert un destin national, Béchir Gémayel multiplie les gestes d'indépendance vis-à-vis d'Israël.

La rencontre a donc lieu en secret, le soir du 2 septembre, dans une fabrique d'armes de Nahariya, au nord d'Israël. Dans cette antre de la puissance militaire israélienne, Begin exige du jeune président libanais un traité de paix. Ce n'était pas prévu. Mais désormais, après les pertes importantes subies par Israël, Begin a besoin d'un traité pour justifier la guerre devant son opinion.

Béchir refuse. Le « jeune ami » se rebiffe, il perdrait toute crédibilité vis-à-vis de ses partenaires libanais. Demandant à réfléchir, il rentre précipitamment à Beyrouth en hélicoptère.

« C'est un miracle qu'ils ne m'aient pas abattu en vol », dit-il en débarquant dans la cour de son QG de la Quarantaine. Il informe ses collaborateurs que tous les contacts avec les Israéliens sont suspendus, et refuse de voir Sharon.

Mais le ministre israélien de la Défense court-circuite le nouveau président libanais : il a ses propres agents au sein même de l'appareil militaire chrétien. Avec eux, il met la dernière main à son plan ultime : « Cerveau de Fer. »

Il s'agit d'occuper Beyrouth-Ouest. De nettoyer tout ce qui reste de l'OLP et de donner une leçon aux habitants des camps qui ont abrité durant si longtemps les soldats de Yasser Arafat...

« Cerveau de fer » attend son heure. Pour l'instant, tous les regards sont tournés vers Fès où, le 9 septembre, les chefs d'États arabes réclament le départ des forces étrangères du Liban et tombent d'accord sur un plan de paix israélo-arabe inspiré du plan Fahd. Hôte du sommet arabe, le roi Hassan II tire les leçons de l'invasion israélienne du Liban : « Ce qui s'est passé à Beyrouth, dit-il, est beaucoup plus dramatique que nous pouvons le supposer parce que dans huit ou dix ans nous allons moissonner ce qu'Israël aura semé : une vague de terrorisme aveugle sans barrière ni idéologie. »

Le souverain chérifien se trompe : il ne faudra pas attendre huit ou dix ans. Quelques semaines suffiront.

Avec le départ de la force multinationale d'interposition, du 10 au 13 septembre, Sharon va enfin avoir les mains libres. Le 11 au soir, il débarque sans s'annoncer à Bikfaya, fief montagnard des Gémayel, et contraint Béchir à écouter son plan : d'abord, nettoyage des camps palestiniens, ensuite, retrait des forces syriennes et déploiement de l'armée libanaise sur tout le territoire. Enfin, traité de paix libano-israélien.

Béchir refuse de signer un traité avant le retrait total des Israéliens. Ce n'est pas ce qui préoccupe Sharon, dont la priorité reste les Palestiniens des camps.

Avant leur prochain coup de force, les Israéliens éprouvent à nouveau la passivité syrienne. Le 12 septembre, ils détruisent une rampe de missiles Sam-9 dans la montagne, puis effectuent des raids aériens contre les batteries syriennes et le camp de réfugiés palestiniens de Baddaoui, à Tripoli. Les Syriens ne répliquent pas. Si Sharon veut casser leurs missiles, ils casseront son petit président Gémayel.

Comme chaque semaine, le mardi 14 septembre 1982 dans l'après-midi, Béchir Gémayel se rend à la réunion traditionnelle du parti Kataëb dans la permanence de la rue Sassine. Un peu plus loin, dans un studio loué, un jeune homme ouvre une mallette, en sort ce qui semble être un téléphone portable et appuie sur les touches : « 1, 2, 3, Call. »

La déflagration souffle l'immeuble de trois étages où se trouvait le nouveau président libanais. Son corps ne sera identifié que tard dans la soirée, à l'Hôtel-Dieu de France, par son conseiller Karim Pakradouni. L'assassin s'appelle Habib Tanyous Chartouni. Un jeune homme instable, dont les parents habitaient au-dessus de la permanence des Kataëb. Il s'est démasqué en appelant frénétiquement sa sœur quelques minutes avant l'explosion. Interrogé, il avoue en vrac qu'il milite depuis longtemps dans un parti pro-syrien, qu'il a touché un demi-million de livres libanaises et travaille pour Damas.

En tuant Gémayel et vingt autres dirigeants phalangistes, Chartouni vient de déclencher le mécanisme d'un nouveau drame. Comme souvent au Moyen-Orient, les victimes seront palestiniennes...

Ariel Sharon tient enfin son prétexte pour l'invasion de Beyrouth-Ouest. Dès le lendemain, les chars israéliens pénètrent la ville par les grands axes, établissent des barrages et, en trente heures, verrouillent tous les points stratégiques. Pour la première fois de son Histoire, Israël occupe une capitale arabe.

Immédiatement, les Israéliens raflent les archives du Centre d'études et d'information palestinien dans le quartier de Fakhani. De nombreux Palestiniens sont arrêtés, interrogés, emmenés en Israël ou dans des camps de détention au Sud-Liban. Le pire reste à venir.

Arafat vient d'arriver à Rome. Après son départ de Beyrouth, il n'a pas attendu pour porter le combat sur le seul terrain auquel il ait encore accès : la diplomatie. Auprès du président Pertini, puis du pape Jean-Paul II qui le reçoit pour la première fois, il plaide la cause des milliers de civils palestiniens demeurés à Beyrouth et rappelle les engagements pris lors de l'évacuation de Beyrouth. Mais qui, qui au monde peut croire qu'Israël, « Lumière des Nations » laissera massacrer des civils ? Personne.

Les Américains, mis une fois de plus devant le fait accompli de l'occupation de Beyrouth-Ouest, demandent à leur allié de se retirer sur ses positions du 13 septembre. La France « dénonce et condamne », tandis que le Conseil de Sécurité exige en vain un retrait immédiat...

Au Vatican, Arafat marque des points. Le Pape lui a posé trois conditions pour obtenir le soutien de l'Église catholique : la reconnaissance de la sécurité d'Israël, le renoncement au terrorisme, et la contribution à la renaissance d'un Liban souverain et indépendant. Arafat a « explicitement accepté », écrira l'*Osservatore Romano*, le journal pontifical, qui se félicite de cette ouverture...

Elle passera inaperçue. C'est à Beyrouth qu'est le cœur d'Arafat. Il téléphone d'heure en heure dans la capitale libanaise, multiplie les contacts, assistant impuissant au drame qu'il redoutait depuis son départ.

Elie Hobeika, le jeune caïd des services de renseignements des Forces Libanaises, a rassemblé ses troupes près de l'aéroport, dans un campement israélien où on leur distribue rations et munitions. Dans la nuit de mercredi à jeudi, les soldats israéliens peignent sur les murs des signaux d'accès aux camps palestiniens de Sabra et Chatila.

Les Chrétiens y pénètrent jeudi matin. Le massacre va durer vingt-huit heures. Rasant les maisons au bulldozer, regroupant les hommes pour les abattre dans la rue ou pénétrant dans les maisons pour liquider des familles entières, les miliciens chrétiens vont mener leur besogne avec méthode, prenant le temps de dormir, de manger, de se reposer avant de tuer encore. Des femmes enceintes sont éventrées, des bébés découpés à la hache. Ni les chiens ni les chevaux ne sont épargnés. On retrouvera des enfants assis autour du dîner familial, leur pyjama criblé de balles. Des vieillards, qui étaient sortis acheter du pain, sont abattus au coin des rues.

Du haut de deux petits immeubles en surplomb, les Israéliens surveillent durant deux jours l'hécatombe. La nuit, ils tirent sur les camps des roquettes éclairantes, afin de faciliter l'œuvre démente des Chrétiens. Ils surveillent à la jumelle, à la lunette infra-rouge, laissent entrer les bulldozers et sortir des camions pleins de corps. Pourtant, lorsque les premiers journalistes, inquiets, tentent d'entrer dans les camps, les sentinelles israéliennes les repoussent et parlent de simples escarmouches entre Palestiniens. Impossible d'en savoir plus : à Tel Aviv, l'État-Major fête le nouvel an juif.

« Pourquoi dire que nous avons été drogués ? dira l'un

des lieutenants d'Hobeika, qui a participé au massacre. Nous savions ce que nous faisions. Cela a pris des jours, on a eu le temps de réfléchir. Nous haïssons les Palestiniens. Une Palestinienne enceinte tuée c'est un bâtard terroriste de moins. Ce qui s'est passé dans les camps, pour nous c'est une délivrance. Vous, les Occidentaux, vous pouvez vous permettre de vous offusquer car vous avez la force de dissuasion. Nous, nous menons une guerre de pauvres. Les massacres sont la bombe atomique du pauvre. »

La polémique sur les bilans durera des mois. La presse admet généralement de deux mille à trois mille cinq cents victimes, mais un décompte exact est impossible : beaucoup de corps ont été emmenés, enterrés à la hâte dans des fosses communes désormais indétectables dans cet immense cimetière qu'est devenu le Liban.

Parvenu samedi soir à Damas, à seulement une heure en taxi du lieu des massacres, Arafat se fait projeter les images sinistres filmées le matin même par les télévisions du monde entier. « J'ai sangloté comme un enfant, dit-il la voix brisée. Je n'ai pas de famille, et ce sont les cadavres déchiquetés de mes enfants, de mes sœurs, de mes frères que j'ai vus, et j'ai imaginé les tortures qu'ils ont subies et la mort atroce qui leur a été infligée... »

Il supplie Mitterrand de faire cesser les massacres. « Nous vous avions confié la sécurité des camps de réfugiés palestiniens », dit-il, rappelant aux trois pays de la force d'interposition (France, Italie, États-Unis) leur responsabilité... et leur départ précipité.

Le soir même, Mitterrand, qui avait redouté durant l'été que ne se produise à Beyrouth un « nouvel Oradour », décide d'y renvoyer les paras français, partis à peine une semaine plus tôt. « Les nouvelles qui parviennent à Beyrouth provoquent une réaction d'horreur, dit le communiqué de l'Élysée. Ceux qui portent la responsabilité de tels excès trahissent les causes qu'ils croient servir. » L'Assemblée Générale de l'ONU, qui siège à New York, qualifiera les massacres « d'acte de génocide ».

Lui aussi « horrifié », Ronald Reagan convoque l'ambassadeur israélien à Washington et exige le retrait immédiat de Beyrouth-Ouest. Face aux accusations de complicité, Begin fait face avec insolence le 22 septembre à la tribune de la Knesseth : « Des goyim tuent des goyim, s'exclame-t-il, et ils veulent pendre des Juifs ! »

Hélas, l'Administration américaine ne tirera pas les conséquences du massacre. Même si Philip Habib reconnaît après coup que « Sharon était un tueur obsédé par la haine des Palestiniens », et que sa parole « n'a aucune valeur », Washington poursuivra sans dévier d'un pouce sa politique d'alignement sur Israël.

« Je n'aurais jamais dû faire confiance aux Américains, dira ensuite Arafat. C'est mon plus grand regret. Habib m'avait donné sa parole qu'il n'arriverait rien à nos civils palestiniens... »

L'autre victime des massacres s'appelle la paix. Comment parler de compromis politique à un peuple meurtri, plus humilié que jamais ? L'armée israélienne tire sur la foule qui manifeste son indignation dans les territoires occupés, décrète le couvre-feu à Nazareth. L'ouverture faite à Rome disparaît sous les ruines de Sabra et de Chatila, et lorsque le 20 septembre le roi Hussein propose une confédération jordano-palestinienne soumise par référendum aux deux peuples, la plupart des Palestiniens trouvent cela incongru, obscène.

D'autant que ce jour-là, moins de soixante-douze heures après l'arrêt des massacres, des bulldozers israéliens violent le cimetière de Deïr Yassine, ce village à l'ouest de Jérusalem où l'Irgoun avait massacré deux cent cinquante Palestiniens en 1948. Les Israéliens veulent y tracer une route. On n'arrête pas le progrès. Ni l'horreur.

« L'État d'Israël est aujourd'hui face à sa conscience, déclare Shimon Pérès, prenant la mesure de l'onde de choc qui ravage Israël. La terre tremble sous nos pieds après ces massacres. »

Quatre cent mille manifestants réclament la démission du gouvernement à Tel-Aviv, une commission d'enquête dirigée par le juge Kahane est constituée. Elle rend son rapport le 8 février 1983 : « Nous avons établi que le ministre de la défense porte une responsabilité personnelle. » Sharon mettra des semaines à démissionner, gardant toutefois le titre de ministre sans portefeuille.

Six cents vétérans seront soignés pour troubles psychiatriques à leur retour du Liban. Cent vingt-huit réservistes seront condamnés pour avoir refusé de s'y rendre. La minorité pacifiste se renforce, mais pas autant que l'extrême-droite enterrée dans ses positions... Un « syndrome vietnamien » s'empare du royaume de Sion, ainsi résumé dans un article de Haaretz :

« Les soldats israéliens ont le droit imprescriptible de refuser la guerre (...). La guerre du Liban fut une entreprise malheureuse qui a affaibli le pays... Seuls les charlatans peuvent parler d'une guerre qui en valait la peine. »

L'homme qui a dicté ces mots est paralysé des quatre membres. Victime en juin d'un attentat du groupe Abou Nidal, il a servi d'excuse aux « charlatans » pour la guerre qu'il dénonce.

C'est l'ex-ambassadeur d'Israël à Londres, Shlomo Argov.

CHAPITRE V

LA ROUTE DE PALESTINE
1982-1990

1.

L'onde de choc

« Lorsque j'ai quitté Beyrouth, j'ai fait une déclaration prémonitoire. J'ai dit que le typhon qui était né durant le siège de Beyrouth par le fait des Israéliens ne s'arrêtera plus et submergera toute la région. Personne ne m'a écouté à l'époque. Et nous y sommes! Le typhon est à l'œuvre... Quand Reagan a donné son feu vert à l'invasion israélienne du Liban, ils imaginaient qu'ils liquideraient l'OLP en trois ou quatre jours. Mais il ne s'agissait pas d'une guerre conventionnelle et, à cause de cela, ce qui devait être une opération éclair est devenu la plus longue confrontation israélo-arabe. Huit jours d'occupation de Beyrouth, et quatre années consécutives de guerre d'usure dans le sud du Liban. C'est ce que j'appelle la guerre incontrôlable. Regardez les effets secondaires de la décision prise par Reagan et ses consultants! Tout ce qui s'est passé au Moyen-Orient depuis 1982 découle de là... Regardez ce qui se passe au Liban. Regardez ce qui se passe dans le monde entier! »

Yasser Arafat tirait en 1986 cette leçon de la guerre du Liban et de ses conséquences : l'enlisement militaire israélien, la montée de la violence en Cisjordanie et à Gaza, l'irruption soudaine des fanatismes religieux et d'une nouvelle vague terroriste qui s'apprêterait bientôt à frapper le monde, de Beyrouth à Paris et de Rome à Jérusalem.

Première victime du tremblement de terre libanais, l'image d'Israël se déforme aux yeux du monde. La nation assiégée, romantique, de l'époque des pionniers a fait place à un peuple divisé, mené par une caste de politiciens plus divisés encore, tandis qu'une extrême-droite grandissante y propage les germes de la haine raciale. A l'étranger, le gouvernement israélien ne semble plus maître du jeu qu'il a bouleversé en assiégeant Beyrouth – et s'il n'a pas tout à fait perdu la guerre, il a quand même... perdu la main.

Quand saute le quartier général israélien de Tyr le 11 novembre 1982, percuté par un camion piégé qui fait quatre-vingt-neuf morts, la presse internationale découvre avec brutalité le nom d'un mouvement obscur : le Jihad islamique. Six mois plus tard, le Jihad revendiquera la destruction de l'ambassade américaine à Beyrouth (soixante-trois morts) , et le 13 octobre 1983, le double attentat au camion piégé qui anéantira deux cent quarante et un marines américains et soixante-trois paras français. Puis viendra le temps des otages.

Mais, dès l'opération du 11 novembre 1982, les Israéliens s'interrogent : « Il faut que cette terrible catastrophe apprenne à tous les stratèges géniaux, amateurs ou professionnels au sein du gouvernement, que la guerre du Liban n'a résolu aucun problème », écrit Haaretz dès le lendemain.

Pour Arafat, l'avènement du terrorisme islamique ne se serait pas produit si l'OLP était demeurée au Liban. « Les événements le prouvent, dit-il. Nous étions les catalyseurs de l'unité libanaise, et nous contrôlions la puissance gigantesque de cette poussée religieuse. Nous la maintenions comprimée dans la bouteille ! Nous avons quitté Beyrouth et les groupes fondamentalistes sont sortis de la bouteille, ils ont jailli à la minute où nous sommes partis, les faits sont là... »

Il voit dans la résurgence islamiste un phénomène « inéluctable », conséquence directe de la « politique stupide de soutien sans limite à Israël adoptée par l'Amérique et certains pays européens... » En même temps, pragmatique, il soutient sur le terrain, au Sud-Liban et à Beyrouth, certains combattants islamistes qui s'acharnent contre l'occupant israélien. D'abord, parce que beaucoup de leurs cadres ont autrefois combattu dans les rangs du Fatah. Ensuite, parce que, comme dit Abou Iyad, « nous partageons le même champ de bataille. Vous ne pouvez pas empêcher que des gens qui combattent le même ennemi sur le même champ de bataille ne se parlent. Il y a une coopération tactique entre nous, et avec tous les autres mouvements présents sur le terrain. Cela ne veut pas dire qu'il y ait une coopération politique au niveau des dirigeants. »

Grâce à cette osmose, combattants, armes et munitions retrouvent bientôt le chemin des camps du Liban. L'OLP y redresse la tête discrètement, car les ennemis, israéliens et surtout arabes, guettent. Alors les fédayines préfèrent se faire appeler « résistance nationale » ou « résistance islamique », tout en restant fidèles aux commandants du Fatah, du FPLP, du FLP...

« Nous n'avons jamais quitté le Liban, affirme Arafat. Il y a toujours un demi-million de Palestiniens dans les camps du Liban. Personne ne peut liquider un demi-million de Palestiniens ! »

Mais une longue et douloureuse épopée sépare encore Arafat de cette affirmation confiante, lorsqu'il quitte le Liban en 1982. Il n'a alors plus guère de combattants, et après Sabra et Chatila, ceux qui sont encore au Liban se font oublier. Arafat lui-même évite d'embarrasser le nouveau président Amine Gémayel, qui tente de tenir tête aux Syriens, sans céder aux Israéliens. L'OLP semble un temps avoir oublié le Liban.

En perdant ce champ de bataille, le dernier qui lui restait aux marches de la Palestine, Arafat perd le choix qu'il a eu pendant dix-sept ans : lutte militaire ou lutte politique ? Pour l'heure, il ne peut plus espérer faire avancer sa cause ailleurs que dans les arènes internationales.

Mais que pèse l'homme qui vogue à bord de l'*Atlantès* le 30 août 1982 ? Comme s'il se le demandait lui-même, Arafat court très vite peser cette influence en divers points du globe. A Athènes, à Rome, on accueille en chef d'État le rescapé de Beyrouth. François Mitterrand, qu'Arafat aurait voulu remercier de vive voix pour le rôle qu'il a joué dans la crise libanaise, évite de le rencontrer en Grèce ; ils s'y croisent sans se voir. Le président français estime que l'OLP ne s'est pas engagée assez solennellement à propos de la reconnaissance et de la survie d'Israël pour consacrer au plus haut niveau les relations franco-palestiniennes. Cela n'empêche pas Farouk Kaddoumi d'être reçu à l'Élysée le 16 novembre 1982, au sein d'une délégation de la Ligue Arabe. Arafat attendra encore pour revoir Paris.

C'est au Moyen-Orient qu'il consacre toute son énergie. Dès le 12 octobre 1982, le voilà chez Hussein à Amman. Pourquoi la Jordanie ?

Parce qu'il faut à tout prix lier le voisin hachémite à la cause palestinienne, le prévenir de toute dérive vers Israël. La même logique poussera bientôt Arafat à renouer avec l'Égypte, qu'il a toujours espéré arracher au processus de Camp David pour « lui rendre sa place à la tête de la nation arabe ». Et, en 1982, s'il est encore trop tôt pour se rendre au Caire, il n'est pas trop tôt pour aller à Amman où Arafat et Hussein évoquent la création d'une « éventuelle confédération jordano-palestinienne ».

Véritable serpent de mer des débats moyen-orientaux, cette confédération n'est qu'un gage offert aux Américains. Si Arafat et Hussein relancent cette idée en 1982, c'est avant tout pour renouer le dialogue avec eux, en indiquant à Washington que l'OLP serait prête à accepter certaines tutelles arabes modérées si les négociations décollaient.

Le message passe. Hussein doit rencontrer Ronald Reagan et George Shultz lors d'un voyage à Hawaï et en Californie à la fin de l'année. Devant la bonne volonté d'Arafat, il décide d'emmener Khaled el-Hassan, qui troquera pour l'occasion sa casquette de cadre de l'OLP pour celle de conseiller royal...

Cette ouverture, Arafat le sait, comporte des risques. Elle place d'emblée en travers de son chemin l'éternel adversaire d'Arafat au sein du camp arabe : Hafez el-Assad. Depuis le début de l'intervention israélienne, l'abcès des relations syro-palestiniennes n'a fait que s'envenimer. Il y a le cessez-le-feu accepté par Damas le 10 juin, qu'Arafat n'est pas près d'oublier. Et à l'automne l'abcès va pourrir encore, il enflera tout l'hiver, pour éclater en 1983 dans les combats de Tripoli...

Caspar Weinberger, le secrétaire à la Défense américain, n'ignore sans doute pas ce conflit en puissance lorsqu'il déclare le 27 octobre 1982 : « Arafat cherche à agir comme porte-parole du groupe tout entier. Je ne sais pas à quel point cela est justifié. » Déjà, Damas encourage les dissensions au sein de l'OLP et du Fatah. Les critiques s'enhardissent. Elles s'emparent du premier prétexte – le plus sensible aussi – le voyage d'Arafat à Amman.

« Arafat s'est placé en dehors du consensus palestinien, dit un de ses lieutenants au Liban. Il ne nous consulte même plus. Arafat a probablement ses rêves, mais ils ne nous sont d'aucune utilité. Il est possible qu'il perde sa place ! »

Personne ne songe alors à retenir le nom de l'homme qui prononce ces mots : Abou Moussa. A cinquante-six ans, il a passé plus de la moitié de sa vie dans les armées arabes, comme tant de soldats palestiniens professionnels. Lorsque le roi Hussein a donné l'ordre d'écraser les Palestiniens en septembre 1970, Abou Moussa a rallié la Syrie avec son régiment jordanien. Il a mené la guerre du Liban à la tête d'unités du Fatah, sous les ordres d'Arafat. Après le départ du chef, laissé à lui-même avec ses hommes dans la plaine de la Békaa, Abou Moussa est repris en main par les services syriens. Il attend l'heure de la rébellion et du défi ouvert à son vieux compagnon.

2.

Bras de fer avec Damas

Une villa dans la banlieue de Tunis. Les gardes du corps de Yasser Arafat n'en croient pas leurs yeux. Dans le salon où attend leur patron, ils se bousculent pour voir entrer le plus invraisemblable des invités : un général israélien.

Bien sûr, Mattiyahu Peled n'est pas une huile de l'État-Major, encore moins un représentant officiel de son gouvernement – ni même un officier d'active. N'empêche qu'il a gagné, en se battant contre les Arabes, des galons de général. Et qu'il est là, serrant la main de l'homme au keffieh, maudit tous les matins par les sirènes de l'opinion israélienne. L'accompagnent Uri Avnery, ancien membre de la Knesseth, et Yaacov Arnon. Tous trois animent le comité israélien pour la Paix. En venant à Tunis, ils déclenchent une petite bombe.

Dès que le souffle s'en fait sentir en Israël, les passions se déchaînent. Le Likoud appelle à ce que les trois « traîtres » soient jugés pour « intelligence avec l'ennemi », et quelques semaines plus tard, des fanatiques de droite jetteront une grenade contre une manifestation pacifiste...

« Nous parlons, et nous continuerons à parler avec tous ceux qui sont prêts au dialogue, dit Arafat. Certes, les amis de la Paix ne sont pas la majorité en Israël, mais leur cause se renforce à mesure que la junte militaire israélienne montre son vrai visage. »

D'autres masques tombent à l'occasion de la rencontre Peled-Arafat, et pas seulement chez les Israéliens. Le lendemain même, les adversaires du chef palestinien sont assemblés à Tripoli, sous la houlette du bouillant Kadhafi. George Habbache du FPLP, Ahmad Djibril du FPLP-CG, Nayef Hawatmeh du FDLP, et le chef de la Saïka dénoncent en cœur « toute forme de négociation, de reconnaissance et de paix ».

La confrontation avec Damas devient inéluctable. Lors du Conseil National Palestinien d'Alger, du 14 au 22 février 1983, les dissidents montent au créneau. Ils condamnent la « dérive » d'Arafat, s'opposent à la solution politique, rappelant que « le rameau d'olivier n'a pas remplacé le fusil ».

« Je suis membre de l'OLP depuis 1964, explique Chafic el-Hout, représentant de l'organisation à Beyrouth – en traduisant le malaise qui prévaut au CNP – et j'avoue que je ne sais toujours pas vers quoi nous cheminons. Tenir des propos qui ne correspondent pas aux réalités pourrait passer pour une forme de trahison. »

Arafat mène une puissante contre-offensive, rencontrant en tête-à-tête les principaux membres du conseil. Le temps lui paraît d'autant plus mûr pour faire avancer l'idée d'une solution politique qu'Israël se retrouve plus isolé que jamais. Les deux anciens présidents américains Gerald Ford et Jimmy Carter, rien de moins, ont joint leur plume pour s'opposer dans un article commun du *Reader's Digest* à la politique d'implantations juives en Cisjordanie et à Gaza, « obstacle majeur à la paix ». Cette opinion fait son chemin sur les bancs du Congrès. Enfin, Hussein s'est porté garant de la réelle volonté des États-Unis de faire pour une fois pression sur Israël.

Arafat arrache au CNP le mandat qui l'autorise à mener comme il l'entend « tous les contacts diplomatiques appropriés ». Mais les débats d'Alger sont âpres, indécis jusqu'au dernier moment. Dans sa villa du Club des Pins, Ahmad Djibril abrite un conseiller personnel de Kadhafi, qu'il consulte avant chaque vote, durant chaque marchandage. De concert avec les pro-syriens, l'homme de Kadhafi prépare déjà l'éclatement du Fatah...

Le consensus impossible qu'Arafat a réussi à rapiécer à Alger ne survivra pas longtemps. Début avril, Arafat retourne à Amman. Soudain, le 7, on apprend que les négociations avec Hussein sont sur le point d'aboutir. On rédige un projet d'accord dans la matinée : il prévoit la participation d'une délégation mixte jordano-palestinienne à des négociations directes, le processus de reconnaissance mutuelle garanti par les États-Unis, moyennant l'acceptation de la résolution 242 par l'OLP. Arafat est satisfait. Et inquiet.

Peut-il, dans le contexte fragile de la politique palestinienne, imposer seul une telle concession ? La réponse, sa réponse, est non. S'il ne rallie pas une majorité autour de l'accord d'Amman, l'OLP éclatera, et le mouvement palestinien sera immobilisé pour des années. Arafat décide donc de soumettre le projet d'accord au comité exécutif de l'OLP, et réclame pour cela quarante-huit heures à Hussein. A Tunis, il défend le texte jordano-palestinien devant ses compagnons. On discute toute la nuit. Et la journée suivante. Et la nuit d'après. Au matin du 10 avril, le comité exécutif de l'OLP rejette l'accord d'Amman. Le roi Hussein annonce sèchement la rupture des négociations avec l'OLP.

C'est un jour noir pour Arafat. Des coups de feu ont éclaté à Albufeira, au sud de Lisbonne. Dans ce bourg, se tenait le congrès de l'Internationale Socialiste. Et c'est là que vient de mourir Issam Sartaoui, représentant et ami d'Arafat. Il devait prononcer un important discours, mais le Fatah-Conseil Révolutionnaire d'Abou Nidal a décidé de faire taire à jamais celui qu'il traîte de « criminel, traître, agent bradeur et despotique. » Présents à Albufeira, Willy Brandt, Walid Joumblatt, et même Shimon Pérès, rendent hommage au défunt.

Avec Sartaoui meurt la première victime d'une nouvelle guerre inter-palestinienne. Derrière Abou Nidal, Djibril, la Saïka ou les dissidents du Fatah, Arafat reconnaît la main de Assad, celle de Kadhafi.

Il décide de lancer un défi à ces dictateurs arabes qui contestent « l'autonomie de décision » de l'OLP. Ce sera l'heure de vérité, celle où apparaîtra clairement à qui appartient la légitimité, le droit de parler au nom du peuple palestinien, et de négocier une solution. Plutôt que d'attendre un nouveau pourrissement, Arafat décide de crever l'abcès.

Début mai 1983, il révoque, d'un coup, tout l'état-major militaire du Fatah au Liban. Abou Moussa, Abou Akhram, Abou Saleh, les dissidents destitués, hurlent au coup d'État. Comme ils refusent de se démettre, Arafat leur coupe les vivres. Cela ne change pas grand-chose : les dissidents sont déjà approvisionnés par Damas...

« Nous avons le droit, surtout après nos lourds sacrifices, de discuter, de contester, ou même de nous opposer à telle ou telle action de l'OLP, déclare le 3 mai un haut dirigeant du parti Baas syrien. Il est à la limite du supportable que Yasser Arafat refuse de coordoner sa politique avec celle de la Syrie-sœur ! »

Kadhafi va plus loin : « Quiconque a participé aux négociations israélo-palestiniennes doit être placé sur une liste noire, déclare-t-il, et la nation arabe doit le poursuivre et le tuer comme elle a tué Sadate. »

Arafat promet de lui « couper la langue ».

Non seulement il refuse de se plier, mais il a de surcroît l'audace d'aller lui-même dans la Békaa pour affronter ses lieutenants rebelles. Il s'expose ainsi à la fois aux Israéliens, qui occupent toujours plus d'un tiers du Liban et multiplient les raids aériens, et aux Syriens qui occupent le reste du pays dont la Békaa. Qu'importe : il entend placer les dissidents devant leurs responsabilités, face à face, d'homme à homme. C'est de la sorte qu'il a toujours réglé les crises d'autorité.

Cela ne suffit plus. Le 17 mai 1983, quatre membres

de la Force 17 (Kuwa't Sebatach), l'une des unités les plus proches d'Arafat, sont exécutés à Tripoli au Nord-Liban. Dans la Békaa, le différend entre les loyalistes d'Abou Jihad et les dissidents soutenus par Damas se poursuit à la kalashnikov. Les réfugiés palestiniens du camp al-Jalil, au sud de Baalbek tentent de s'interposer. Enfants, femmes, vieillards, se déversent sur le champ de bataille pour séparer les combattants, les exhorter à l'unité. Très vite, les troupes d'Abou Jihad se retrouvent en difficulté, coupées de leurs bases à Beyrouth et Tripoli.

Abou Moussa s'impose à la tête des rebelles. « Je n'ai rien personnellement contre Abou Amar (Arafat), déclare-t-il depuis son camp du vignoble de Ksara, d'où il coupe le repli des loyalistes. Rien non plus contre ceux qui furent mes compagnons de combat. Mais nos sacrifices n'ont pas été accomplis pour qu'on nous lance sans nous consulter dans des aventures politiques. Arafat a perdu la tête. Comment aurais-je pu accepter qu'il aille embrasser les mains du roi Hussein, et fasse de lui le bon marchand de notre paix avec Israël ? »

A Damas, un autre chef rebelle, Abou Akhram, accuse l'entourage d'Arafat d'inefficacité et de corruption. « Que ceux qui vivent dans les illusions des projets américains partent pour la Tunisie, lance-t-il, ils pourront ainsi se reposer sur les plages ! »

Khaled el-Hassan réplique depuis Tunis, accusant les rebelles d'avoir « outrepassé toutes les limites de la vie démocratique du Fatah en touchant de l'argent de l'étranger ». Il ne s'agit pas que d'une guerre de mots. L'ambassadeur lybien à Amman, qui demande l'asile politique en juillet, révèle que 34 millions de dinars lybiens ont transité par son ambassade afin d'aider les rebelles à déclencher leur soulèvement.

Des accrochages à l'arme automatique on passe à la bataille rangée, avec barrages d'artillerie, mouvements de blindés, ligne de démarcation. Le FPLP-CG se range, on s'y attendait, aux côtés des rebelles, qui envahissent les bureaux de l'OLP à Amman sous l'œil amical des Syriens. Le 4 juin, les combats font quarante morts dans la Békaa, et les réfugiés du camp al-Jalil jouent une fois de plus les casques bleus.

Les Soviétiques s'en mêlent. Ils se retrouvent pris au piège, comme en 1976, de leur alliance avec la Syrie et de leur soutien à Arafat, mais cette fois-ci Andropov tranche. Tandis qu'il expédie le diplomate Evgueni Bramakov sur le terrain, il envoie à Assad et Arafat deux messages personnels, dans lesquels il appelle au compromis et soutient « la direction légitime conduite par le président Arafat ».

De nouveau, Arafat quête à travers le monde arabe les soutiens qui pourront faire plier Assad. En quelques jours il vole d'Alger à Riyadh, de Riyadh à Sanaa, de Sanaa à Koweït. Et comme en 1976, il s'agit pour lui d'une course contre la montre. La violence inter-palestinienne rejoint la violence libanaise, les deux conflits se fondent, se catalysent. Pour ensevelir l'accord israélo-libanais signé le 17 mai 1983 à l'hôtel Lebanon Beach, les artilleries druzes et syriennes reprennent le pilonnage de Beyrouth.

Pendant ce temps, le Fatah déjoue un complot du groupe Abou Nidal contre Abou-Jihad. Le commando de vingt hommes est passé par les armes et les combats redoublent. Le 19 juin, un bataillon libyen qui piétinait au Liban depuis un an s'engage aux côtés des rebelles, et le lendemain les chars syriens ouvrent à leur tour le feu sur les hommes d'Arafat.

Toutes les médiations échouent les unes après les autres. Les loyalistes ont établi leur base opérationnelle à Tripoli, dans le camp de Nahr el-Bared noyé sous une pluie d'obus. Rien ne semble plus pouvoir arrêter le plan syrien, ni les appels venus de Cisjordanie, de Jérusalem-Est, du monde arabe, des émissaires algériens et soviétiques envoyés à Damas.

Alors, le 23 juin, Arafat retourne dans la capitale syrienne. Aussi imprévisible qu'à l'accoutumée, il veut discuter face à face avec les rebelles et réceptionner un message d'Andropov. Le soir, il se rend chez Rifat al-Assad. Une vive altercation éclate dans la villa du vice-président. N'ayant pas le sang-froid de son frère aîné, Rifaat menace. Et lorsqu'il menace, ses termes sont toujours d'une clarté terrifiante.

Mais Arafat décide ce soir-là de changer de programme. Il devait retourner au Liban ? Il dormira à Damas dans le plus grand secret...

« Nous avions reçu un message de George Habbache, dit l'un de ses gardes du corps. George savait que quelque chose se préparait contre le Vieux, et il ne voulait pas en être le complice. »

Tandis qu'Arafat passe la nuit sous bonne garde chez un ami diplomate, le convoi qui devait le ramener au Liban tombe dans une embuscade à cinquante kilomètres, sur la route Damas-Homs. Après une courte fusillade, des troupes syriennes détruisent au lance-roquette la Mercedes blindée du chef de l'OLP.

« Imbéciles, ce n'est pas vous qu'on voulait ! » criera l'un des assaillants, penché sur le corps d'un chauffeur blessé. L'embuscade a fait une quinzaine de morts.

Le lendemain matin, réapparaîssant comme un diable surgit de sa boîte, Arafat convoque les chefs palestiniens et dénonce les comploteurs. « Les Syriens veulent décider pour les Palestiniens, dit-il, mais cela ne sera donné à personne ! » Assad n'apprécie pas. En fin de matinée, Arafat reçoit un ultimatum. A 13 heures, on l'expulse. Mais c'est un homme ravi qui grimpe dans un jet privé en compagnie de ses principaux collaborateurs : il a contraint l'adversaire à jeter le masque.

Quelqu'un manque aux côtés d'Arafat. C'est Abou Jihad, encerclé dans la Békaa avec ses hommes. Les Syriens lui coupent toutes les routes de retraite vers le nord, et les combats reprennent le 2 juillet. Habbache, Hawatmeh, appellent au cessez-le-feu, et des civils envahissent en vain le champ de bataille, à Mazaat Aboud, pour faire taire la mitraille.

Second camouflet pour le président syrien : le grand mufti de Jérusalem, cheikh el-Alami, appelle les Musulmans à « tuer le président Assad, tyran qui a la mort de milliers d'innocents sur la conscience ».

Une lutte au finish s'engage, pour le plus grand délice des Israéliens qui relèvent dans les combats interpalestiniens une « conséquence directe de l'intervention israélienne au Liban ». Les duels à l'arme lourde s'étendent à Zahlé, Jdaïté, Baalbek. Mais les loyalistes résistent, s'accrochent.

Incapable d'emporter une décision rapide, Abou Moussa se voit convoquer le 8 août à Damas et tancer vertement par ses sponsors syriens.

Le 17 août, la dissidence change de camp. Cette fois, les transferts se produisent en sens inverse, et ce sont cinq commandants du FPLP-CG d'Ahmas Djibril qui rejoignent les partisans d'Arafat à Tripoli. En une semaine, ils se rendent maîtres du camp de Baddaoui. Alliés aux islamistes sunnites du cheikh Chaabane, les loyalistes contrôlent désormais en totalité la seconde ville du Liban.

Une autre horreur escamote quelques semaines la guerre palestino-palestinienne. Sans prévenir, le 3 septembre, les Israéliens évacuent le Chouf et le Haut-Metn au-dessus de Beyrouth. L'armée libanaise n'a pas le temps de se déployer dans ces montagnes où Druzes et Chrétiens vivent côte à côte, et trente-cinq villageois chrétiens sont égorgés à Bmanian, quarante-quatre Druzes massacrés à Kfarmata. Au prix de batailles féroces, sous le feu des redoutables canons de la VIe flotte américaine, le PSP de Walid Joumblatt s'empare de toute la montagne chouffiote, occupant tour à tour Bhamdoun, Chratoun et Richmaya. L'horreur atteint son paroxysme à Deïr el-Qamar, où mille cinq cents Chrétiens sont tués par les combattants druzes, le cimetière profané, les églises violées ou dynamitées.

Devant cette soudaine conflagration, les Américains qui, un instant, avaient songé à débarquer au Liban, décident de faire machine arrière et négocient en secret un nouveau statu quo avec Hafez el-Assad.

Des diplomates reconnaîtront devant la commission des relations étrangères du Sénat que l'impulsion de ce nouvel agrément est venu d'Israël. Jérusalem a supplié durant des jours Washington de laisser Hafez el-Assad faire au Nord-Liban ce qu'Israël n'avait pas pu achever à Beyrouth : la destruction de l'OLP. Et quand soudain, le 27 septembre, le Département d'État américain déclare au cours d'une nouvelle volte-face : « Nous avons admis l'idée que la Syrie a des intérêts au Liban et qu'il existe un lien entre les deux pays sur le plan de la sécurité », les diplomates en poste au Moyen-Orient décodent sans mal le message.

C'est le signal de l'hallali.

3.

Dernier round contre Assad

Arafat ne supportait pas d'être séparé de ses hommes. Dans le plus grand secret, il les a rejoint dans Tripoli assiégée. Il y retrouve Abou Jihad, qui a pu se dégager du piège syrien dans la Békaa et remonter jusque-là.

Pour des raisons de sécurité, le retour d'Arafat n'a été annoncé que plusieurs jours après. A Tunis, à Koweït, à Amman ou à Jérusalem-Est, beaucoup de ses amis sont consternés : cela ressemble à un suicide.

« Le vieux lion aura voulu mourir parmi les siens, comme il a vécu, sans voir les ruines de l'OLP divisée », disait à Beyrouth un diplomate arabe. C'est mal connaître Arafat.

En revenant à Tripoli, explique-t-il, « je tenais à révéler la véritable dimension de notre lutte à l'opinion arabe et internationale. J'ai voulu amener les acteurs comparses sur le devant de la scène. J'ai ainsi réussi à obliger les véritables acteurs israéliens et arabes à se démasquer et à m'affronter directement sur le terrain ». Il ajoutera plus tard : « J'ai mis chacun devant ses responsabilités. Voulez-vous une OLP enchaînée dans un monde arabe enchaîné ? » ai-je demandé à nos frères arabes. « Ou voulez-vous enfin consacrer les droits des Palestiniens à parler pour eux-mêmes dans un monde arabe débarrassé de ses chaînes ? »

La finesse du débat, il faut le dire, n'apparaît guère dans la fumée des combats. Les plus avisés des journaux occidentaux donnent Arafat pour fini, politiquement, militairement. Les plus courtois se demandent comment le chef de l'OLP fera cette fois pour se tirer de là...

Durant tout le mois d'octobre 1983, on a huilé les canons, empilé les obus, assemblé les hommes et fourbi les fusils. Syriens et pro-syriens ont occupé des positions dans la montagne, d'où ils tiennent la ville à leur merci. A Damas, ils ont organisé une espèce de sommet pour se mettre d'accord sur le nom du successeur d'Arafat : le sempiternel Khaled el-Fahoum.

La bataille de Tripoli éclate le 2 novembre. Des centaines de tonnes d'obus se croisent au-dessus de la ville. Touchés, la raffinerie et les dépôts d'hydrocarbures s'embrasent, couvrant Tripoli d'un lourd nuage noir visible à des dizaines de kilomètres. Le champ de bataille se retrouve plongé dans une lumière crépusculaire, les ambulances et les taxis des journalistes devant allumer leurs phares. Les troupes d'Abou Moussa se brisent sur les défenses des camps de Nahr el-Bared et Baddaoui, dont la population a pris les armes pour soutenir Arafat.

Étrangement calme dans cette mêlée, le chef de l'OLP rédige chaque matin ses ordres pour la journée, comme il avait pris l'habitude de le faire durant le siège de Beyrouth. Il prie, et, détail qui souligne l'extraordinaire des circonstances aux yeux de ses hommes, il se rase.

Non, il ne compte pas gagner militairement contre la

Syrie et ses alliés. Leur résister, déjà, est un exploit. Arafat veut simplement les contraindre à montrer leur sauvagerie au reste du monde arabe. Sa guerre, il la mène au téléphone. Appelant les principaux leaders du monde arabe, il tend le combiné à bout de bras pour les faire profiter de l'effarante musique du feu syrien. A Riyadh, à Koweït, à Amman, le bruit des bombes dérange.

Pilonnés depuis la montagne, repoussant jour après jour les assauts sur Baddaoui et Nahr el-Bared, les partisans de Yasser Arafat ne peuvent même plus espérer s'échapper par la mer : trop heureuse de prêter la main au blocus syrien, la marine israélienne s'est déployée dans la baie. Elle bombarde bientôt les arafatistes encerclés avec leurs alliés tripolitains. Les Libanais, membres des partis de gauche ou militants du MUI du cheikh Chaabane font cause commune avec les Palestiniens. Ils assurent le ravitaillement des camps et défendent la ville contre les percées syriennes. « Comme ceux de Beyrouth, nos amis de Tripoli ont compris où était l'honneur arabe et les intérêts à long terme du Liban tout entier, dit Yasser Arafat. Nous avons eu des discussions intéressantes avec les gens du cheikh Chaabane. Ils voulaient savoir pourquoi je ne déclarais pas la révolution islamique. Je leur ai expliqué que je n'étais pas le chef d'un parti ou d'une organisation, mais celui du peuple palestinien. Je suis le chef des Chrétiens palestiniens et des Juifs palestiniens. Il y a des militants juifs au sein de l'OLP. Certains sont d'ailleurs aujourd'hui dans les prisons israéliennes. »

Devant les images des ruines fumantes de Baddaoui, les Koweïtiens, les Saoudiens, les Égyptiens se mobilisent un à un. Sans doute sont-ils les moins empressés à voir l'OLP tomber aux mains de radicaux stipendiés par Damas. Ils joignent leurs efforts à ceux de la France et de l'Union soviétique, qui tentent de dégager une solution au sein du Conseil de Sécurité. Il faut faire vite : de septembre à décembre, les combats de Tripoli ont fait près de mille huit cents morts...

Pour la seconde fois en un an et demi, la France se retrouve intéressée au destin de l'OLP. En juillet déjà, lors des combats de la Békaa, le ministre des Affaires étrangères Claude Cheysson avait choqué ses hôtes en déclarant depuis Damas : « La France réaffirme son soutien à l'OLP et son attachement à l'unité de la centrale palestinienne. » Propos tout à fait inédits dans l'histoire des relations internationales, où les États occidentaux n'ont pas pour habitude de soutenir les mouvements de libération...

Paris veut imposer, avec l'aide de Moscou, une solution honorable à toutes les parties : une évacuation, comme à Beyrouth en août 1982. Hélas, lorsqu'ils défendent cette idée devant le Conseil de Sécurité, les États-Unis opposent leur véto. Washington ne veut pas sauver la mise à Arafat une seconde fois. L'OLP étant divisée, expliquent-ils à leurs amis français, pourquoi chercher à préserver un interlocuteur qui ne représente personne ?

Un appel téléphonique d'Hosni Moubarak va faire changer d'avis le président Reagan. Par un seul coup de téléphone, le président égyptien va acheter son billet de retour au sein du camp arabe : si les Américains laissent mourir Arafat à Tripoli, dit en substance Moubarak à Reagan lorsqu'il l'appelle début décembre, l'Égypte déchirera le traité de paix avec Israël !

Devant cette sinistre perspective, la Maison-Blanche décide de laisser faire ses alliés européens. Le 15 décembre, le gouvernement grec annonce qu'il a mis en place un plan d'évacuation : cinq navires grecs doivent appareiller pour Tripoli sous la protection de la marine française.

Les Italiens participent eux aussi à l'opération. Le 17, ils embarquent une centaine de blessés à bord d'un navire-hôpital. La rade de Tripoli s'est transformée en un décor de fin du monde. Les vaisseaux de guerre français, israéliens, syriens, se croisent à quelques encablures dans la brume hivernale. Américains et Soviétiques ne sont pas très loin. Il suffirait d'une étincelle...

Cela n'empêche pas les navires israéliens de bombarder à nouveau le port. « Israël demeure conforme à ses options en luttant contre le terrorisme, et regrette que les initiatives françaises aillent à l'encontre de cette attitude », déclare le gouvernement de Jérusalem.

Les combattants palestiniens quittent leurs casemates, leurs tranchées et, dans des scènes surréalistes, vont acheter dans les boutiques de Tripoli des valises, des vêtements, des souliers. La plupart n'ont que leurs treillis sur eux et les officiers payeurs du Fatah distribuent des viatiques en vue du nouvel exil. Pendant ce temps, les diplomates arrangent les derniers détails. La gendarmerie libanaise devra se déployer sur les positions laissées vacantes par les arafatistes.

Peu avant l'heure fixée pour l'évacuation, le lundi 19 décembre, l'aviation israélienne bombarde les jetées et largue des mines en travers de la rade. Fidèle à son « nez » légendaire, Arafat retarde le départ, arguant des difficultés de dernière minute. Les mines explosent à l'heure où son bateau devait quitter le port.

Enfin, le 20 décembre, quelque quatre mille trois cent vingt-six combattants loyalistes affluent vers le port avec leurs jeeps et leurs drapeaux. Au terme de l'accord négocié par la France, ils peuvent emporter avec eux leur armement léger, et remettent ce qui reste à leurs alliés locaux. Des tirs de joie et des youyous accompagnent les fédayines jusqu'aux quais, où les attendent les cinq ferries affrêtés par la Grèce.

De son quartier général, Arafat dit adieu à la presse, aux réfugiés civils et à ses amis libanais. « Vous êtes ici un invité, lui dit cheikh Chaabane, ce sont les autres qui sont venus de l'extérieur. Vous quittez Tripoli, mais nous nous retrouverons : à Jérusalem ! »

Le premier ferry appareille à 14 heures. Une demi-heure plus tard, la voiture de Yasser Arafat s'engouffre à bord de l'*Odysseus Elytis.* Les lourdes portes se referment sur dix ans d'aventures libanaises, et on largue les aussières. A quai, les femmes palestiniennes pleurent en levant le poing : le navire grec glisse entre les dix bâtiments de l'escadre française, dépasse le Clemenceau et disparaît au milieu de son escorte.

Destination : Hoddeïdah.

Pour rejoindre le port du Nord Yemen, il faut franchir le canal de Suez. Personne n'imagine encore les conséquences de cette nécessité géographique. Depuis le voyage de Sadate à Jérusalem, l'OLP a rompu avec l'Égypte qui vit, en réprouvée, au sein du monde arabe.

Le soir du 21 décembre, l'*Odysseus Elytis* relâche à Port-Saïd. La marine égyptienne fait retentir ses cornes de brume pour accueillir le chef palestinien, les sirènes hurlent et la ville toute entière se déverse sur les quais. Arafat a le cœur serré. L'Égypte est le pays où il a grandi, et dont il a gardé l'accent – on le lui reproche assez ! Ayant toujours considéré Le Caire comme l'axe central du monde arabe, il a vécu comme un drame la rupture de Camp David. Le geste de Moubarak durant le siège de Tripoli, les lueurs de Port-Saïd en liesse achèvent de l'émouvoir et, sans même oser la formuler tout haut, il se pose la question : n'est-il pas temps de renouer avec l'Égypte ?

Enfin, il pose la question à Abou Jihad. Mais le vieux compagnon présent à ses côtés à bord de l'*Odysseus Elytis* n'en croit pas ses oreilles.

« C'est de la folie ! dit-il. Pas maintenant ! »

Abou Jihad fait tout pour dissuader Arafat, évoque les conséquences fatales que le geste pourrait avoir pour l'OLP ; il se bat contre un mur. Au calme d'Arafat, Abou Jihad sait que la décision est déjà prise.

Le lendemain matin, le ferry grec passe à Ismaïlia. Le Premier ministre Fouad Mohieddine et son collègue des Affaires étrangères, Boutros Ghali, attendent sur le quai. Ils accompagnent Arafat jusqu'à l'hélicoptère qui décolle pour Le Caire.

Moubarak les accueille sur la pelouse de son palais de Roubeh. Il embrasse Arafat, qui encense publiquement l'Égypte, « véritable soutien du peuple palestinien en ces moments difficiles ». Et, pour mieux torturer le Syrien Hafez el-Assad, Arafat enfonce encore le clou au cours d'une interview au quotidien égyptien *al-Ahram* : « Je voudrais proclamer à haute voix, dit-il, que l'Égypte a réintégré le monde arabe ! »

C'est trop. Pour Assad, mais aussi pour nombre des collègues d'Arafat au Comité central du Fatah et à l'OLP.

En dehors d'Abou Jihad, qui s'y est opposé, personne n'a été consulté sur l'initiative de Yasser Arafat. Les dirigeants historiques se réunissent à Tunis, dénonçant la « violation du principe de la direction collégiale. » Même le très modéré Khaled el-Hassan est contre, et Abou Iyad parle de « sanctionner la faute ». Quant à George Habbache, il exige dès le lendemain qu'Arafat soit tout bonnement « limogé. »

« Si j'étais rentré à Tunis, ils m'auraient lynché », dit Arafat, qui poursuit sa route vers le Yémen, comme si de rien n'était. Après l'apaisement des passions, ses amis comprendront qu'il n'a pas embrassé Moubarak sous le simple coup d'une bouffée d'affection. Le geste scandaleux a d'abord une origine politique : une OLP en guerre contre les radicaux du camp arabe ne peut rester coupée des modérés. En renouant avec l'Égypte, Arafat crée une nouvelle donne, et place sur la défensive tous ceux qui l'avaient vu vaincu à Tripoli.

Surtout, il gêne Israël.

« L'accueil de l'Égypte au chef meurtrier de l'OLP est un coup sévère porté à la paix », déclare le porte-parole du gouvernement, tandis qu'Ariel Sharon regrette ouvertement de ne pas avoir aidé la Syrie à finir la besogne durant le siège de Tripoli.

« Ma visite au Caire a ouvert une nouvelle ligne de front, un front politique », dit Arafat. Et lorsqu'il rentre enfin à Tunis, en grande pompe, le 30 décembre 1983, il peut déclarer avec une assurance qui ébahit le corps diplomatique présent à l'exception de l'ambassadeur américain : « Tel le phœnix, la révolution palestinienne renaît toujours de ses cendres, plus forte, plus vigoureuse. »

4.

L'indépendance de décision

Les seuls Palestiniens qui approuvent la visite d'Arafat au Caire sont ceux à qui on ne demande jamais rien. Les réfugiés du camp de Yarmouk, près de Damas, par exemple. Lorsqu'Ahmad Djibril les rassemble pour dénoncer le « traître Abou Amar, » ils transforment le meeting en manifestation de soutien au chef de l'OLP et brandissent son portrait.

Même élan populaire en Cisjordanie occupée. Le peuple des territoires, desespéré par les mesures vexatoires, la répression et le grignotage de leurs terres par les colons israéliens, voit un signe d'ouverture dans le baiser du Caire. « Nous sommes au fond de l'océan, dit Elias Freij, le maire de Bethléem. Nous n'avons plus aucun moyen d'empêcher la poursuite des implantations juives. Si l'on ne fait rien rapidement, la Cisjordanie sera perdue. C'est l'existence même d'un million et demi de Palestiniens et le caractère arabe des territoires qui sont en jeu. Nous ne pouvons aller nulle part. »

C'est conscient de ce soutien qu'Arafat va maintenant reprendre en main le mouvement palestinien. Il veut apporter à ceux qui parlent encore d'« éclatement de l'OLP » un démenti cinglant, et sceller la fameuse autonomie de décision palestinienne pour laquelle il s'est battu à Tripoli.

Sans trop s'en rendre compte, en bombardant les positions des dissidents du Fatah au Liban, les Israéliens vont dorénavant lui donner un coup de main. Le 4 janvier 1984, l'un de ces raids fait cent morts à Baalbek : il visait à la fois une caserne chiite et le camp de réfugiés al-Jalil. Devant les corps des femmes et des enfants drapés de blanc devant la mosquée, Abou Moussa a bien du mal à entretenir le thème de la division...

A cette violence aveugle, une autre violence répond. Une grenade jetée contre un autobus par un homme d'Abou Nidal fait trois morts à Ashdod le 7 mars 1984, et le 2 avril, trois fédayines ouvrent le feu sur un autre autobus, cette fois en plein Jérusalem. La rue King George se transforme en scène de western : passants armés et policiers répliquent aux terroristes, et l'on dénombre en quelques minutes deux morts (dont l'un des terroristes) et quarante-huit blessés. L'attentat, revendiqué depuis Beyrouth par la « cellule des martyrs de Sabra et Chatila » du FDLP, relance le débat sur la sécurité en Israël.

A Tunis, en revanche, l'OLP condamne la tuerie, et signale qu'elle ne correspond pas aux « opérations approuvées », puisqu'elle frappe des civils et non des militaires.

Dix jours plus tard, Le FPLP détourne à son tour un autobus de la compagnie Egged entre Tel Aviv et Ashkelon. Bloqué par l'armée et le Shin Beth, la police secrète israélienne, le bus est pris d'assaut dans la nuit du 12 au 13 avril. L'un des quarante-cinq passagers, une femme-soldat, succombe des suites de ses blessures. Quant aux quatre terroristes, une commission d'enquête établira qu'ils ont été illégalement exécutés après l'assaut par les hommes du Shin Beth, au lieu d'être déférés devant la justice.

« La violence extrémiste engendre la contre-violence extrémiste, dit alors Arafat au *Nouvel Observateur.* Ce que je veux, moi, c'est la paix. Je suis contre les opérations qui visent des civils. Je l'ai dit mille fois. »

Mais pour empêcher le mouvement de glisser à nouveau dans une phase de violence incontrôlée, Arafat doit pouvoir dégager une perspective politique. Et pour cela, il faut tenir un Conseil National. Contactées les unes après les autres, la plupart des capitales arabes se défilent. Accueillir le CNP reviendrait à entrer en guerre froide avec le régime syrien et, en ces temps troublés, personne n'en a envie. Du coup, Abou Iyad suggère : « Au train où vont les choses, nous pourrions tenir le CNP sur un navire au milieu de la Méditérranée! »

Quoiqu'opposés à « la politique de déviation et de division pratiquée par la direction capitularde d'Arafat », le FPLP, le FDLP, le FLP et le PCP acceptent malgré tout de rencontrer le Fatah à Aden, puis à Alger. Le 23 avril, ils donnent leur accord à la tenue d'un CNP, mais sans fixer de date. Derrière ces querelles d'agenda se joue une guerre politique majeure. Elle oppose la Syrie à l'OLP. Pour la gagner, Arafat, est prêt aux manœuvres les plus inattendues.

Il retourne à Amman le 2 mai 1984, afin de renouer les négociations rompues l'année précédente. Hussein, grâce à ses liens avec l'Ouest, demeure l'un des acteurs obligés de tout règlement. C'est d'ailleurs de chez lui que François Mitterrand choisit de lancer un appel aux Palestiniens.

« Je ne demande pas à l'OLP de reconnaître l'État d'Israël de façon unilatérale, déclare-t-il en juillet 1984. Je demande à l'OLP d'accepter la résolution (242) des Nations-Unies d'une façon claire pour que la centrale palestinienne puisse s'insérer dans le processus de discussions voulu par l'ONU. Cela n'a pas vraiment été fait jusqu'alors. Je ne demande pas de reconnaissance unilatérale. Ce serait injuste. Il n'y a pas de raison que l'OLP, qui est un mouvement en lutte, fasse des concessions a priori sans savoir à quoi cela servirait... »

Peu à peu se constitue un nouveau front modéré au sein du camp arabe. En août 1984, Arafat annonce que le roi Hussein et lui se sont mis d'accord sur le principe d'une confédération jordano-palestinienne, qui sera réalisée après l'indépendance palestinienne. Cela peut paraître une discussion de point d'aiguille, mais là encore, le réel objet de l'accord n'a d'autre but que de donner des gages à Washington. Car la Maison-Blanche ne veut parler aux Palestiniens qu'à travers le parrainage d'États arabes modérés, et la voilà rassurée, lorsque la Jordanie renoue en septembre ses relations avec l'Égypte. Ainsi, ce diable d'Arafat à réussi à ramener l'Égypte au sein du camp arabe, et l'Irak ne tarde pas à rejoindre le nouvel axe qui se constitue, bien sûr, au détriment de la Syrie.

Arafat s'apprête à infliger l'humiliation finale à Hafez el-Assad : début novembre, le Fatah et ses partenaires de l'alliance démocratique (FPLP, FDLP, FLP et PCP) accouchent enfin d'un accord à Alger. Abou Jihad annonce que le CNP ouvrira à Amman le 22 novembre.

Amman ! A Damas, c'est le branle-bas de combat. Rien ne peut être plus odieux au régime syrien que le choix de la capitale jordanienne, rivale et ennemie politique. Après avoir tenté de dissuader tous les pays d'accueillir le CNP, Hafez el-Assad va tout faire pour empêcher les Palestiniens de s'y rendre.

Il reste tout juste douze jours. Khaled el-Fahoum, président en titre de l'assemblée palestinienne, rejette depuis Damas la convocation lancée par Arafat. Il fait les comptes avec Assad : pour que le Conseil puisse se tenir, Arafat doit impérativement réunir un quorum des deux tiers des délégués, soit deux cent cinquante-deux membres. Les services de renseignements syriens retroussent leurs manches, ratissent la Syrie, le Liban, confisquant tous les passeports des délégués qu'ils parviennent à localiser. On refait les comptes : cela ne suffit pas. Khaled el-Fahoum appelle alors un à un tous les délégués qu'il connait à l'étranger. Aux uns il promet de l'argent, aux autres il évoque les « inconvénients » qu'il y aurait à défier la Syrie sœur. Abou Moussa, Ahmed Djibril se transforment à leur tour en standardistes. Hélas pour eux, ils ne sont pas les premiers à appeler. Arafat est passé avant...

Les délégués suivent mot à mot ses recommandations : ils assurent Fahoum qu'ils resteront sagement à la maison, raccrochent... et sautent dans l'avion pour Amman. Khaled el-Fahoum refait une dernière fois l'addition : cent quarante absents. Il annonce triomphalement que le quorum ne sera pas atteint. Mais ses comptes sont pipés.

22 novembre. Dans une ambiance survoltée, les délégués du CNP arrivés à Amman se comptent et se recomptent : 257 ! Le Conseil proclame le début des travaux, et la séance inaugurable s'ouvre en présence du roi Hussein, qui invite les délégués à coordonner leur politique avec celle du royaume. Surtout, il appelle les Palestiniens à accepter la résolution 242, afin d'ouvrir la voie à la conférence internationale sur la paix au Moyen-Orient.

« Si vous acceptez cette proposition, dit le souverain, nous sommes disposés à faire route avec vous. Si vous croyez que l'OLP est capable d'agir seule, alors nous vous dirons : " bonne route ! " Vous avez notre appui. En définitive, c'est à vous de décider. »

La nouveauté du ton ne suffit pas à faire accepter le message. La question de la résolution 242 divise toujours les Palestiniens, au point qu'à l'hôtel Inter-Continental, où il réside, Abou Jihad a refusé de dormir dans la chambre 242 qu'on lui avait attribuée. « Pourquoi reconnaître la 242 sans savoir ce qu'on aura en échange ? » interrogent la plupart des délégués. Le malaise gagne l'assemblée...

« Ce n'est pas assez de dire non à tout, lance le représentant de l'OLP à Beyrouth, Chafiq el-Hout. A quoi pourrions-nous dire oui ? J'admets qu'au sein de l'OLP, nous ne sommes pas capables de prendre une décision claire là-dessus. »

D'accord pour remplacer Khaled el-Fahoum ou exclure Ahmad Djibril, le CNP ne l'est pas pour approuver en bloc la politique d'ouverture de Yasser Arafat. Alors, au soir du 27 novembre, le chef de l'OLP prend la parole pour exprimer sa « profonde amertume » devant les critiques dont il est l'objet.

« Il m'arrive souvent de me poser des questions sur

mes propres choix, avoue-t-il du haut de la tribune, de me demander si mes orientations politiques sont justes. » Et, avec ce sens du théâtre qui l'a souvent sauvé, il annonce aux délégués médusés qu'il leur remet sa démission.

Arafat quitte la tête de l'OLP!

Les délégués n'ont pas le temps de comprendre. Il a quitté la séance, retournant à son hôtel où, toute la nuit, les visiteurs vont se succéder pour le supplier de revenir sur sa démission. Arafat se laisse convaincre avec un plaisir malin. C'est porté en triomphe qu'il entre à la séance du lendemain.

« Il vous appartient de décider si je dois rester ou partir, tonne-t-il d'une voix qui fait trembler les vitres du Palais de la Culture d'Amman. J'ai présenté cette démission non pas pour fuir mes responsabilités, mais pour donner une leçon à l'Histoire. Aucun pays arabe n'a le droit de venir nous dire qui doit diriger l'Organisation! »

Mettant à profit ce plébiscite improvisé, Arafat fait adopter son programme politique. Il y aura donc dialogue. Sans les amis de Damas.

5.

« La dernière chance... »

« Je pense que jamais meilleures conditions n'ont été réunies pour rechercher la paix. Et qui sait si ces conditions seront jamais aussi bonnes qu'elles le sont maintenant? C'est pour cela je pense qu'on peut parler de dernière chance... »

Ronald Reagan y croit. Ces mots prononcés le 31 mai 1985, à l'issue de la visite à Washington du roi Hussein de Jordanie, redonnent confiance aux diplomates qui suivent le Moyen-Orient. Enfin, il se passe quelque chose!

L'offensive diplomatique du roi Hussein prend ses racines au lendemain du conseil palestinien d'Amman en 1984. Avec Arafat, le monarque a décidé que, pour faire avancer la paix, il fallait d'abord relancer le dialogue avec la Maison-Blanche. Et tous les modérés du camp arabe soutiennent avec intérêt cette nouvelle initiative...

Début 1985, Abou Jihad part s'installer à Amman. L'homme qui représentait Arafat à Alger quand le Fatah y publiait ses premiers communiqués, qui menait les commandos derrière les frontières d'Israël quand l'heure était à la seule lutte armée, qui commandait les troupes au Liban alors que l'OLP y faisait la guerre, a toujours joué un rôle central dans la politique palestinienne. Qu'il choisisse aujourd'hui la Jordanie consacre bien la nouvelle position de l'organisation : « Maintenant, on négocie. »

Arafat lui a confié deux mandats. Le premier : prendre en charge l'organisation des Palestiniens dans les territoires. Dès cette époque, Abou Jihad met en place les relais qui serviront deux ans plus tard à l'OLP pour soutenir l'Intifadah. Deuxième mandat : préparer l'accord avec le roi Hussein, afin que la Jordanie et l'OLP fassent cause commune dans le processus de paix.

Signé le 11 février 1985 par Hussein et Yasser Arafat, le document se base sur l'idée de « la terre contre la paix. » Et tout en évitant la référence directe à la résolution 242, le texte accepte comme base de négociation *toutes* les résolutions de l'ONU, « y compris les résolutions du Conseil de Sécurité. » Il revendique le « droit du peuple palestinien à l'autodétermination », principale lacune de la 242 aux yeux des Palestiniens, et appelle à la tenue d'une conférence internationale.

C'est là une ouverture majeure. Si large qu'une fois de plus, Arafat se trouve obligé de louvoyer entre la réalité politique et l'opinion palestienne, largement opposée à de telles concessions.

« Nous ne rejetons pas la 242 pour le plaisir de la rejeter, explique-t-il au *Washington Post.* Nous la rejetons parce qu'elle ne traite pas les Palestiniens en tant que peuple. »

Après mûr examen, les Américains font savoir qu'ils sont intéressés. « Pour la première fois depuis des années, reconnaît le secrétaire d'État George Shultz, il y a des signes d'un nouveau réalisme et d'une nouvelle responsabilité des principaux leaders de la région. »

Enfin, presque tous. A Damas, l'accord Hussein-Arafat est dénoncé comme « un coup de poignard », et George Habbache entonne l'air de la trahison au cours d'une conférence de presse : « Yasser Arafat ne représente plus le peuple palestinien ! déclare-t-il. Il restera les mains vides, et n'obtiendra des États-Unis que la destruction de l'OLP ! »

Mais en Syrie, ce n'est pas avec les mots que l'on conduit les polémiques : les réfugiés palestiniens du Liban vont à nouveau payer de leur vie les divergences entre Damas et l'OLP. En avril 1985 éclate la première « guerre des camps ». Les milices musulmanes ont fait main basse sur Beyrouth-Ouest l'année précédente et, après s'être débarrassés des miliciens sunnites, les chiites d'Amal soutenus par Damas tuent maintenant des dizaines de Palestiniens à Sabra, Chatila, Bourj el-Brajneh. Pour prix de son coup de main, Amal recevra cinquante chars soviétiques T-54 mis au rebut par l'armée de Damas. De fusillades en enlèvements on passe aux bombardements massifs, et les camps à peine relevés des ruines de 1982 retournent à la désolation.

Conscient du risque de cette nouvelle escalade, le roi Hussein se rend aux États-Unis en mai. Il trouve l'administration Reagan divisée, incertaine. Malgré tout, George Shultz concède un scénario pour amener l'OLP jusqu'à la table des négociations. Satisfait, le roi Hussein appelle le 31 mai à l'aube Arafat depuis Washington, et lui en donne les grandes lignes.

Acte I. Le secrétaire d'État adjoint, Richard Murphy, rencontrera une délégation palestino-jordanienne à laquelle n'appartiendra aucun membre notoire de la direction de l'OLP.

Acte II. Arafat annoncera que l'OLP reconnaît explicitement les résolutions 242 et 338 – et donc, implicitement, l'existence d'Israël.

Acte III. Murphy rencontrera Arafat à Amman, et les États-Unis accepteront l'OLP à la table des négociations.

Véritable baromètre politique, la violence au Liban suit à la hausse ces résultats spectaculaires. La guerre des camps repart de plus belle, tandis que l'Occident découvre les nouvelles règles du jeu imposées par les mouvements chiites : attentats, prises d'otages, assassinats, détournements... En juillet, le monde entier suit en direct l'épopée d'un Boeing de la TWA immobilisé par les « combattants de Dieu » sur le tarmac de l'aéroport international de Beyrouth.

On compte déjà quatre otages français, sept Américains, un Italien, et la liste va s'allonger. « On ne peut plus comme autrefois appeler le bureau de l'OLP, se plaint un diplomate à l'ambassade de France, et demander à M. Arafat s'il peut arranger ça... »

Arafat lui-même se retrouve du côté des victimes. En juin, les Syriens tentent d'abattre son avion en vol entre Amman et Tunis. Cela ne l'empêche pas de poursuivre le processus entamé avec Hussein. Il fournit au roi, début juillet, une liste de sept personnalités modérées, dans laquelle les Américains doivent retenir quatre noms. Ayant en fait soumis la liste aux Israéliens, ils n'en retiennent que trois : ceux d'Hanna Siniora, le rédacteur en chef du quotidien de Jérusalem-Est *Al-Fajr*, du bâtonnier de Gaza Faïez Abou Rahmeh, et de Nabil Chaath, conseiller d'Arafat de nationalité égyptienne. Quant au quatrième, les Américains réclament d'autres propositions. Derrière ces tergiversations, le véritable blocage ne tarde pas à apparaître : l'intransigeance de Jérusalem. Au Congrès, les amis d'Israël maintiennent le secrétaire d'État sous pression, levant leurs boucliers à toute nouvelle suggestion de nom d'un délégué palestinien. La mission Murphy s'enlise et s'apprête à mourir de sa belle mort. Le diplomate américain refusera même de rencontrer Siniora et Abou Rahmeh lors d'un passage à Amman, et à l'automne, l'initiative de paix est en coma dépassé.

« Nous avions peu d'illusions, dit Arafat, mais nous étions décidés à essayer en faisant avancer les faits. En politique, c'est en établissant des faits qu'on progresse. Ou bien les Américains étaient sincères dans leur volonté de nous imposer comme partenaires du processus de paix, ou bien ils jouaient encore une fois un jeu dont les règles étaient écrites par leur enfant gâté, la junte politico-militaire israélienne. C'est ce que nous devions établir clairement. Aux yeux du monde. »

Margaret Thatcher, « très déçue » par cet état de chose, va créer la surprise en septembre. Au cours du dîner de gala qui clotûre sa visite en Jordanie, le Premier ministre britannique annonce que le secrétaire au Foreign Office, sir Geoffrey Howe, recevra prochainement à Londres deux membres du Comité Exécutif de l'OLP. Elle donne les noms de ces deux représentants, le maire destitué de Halhoul Muhammad Milhem et Monseigneur Elias Khoury, choisis tous deux « parce qu'ils œuvrent pour la paix et qu'ils ont affirmé à maintes reprises être opposés au terrorisme et à la violence. »

Ravie du choc causé par sa déclaration, la Dame de Fer ajoute : « J'espère que cette décision aidera les États-Unis à prendre des mesures identiques. »

Mais au Moyen-Orient, la violence est toujours prête à bondir pour anéantir l'effort de paix...

6.

Tempête en Méditerranée

Dans la marina de Larnaca, à Chypre, les voiliers dorment sous la lune en cette nuit du 25 septembre 1985. La saison touristique s'achève, et la petite ville retrouve peu à peu son calme insulaire. Soudain, trois ombres glissent à pas feutrés au long des pontons de bois. Des hommes jeunes, vêtus de jeans et de blousons de toile. Ils s'approchent d'un yacht israélien, tirent des kalashnikovs de leurs blousons et sautent à bord. Affolée par le bruit, une femme jaillit de la cabine. Elle crie. Une rafale claque. La femme s'écroule sur le bastingage.

Depuis leur poste tout proche, les policiers chypriotes accourent. Les trois terroristes se sont barricadés dans la cabine du voilier avec deux passagers survivants en otages. Ils refusent de négocier avec l'ambassadeur d'Égypte, puis avec le représentant de l'OLP. Des coups de feu éclatent. La porte de la cabine coulisse lentement et, un à un, les trois membres du commando sortent les mains en l'air. Ils viennent d'exécuter leurs otages.

L'un des tueurs n'a pas vingt ans, il s'appelle Dan Davison. Il est Anglais. Les images des massacres de Sabra et Chatila sur la BBC l'ont arraché à sa banlieue maternelle pour le jeter dans la furie moyen-orientale. Aucune motivation politique. Juste un certain goût de l'aventure, et la révolte.

Le téléphone sonne dans le bureau de l'Agence France-Presse à Jérusalem. Un mystérieux correspondant revendique l'attentat au nom de la Force 17, une unité d'élite de l'OLP. Mais, en raccrochant, le journaliste qui a pris le communiqué en dictée ne peut s'empêcher de douter. Pourquoi la Force 17 revendiquerait-elle une opération depuis Jérusalem ? Plutôt qu'à Beyrouth ? A Tunis ? A Sanaa ?

De plus, les principaux dirigeants de la Force 17 se

trouvent en prison en Israël : la marine les a interceptés en mer durant l'été. L'OLP, qui dément immédiatement tout lien avec le commando, condamne l'attentat. Alors ? Des militants désespérés en rupture de ban ? Une manipulation ?

Avant même que quiconque ait pu répondre à ces questions, Israël tranche avec violence.

Le 1er octobre, des bombardiers F-16 israéliens bombardent le quartier général de l'OLP à Hammam-Chott, dans la banlieue de Tunis. Soixante-treize personnes, dont une famille tunisienne qui vivait par malheur à côté, meurent sous les bombes.

Arafat aurait dû se trouver là, avalant son premier thé du matin en consultant la presse internationale. Heureusement pour lui, le Premier ministre tunisien Mohammed Mzali l'avait fait demander d'urgence...

Le monde reste sous le choc. Israël n'a pas hésité à frapper un pays tiers et souverain, la Tunisie, à l'autre bout de la Méditerranée. « Aussi longtemps que les terroristes attaqueront Israël, promet le ministre de la Défense, Yitzhak Rabin, nous les frapperons là où ils se trouvent, n'importe où dans le monde ! »

Quelques heures après le raid, le porte-parole de la Maison-Blanche Larry Speakes, sans même revenir sur les circonstances de l'attentat de Larnaca, qualifie l'opération de « réponse légitime » et d' « expression d'autodéfense ».

Pour Arafat, le message est clair. Le raid, l'attentat de Larnaca, et finalement la position américaine font partie d'un plan global pour saborder les négociations en cours. « Pendant que le président Reagan, le président Moubarak et le roi Hussein discutaient du processus de paix, dit-il, la Maison-Blanche donnait son feu vert aux Israéliens pour bombarder le QG de l'OLP !

Arafat aurait reçu de services secrets « amis » les preuves formelles que les avions F-16 israéliens ont transité par une base américaine de Sicile. Ils auraient été ravitaillés en vol par la VIe flotte américaine. « Les F-16, précise-t-il, ne peuvent être ravitaillés que par des DC-9, des DC-10, ou des Boeing 707. Or Israël ne possède pas, dans la meilleure des hypothèses, plus d'un avion de ce type... »

La polémique rebondit aux États-Unis, où les autorités militaires, embarrassées, nient tout en bloc : « Même si des unités américaines avaient détecté les avions de combat, leur destination finale n'aurait pu être établie avant qu'ils n'atteignent leur objectif », dit le porte-parole du Pentagone. Mais que pouvait bien faire une escadrille israélienne en Méditerranée occidentale, à mille cinq cents kilomètres de sa base ? Les relations américano-tunisiennes, excellentes à la veille du raid israélien, se tendent brusquement, tandis que le Conseil de Sécurité condamne l'opération. Israël s'en moque. Depuis 1948, il a appris à vivre en dépit de l'ONU.

Et, dans ce fol automne 1985, d'autres fureurs meurtrières s'apprêtent à faire oublier celle-ci...

Une semaine tout juste après le raid sur Tunis, le lundi 7 octobre, une nouvelle tombe sur les téléscripteurs : un commando palestinien s'est emparé du paquebot italien *Achille Lauro.*

C'est la surprise et, bientôt, la panique. Y compris à Tunis. Arafat, furieux, exige toutes les informations sur cette opération. Après des recherches rapides, on lui apprend que le Front de Libération de la Palestine (FLP) d'Aboul Abbas, un membre du comité exécutif de l'OLP, utilisait ce bateau pour infiltrer des commandos en Israël. Plusieurs traversées se sont déroulées sans incident par le passé. Alors, pourquoi ce fichu détournement ?

Aboul Abbas n'a pas de réponse. Arafat, alarmé par les proportions désastreuses que pourrait prendre l'affaire, l'expédie au Caire en compagnie de Hani el-Hassan avec pour mission d'obtenir la reddition du commando. Puis il décroche son téléphone et appelle le président du Conseil italien, Bettino Craxi, pour le tenir informé.

Mais les Israéliens ne restent pas non plus les bras

croisés. Arafat peut rappeler qu'il réprouve « toute attaque contre des civils où qu'ils se trouvent », l'OLP a beau nier toute participation dans cette opération, l'affaire de l'*Achille Lauro* tombe trop bien pour n'être pas exploitée. Dans le tollé international qui a suivi le raid sur Tunis, soudain, les rôles sont renversés.

Hosni Moubarak recherche par tous les moyens une issue pacifique : c'est d'Alexandrie qu'est parti le navire et c'est d'ici que doit être résolu le drame. On met Aboul Abbas et Hani el-Hassan en liaison radio avec le commando à bord du *Lauro* depuis la capitainerie du port d'Ismaïlia. Dans l'esprit des deux responsables palestiniens, les contours de l'affaire commencent à prendre forme...

Les cinq jeunes gens qui tiennent sous la menace de leurs armes les quatre cent cinquante passagers du bateau en otage viennent des camps de Sabra et de Chatila : ils ont vécu les massacres de 1982, subi la guerre menée depuis six mois par les chiites. En ce moment même, tandis qu'ils tournent en rond en Méditerranée, des bombes tombent sur les abris où se terrent leurs familles. Ce ne sont pas des commandos entraînés aux opérations spéciales. Plutôt des desesperados, jeunes têtes brûlées volontaires pour s'en aller mourir en Palestine.

« Ils insistaient tant pour partir, reconnaît Aboul Abbas, que les procédures de sécurité n'ont pas toutes été respectées. Leur passage a été organisé par le capitaine d'un bateau grec dont nous nous sommes aperçus par la suite qu'il travaillait pour les services syriens. A bord, les jeunes gens se sont liés avec un passager, qui est venu plusieurs fois dans leur cabine. Cet homme a vu les armes. A l'escale d'Alexandrie, il a contacté le consulat israélien et n'a pas rembarqué. Ce détail a donné l'alerte aux membres du commando. Ils se sont douté qu'ils étaient repérés et qu'ils seraient arrêtés dès l'arrivée à Ashdod. Alors ils ont sorti leurs armes pour que le bateau fasse demi-tour vers l'Égypte. Ils étaient très nerveux, inexpérimentés. L'un d'eux était instable émotionnellement. »

C'est lui qui tirera une balle dans le front de Leon Klinghoffer, un paralytique américain d'origine juive, dont les pirates affolés se débarrassent en le jetant par-dessus bord avec sa chaise roulante.

Rien, sans doute, pas même la misère dont les tueurs étaient recrus ne justifie cet acte. Rien, sans doute, ne permet d'accréditer à cent pour cent la version d'Aboul Abbas. D'un point de vue historique, on retiendra d'abord les conséquences politiques de cette tragédie.

Déjà, des commandos italiens, britanniques, américains sont en état d'alerte sur la base d'Akrotiri à Chypre. Ronald Reagan a décidé de faire donner l'assaut au navire. De Rome, Bettino Craxi refuse. Il compte encore sur les négociations, et rappelle à l'ambassadeur américain que le *Lauro* bat pavillon italien. D'ailleurs, Arafat tient Craxi informé d'heure en heure, et se fait fort d'obtenir la libération des passagers et la reddition des pirates.

Aboul Abbas parvient enfin à raisonner ses sbires. Un accord tombe le 9 octobre : ils seront jugés par l'OLP s'ils relâchent immédiatement les passagers.

Le chef du FLP ignore que le Mossad et la CIA enregistrent ses messages radio. Quand les pirates se rendent, en fin d'après-midi, Aboul Abbas pense que tout est fini. Il se trompe...

« Je souhaite remercier les gouvernements qui ont collaboré avec nous, déclare le président du Conseil italien Bettino Craxi. L'Égypte, dont l'action a été décisive ; la Syrie, la Tunisie, les autorités chypriotes et le président de l'OLP, M. Yasser Arafat. C'est lui qui a déployé une grande activité pour parvenir à l'heureux aboutissement de cette affaire. »

En apprenant, le lendemain 10 octobre, les détails de la mort de Leon Klinghoffer, Arafat change d'avis et exige que les pirates soient jugés au Caire, et non par l'OLP. Trop tard. Le président Moubarak annonce que les pirates ont « effectivement » quitté l'Égypte. L'OLP informe les autorités tunisiennes qu'elle n'a pas l'intention d'accueillir des meurtriers, et lorsque le Boeing d'Egyptair se présente dans le ciel tunisien, la tour de contrôle de l'aéroport Habib Bourguiba lui refuse l'autorisation de se poser. Un incroyable feuilleton militaro-politique commence...

« Nous voulons que ce vol soit bloqué! » indique un officiel américain alors que l'avion vient de faire demi-tour. A 23 heures, des F-14 Tomcat de l'US Air Force interceptent le Boeing égyptien et le contraignent à atterrir sur la base italo-américaine de Sigonella, en Sicile.

Des troupes américaines entourent l'avion à peine immobilisé. Coup de théâtre : elles sont elles-mêmes encerclées par des soldats italiens en armes, bien décidés à empêcher les Américains de se saisir de l'appareil. Et il faudra deux heures d'horloge à ces deux alliés de l'OTAN pour parvenir à un compromis, tandis que sur le tarmac, un officier des US Marines fulmine. C'est le colonel Oliver North. Il suit depuis le départ cette opération en liaison avec les services secrets israéliens, qu'il connaît de très près, puisqu'à cette époque-là ils dirigent ensemble des armes vers l'Iran.

« Un officiel italien est monté dans l'avion, raconte Aboul Abbas, qui accompagne les pirates. Il m'a remis des messages personnels d'Arafat et de Bettino Craxi. Les Italiens savaient le rôle que j'avais joué pour trouver une issue pacifique, et ils m'ont assuré que je pouvais continuer ma route. J'ai donné l'ordre au commando de se rendre aux autorités italiennes. »

Tandis que le chef du FLP s'envole pour la Yougoslavie, Washington et Jérusalem proclament à l'unisson que le détournement de l'*Achille Lauro* était « une opération planifiée par Aboul Abbas avec l'accord d'Arafat ». Pourtant, ils ne rendent pas publics les enregistrements des dialogues radio d'Ismaïlia, et, lorsque le chef des renseignements militaires israéliens Ehoud Barak sera sommé de donner des preuves en conférence de presse, il ne trouvera rien de plus consistant à affirmer que : « le bureau d'Aboul Abbas à Tunis est à cent mètres à peine du bureau d'Arafat ».

Hypocrisie de la politique de l'ombre : au moment même où ils pourchassent, fustigent et damnent Aboul Abbas, les Américains sont engagés dans des négociations avec les réseaux chiites qui ont tué des centaines d'Américains et détiennent leurs otages au Liban. Le même Oliver North, accompagné par le conseiller national de Sécurité Robert McFarlane, est allé apporter aux mollahs de Téhéran une Bible dédicacée par le président Reagan, un gâteau en forme de fusil d'assaut, et des centaines de missiles TOW... Ce scandale-là n'éclatera qu'un an plus tard.

Et celui-ci n'éclatera pas : peu après l'affaire *Lauro*, un Palestinien de nationalité américaine, Alexander Odeh, est assassiné dans son bureau en Californie. Un réseau terroriste juif revendique l'attentat. Mais pour mener l'enquête, la justice américaine ne dérangera ni les F-14, ni le colonel North...

Comme on pouvait s'y attendre, le chaos médiatique qui suit le sillage de l'*Achille Lauro* submerge ce qui subsiste des efforts de paix. Les Britanniques éprouvent de soudaines difficultés à recevoir à Londres les deux membres du comité exécutif de l'OLP que Margaret Thatcher avait invités en septembre.

A la dernière minute, le Foreign Office exige que les deux visiteurs signent un communiqué affirmant leur « opposition à toutes les formes de terrorisme et à la violence, *d'où qu'elle vienne* ». Ce qui gêne Muhammad Milhem, et qui gênera encore davantage Arafat quand ce premier le consultera, c'est ce « d'où qu'elle vienne ». Cela n'était pas prévu dans le texte soumis initialement par les Jordaniens.

« Le document que les Britanniques voulaient nous faire signer était en fait un résumé des positions américaines, explique Khaleb el-Hassan. Ils ont tenté de nous faire condamner le terrorisme de n'importe qui, n'importe où, et n'importe quand. Nous sommes d'accord, mais à condition de définir ce qu'on entend par terrorisme. »

L'OLP refuse de condamner les actions militaires contre des cibles militaires sur le sol de Palestine ; en l'absence d'un règlement politique elle entend même continuer à les pratiquer. Cela s'appelle « résister à l'occupation par tous les moyens », et c'est un droit garanti à tous les peuples par la Charte des Nations-Unies. Et à la fin de l'automne de 1985, c'est bien le seul droit qui reste au peuple palestinien...

7.

La paix manquée

La campagne terroriste de 1985 laisse un goût amer aux dirigeants de l'OLP. « On doit se poser la question, dit Abou Iyad. Pourquoi maintenant ? Ces affaires se sont produites au moment où l'OLP consentait d'importants sacrifices politiques. Comme pour empêcher la paix. Ceux qui ont intérêt au statu quo se regroupent toujours tôt ou tard. Il y a dans ces affaires la main de services arabes et du Mossad. Un jour, nous dirons tout ce que nous savons à ce sujet. »

Pour contrebalancer les effets néfastes de cette campagne, Yasser Arafat décide de s'engager spectaculairement contre le terrorisme. Il choisit de le faire au Caire, la plus modérée, la plus pro-occidentale des capitales arabes. Après l'affaire de l'*Achille Lauro*, en effet, toutes les chancelleries occidentales lui ont fait savoir qu'elles attendaient un geste.

Le 7 novembre 1985, en donnant à son geste une importante publicité, Arafat rejette donc solennellement la terreur et trace le cadre précis de la lutte armée : l'OLP se contentera désormais de mener des actions contre des cibles militaires « à l'intérieur des territoires arabes occupés ». En clair : plus une seule opération hors des frontières d'Israël, de Cisjordanie et de Gaza. L'OLP revendique son droit à « résister à l'occupation » mais elle dénonce et combattra le terrorisme. Chef des services de renseignements de la centrale palestinienne, Abou Iyad communiquera régulièrement des informations aux gouvernements occidentaux.

Hélas, au moment où Arafat prononce sa « Déclaration du Caire », l'apothéose de la campagne terroriste n'est pas encore atteinte. Le 27 décembre, à la même heure, des Palestiniens ouvrent le feu sur les comptoirs de la compagnie El-Al dans les aéroports de Vienne-Schwechat et Rome-Fiumiccino. De nombreux voyageurs s'y bousculaient en cette période de fête : on relèvera dix-neuf morts et plus de quatre-vingts blessés...

« Comme vous avez pillé notre terre, notre honneur, notre peuple, nous frapperons partout, même vos enfants, afin que vous puissiez sentir la tristesse de nos propres enfants. Les larmes que nous avons versées seront échangées contre votre sang. A partir de maintenant, la guerre a commencé. »

Ce message a été retrouvé dans la poche de Muhammad Sahram, l'un des tueurs de Rome. Il est né à Chatila, où il a grandi comme ses compagnons, entre deux massacres. Il fait partie de cette génération dont l'horizon est une barricade de gravats, une génération poussée au désespoir jusqu'à la folie par un excès de meurtres, de bombardements, de misère : les recrues idéales pour tout le spectre des groupuscules terroristes du Moyen-Orient.

L'OLP dénonce sur-le-champ ces « crimes ignobles et révoltants », selon les mots d'Ibraham Souss, le représentant parisien de l'organisation. D'ailleurs, le communiqué qui revendique depuis Beyrouth ce double attentat a condamné à mort dans la foulée Arafat, les rois Hussein et Hassan II, Moubarak et quelques autres. Il est signé des « cellules fédayines ».

Personne ne connaît ce nom. Mais l'ombre d'Abou Nidal se profile très vite sur les massacres de Rome et de Vienne, et là-dessus au moins, tout le monde est d'accord, OLP et Mossad. Ce qui n'empêche pas le gouvernement de Jérusalem d'accuser l'OLP et de saborder le processus de paix. De la tribune de la la Knesseth, le Premier ministre Pérès, qui considère Abou Nidal comme un « rejeton de l'OLP », martèle : « Il est clair que l'OLP reste une organisation toujours impliquée dans le terrorisme et qui s'avère incapable de prendre des décisions politiques ! »

Au milieu de tant de passion, l'effort entrepris avec le roi Hussein en direction de Washington semble voué à l'échec.

Dès l'automne 1985, en pleine folie de l'attentat de Larnaca, du raid sur Tunis, de l'affaire du *Lauro,* le roi a exhorté l'OLP à reconnaître unilatéralement la 242, et à réparer par un choc politique les dégâts de la violence. Mais comment faire accepter la concession ultime à une OLP assaillie, à des militants pilonnés dans les camps du Liban, à des dirigeants bombardés dans leurs bureaux de Tunis, plus que jamais sûrs qu'on cherche à se débarrasser d'eux ? Comment faire croire à la bonne volonté d'une Amérique qui légitimise le raid sur Tunis et fait donner la chasse au commando du *Lauro ?*

« Les États-Unis, dit Arafat avec amertume, devraient se souvenir que nous sommes intervenus à leur demande lors de l'affaire des otages de Téhéran, que, lorsque nous étions à Beyrouth, nous avons facilité à deux reprises l'évacuation des ressortissants américains et que l'ambassade américaine était alors sous notre garde. »

Mais les États-Unis pensent visiblement à autre chose, et Arafat ne peut pas franchir l'abîme que lui désigne le roi Hussein. Il reporte plusieurs voyages à Amman fin 1985, et l'on peut croire le processus anéanti quand, le 20 janvier 1986, le roi rencontre Richard Murphy à Londres.

Le sous-secrétaire d'État explique au roi que la position américaine n'a pas changé en dépit des attentats, et il rappelle les propos que tenait George Shultz le 1er novembre précédent : « Ceux qui sont prêts à s'asseoir avec Israël, à accepter les résolutions 242 et 338 des Nations-Unies et à renoncer à la prétendue lutte armée méritent une place à cette table, quelque soit leur étiquette. » Murphy réitère le message : si l'OLP parvient à sauter le pas, Washington fera le reste du chemin, et conduira Israël à la table des négociations...

Message d'autant plus crédible que, ce même 20 janvier, Shimon Pérès, en visite aux Pays-Bas, envoie lui aussi un signal : « Maintenant, dit-il, nous sommes en train de négocier très sérieusement avec le roi Hussein et le peuple palestinien. »

Cinq jours plus tard, l'avion d'Arafat atterrit à Amman. Les affaires reprennent. Même si les propositions de Georges Shultz demeurent assez vagues, on peut tenter de leur donner un contenu. Le roi, Arafat et une douzaine de leurs conseillers vont s'y employer durant cinq jours...

L'OLP désigne d'emblée l'obstacle : elle ne peut pas se permettre de céder unilatéralement du terrain, et refuse de reconnaître les textes de l'ONU sans une garantie américaine.

Alors, l'adjoint de Richard Murphy qui assure la liaison auprès du souverain hachémite propose un nouveau scénario. Primo : une réunion préparatoire américano-israélo-jordano-palestinienne fixe les modalités de la future conférence internationale. Secondo : l'OLP reconnaît les résolutions 242 et 388. Tertio : elle reçoit une invitation officielle à la table de conférence.

Accessoirement, l'OLP s'engage à renoncer à toute opération militaire durant la période de négociation... qui peut s'étendre sur des années...

Néanmoins, Arafat pense qu'il y a matière à discussion. Puisque les États-Unis ne veulent pas reconnaître préalablement l'OLP, réclame-t-il, qu'ils reconnaissent au moins le droit à l'autodétermination des Palestiniens. Cette déclaration de principe ne leur coûtera guère. Après tout, Ronald Reagan encense régulièrement le droit des peuples afghan, salvadorien, nicaraguayen ou mozambiquais à disposer d'eux-mêmes. Pourquoi pas les Palestiniens ?

Hussein, dont la patience s'épuise, consulte l'adjoint de Murphy, qui consulte Murphy, qui consulte Shultz. La réponse redescend en sens inverse : négative. « Les États-Unis ne sont prêts à aucune garantie quant à notre avenir national, dit un délégué palestinien, mais ils exigent qu'on en donne cent à Israël ! » Arafat constate que les négocations sont « gelées ».

Du coup, quelques jours plus tard, le Département d'État entrouvre la porte. « Les droits des Palestiniens vont au-delà de ceux que prévoient les résolutions 242 et 338 de l'ONU, concède le porte-parole Charles Redman, mais ils doivent être déterminés au cours du processus de négociation et non préalablement. » Soulignant que « le problème palestinien est davantage qu'une question de réfugiés », il forme des vœux pour le succès des pourparlers d'Amman.

Arafat décortique les propos du diplomate au Caire, avec l'aide de Hosni Moubarak. « C'est la première fois que les États-Unis parlent de droits légitimes du peuple palestinien », dit Arafat, s'empressant de faire à Hussein une nouvelle proposition. Confiant, Moubarak annonce que les négociations d'Amman sont sur le point de reprendre...

Et elles reprennent. Le roi a désormais devant les yeux un projet de déclaration de l'OLP reconnaissant les résolutions 242 et 338. Il devrait être heureux.

Mais Arafat a mis une condition.

« L'Organisation de Libération de la Palestine prie Sa Majesté le roi d'obtenir des États-Unis l'engagement écrit de soutenir le droit à l'autodétermination, comme cela est stipulé dans les accord jordano-palestiniens. » A la minute où le roi disposera de cet engagement écrit, Arafat lira publiquement le texte de reconnaissance.

C'est le clash.

Le lendemain, 19 février 1986, sans même consulter Hani el-Hassan qui attend à Amman la royale réponse, Hussein annonce au cours d'un long discours qu'il ne « peut plus poursuivre la coordination politique avec le commandement de l'OLP ».

Les ponts se brisent un à un. En avril, les Jordaniens encouragent un éphémère mouvement de dissidence au sein du Fatah. Le 7 juillet, ils ferment les vingt-cinq bureaux de l'OLP à travers le royaume, et ils expulsent trois jours plus tard Abou Jihad en direction de Bagdad.

« Peu importe ce qu'entreprend le régime jordanien, dit Yasser Arafat. Il n'y a pas d'alternative à l'OLP et on ne changera cette réalité qu'en tuant Yasser Arafat... »

8.

Massacres et retrouvailles

La paix en panne, la guerre reprend ses droits. Cela fait partie des mécaniques indétraquables du Moyen-Orient. En 1985, les flambées de violence qui opposent au Liban la milice Amal et les Palestiniens ponctuent le dialogue entre Arafat et Hussein.

En octobre, profitant d'une trêve des bombardements, des centaines de réfugiés quittent les camps de Beyrouth. Amal resserre ses points de contrôle autour de Sabra, Chatila, et Bourj al-Brajneh. Une longue guerre d'usure s'engage, l'une des plus meurtrières jamais subie par les Palestiniens. Comme d'habitude, il s'agit d'une geurre d'exécutants.

« Amal joue le sale rôle écrit pour elle par les services secrets syriens à Beyrouth, et par les Israéliens au sud, enrage Yasser Arafat. Les preuves ? Elles sont dans la presse israélienne, dans Maariv, à la radio, dans la bouche même des responsables politiques et militaires d'Israël, qui déclarent leur soutien à Amal dans la guerre contre les Palestiniens. La marine israélienne a appuyé les opérations d'Amal contre le camp de Rachidiyeh. Amal pilonne nos réfugiés avec de l'artillerie lourde, or tout le monde sait qu'Amal, n'a pas de gros canons. Les Syriens et les Israéliens en ont. »

En janvier et mars 1986, les affrontements à l'arme automatique, au mortier, à la roquette antichar, font des dizaines de victimes. Les miliciens chiites conduisent un siège en règle des bidonvilles palestiniens, tirant au fusil à lunette les malheureux qui s'aventurent dans les venelles.

« Ce n'est pas une guerre entre Amal et les Palestiniens, argue le n° 2 d'Amal, Hakef Haïdar, ni des combats militaires, mais une lutte politique à moyens militaires. En fait, nous sommes en conflit politique avec le président de l'OLP, M. Yasser Arafat et non point en lutte militaire avec lui ou avec d'autres... »

Amal refuse de s'adresser aux arafatistes pour négocier d'éphémères cessez-le-feu. Suivant les conseils de ses sponsors syriens, la milice chiite ne traite qu'avec les groupes palestiniens agréés par Damas. Ceux-ci se retrouvent dans une position malaisée vis-à-vis de leurs bases...

« Ces factions dont vous parlez, qui ne sont que l'émanation des services secrets syriens, ont signé à Damas un accord en vue de désarmer les camps palestiniens du Liban, dit Yasser Arafat. Elles ont accepté ce crime ! Or, les dirigeants de ces factions n'ont même pas pu convaincre leurs propres hommes de réaliser ce plan ! Sur le terrain, tout le monde est Palestinien... »

Les effectifs d'Abou-Moussa fondent à vue d'œil, tandis que le FDLP, sensiblement, se rapproche d'Arafat. La guerre des camps aura finalement pour conséquence de rapprocher les Palestiniens dans l'horreur et le sang.

Mi-avril 1986, une force d'interposition formée par la gauche libanaise se déploie entre les belligérants. Le

22 avril, un jeune chef militaire du FLP est assassiné en dehors des camps. C'est le début d'une longue série de règlements de comptes, d'enlèvements, de meurtres pour l'exemple. Des centaines de Palestiniens, rafflés, séquestrés, subissent alors la torture dans les sous-sols de la tour Mour. La trêve ne tient pas. Le 30 mai, la 6ᵉ brigade de l'armée libanaise joint sa puissance de feu à celle d'Amal pour saturer les camps, dont le gros de la population a fui. A Chatila, Bourj al-Brajneh, ne restent que ceux qui ne peuvent aller nulle part. Ils vivent terrés dans les ruines, plus une maison n'est intacte : la Syrie a fourni à ses alliés des obus de 240 qui traversent trois étages de béton. Malgré cela, les fédayines refusent de se rendre et s'accrochent avec espoir à la médiation entreprise par l'ambassadeur d'Algérie à Beyrouth.

Chaque soir, d'où qu'il se trouve dans le monde arabe, Yasser Arafat appelle les survivants par radio-téléphone : « Ils me racontent les pertes de la journée, leurs problèmes de survie, le détail des combats. Parfois ils ne me racontent rien. On reste simplement en ligne, silencieux. C'est terrible. »

Des chars syriens participent en juin au bombardement des camps. « Les opérations militaires sont dirigées par le chef des services secrets syriens, le général Ghazi Kanaan », accuse l'OLP. En retour, le chef d'Amal accuse Arafat de collusion avec le président chrétien Gémayel. Les cessez-le-feu violés succèdent aux cessez-le-feu violés. Quand la guerre se calme à Beyrouth, elle reprend au sud, à Rachidiyeh...

Amal impose un blocus total à ce camp de la région de Tyr, et en encercle deux autres proches de Saïda : Aïn el-Heloué et Miyeh-ou-Miyeh. Le 1ᵉʳ octobre, l'ambassadeur d'Iran tente à son tour une médiation. Mais Amal n'accepte une nouvelle trêve qu'à condition que les Palestiniens lui remettent toutes leurs armes, « de la cartouche au canon ». Les Chiites refusent même l'évacuation des blessés, ou le ravitaillement des civils. Arafat décide alors d'envoyer des renforts au Sud-Liban. Le

25 octobre 1986, c'est la contre-offensive. Le Fatah part à l'assaut des positions chiites autour de Saïda et, après trois jours de combats farouches, prend pied à Magdouché, une hauteur stratégique qui commande le camp de Miyeh-ou-Miyeh.

Hélas, si Amal recule à Saïda, elle se venge sur Rachidiyeh et Bourj al-Brajneh. Partisans et adversaires de Yasser Arafat se retrouvent enfin côte à côte. La dernière flambée a déjà fait deux cents morts, et l'OLP estime à deux fois plus ses pertes depuis le début de la guerre contre Amal en 1985.

La colline de Magdouché devient l'enjeu d'une interminable et sanglante bataille à laquelle l'aviation israélienne vient prêter son concours à la fin de novembre. Les Palestiniens affrontent maintenant tous leurs ennemis d'un coup : tandis que les bombes israéliennes pilonnent les nids d'artillerie du Fatah, les hélicoptères de l'armée syrienne transportent sur le terrain de nouveaux miliciens chiites d'Amal.

Les camps de Beyrouth agonisent. Chatila, aux deux tiers rasé, n'est plus qu'un quadrilatère de gravats de deux cents mètres de côté soumis à un blocus total. Les Chiites se sont battus maison par maison, arrêtant ou tuant tous les hommes de quinze à cinquante ans. Aucune raison ne semble plus atteindre les assaillants : ni la voix du Conseil de Sécurité, qui appelle à la fin des combats, ni celle de l'Iran, qui envoie de nouveaux médiateurs, ni celle du Hezbollah, qui tente en vain de s'interposer.

En janvier 1987, on mange du rat à Bourj al-Brajneh. Des dizaines de femmes qui ont tenté de sortir acheter du pain ont été abattues par les francs-tireurs d'Amal. Les rares témoignages qui parviennent du camp qu'une infirmière britannique a refusé d'évacuer, font état de manque de sang pour transfuser les blessés, d'infections, de pénurie de médicaments. Et le 6 février, on fait un bond ultime dans l'horreur : les habitants du camp réclament aux religieux la permission de se nourrir avec la chair des cadavres.

Cette requête effarante a pour mérite de réveiller la conscience internationale, endormie par le son du canon. Arafat, qui ameute tous ses soutiens à l'ONU, de Moscou en passant par Téhéran ou la Ligue Arabe, rencontre enfin un peu d'écho. « Il est inacceptable pour les pays civilisés que cette situation puisse continuer », reconnaît le gouvernement américain. En quelques jours, grâce à la mobilisation internationale, les camps sont finalement ravitaillés. Non sans mal. Les Chiites tirent encore lorsque, le 27 février, un chargement de farine et de lait en poudre entre dans Chatila : c'est le premier depuis trois mois. A Bourj al-Brajneh, des dizaines de femmes sont touchées par des tirs, en sortant du camp, pour recevoir cette aide ou acheter du pain. « Chaque bouchée de pain est baignée de sang », soupire un combattant.

Chaque nuit les bombardements reprennent.

Soudain, le 18 mars, Abou Iyad en visite à Paris annonce qu'un Conseil National Palestinien se tiendra le 20 avril à Alger. La guerre des camps a rapproché le Fatah, le FDLP, le FPLP, le PCP, le FLA, le FLP, séparés depuis trois ans. « Une union baptisée dans le sang », dira Yasser Arafat. Plus personne n'y croyait... Mais tandis que l'étau se desserre lentement autour des assiégés de Beyrouth, les Palestiniens peuvent enfin affronter l'autre grande bataille qui les attend : le processus politique.

Hosni Moubarak, les rois Hussein et Hassan II, la Ligue Arabe, les gouvernements européens et même Shimon Pérès multiplient soudain les messages dans ce sens.

Car il y a du nouveau, depuis l'échec de la médiation jordanienne. Une voix nouvelle se fait entendre dans la tourmente du Moyen-Orient : celle de Mikhaïl Gorbatchev. Fidèle à son approche originale des problèmes internationaux, le maître du Kremlin s'est adressé directement aux Américains pour leur proposer que le conflit israélo-arabe soit réglé dans le cadre des institutions de l'ONU. Une réunion du Conseil de Sécurité, a suggéré Gorbatchev, pourrait être chargée de préparer la conférence internationale. Si les deux grands pèsent de leur poids, ils parviendront sans doute à débloquer le jeu, d'autant que l'URSS normalise peu à peu ses relations avec Israël. L'État hébreu y est d'autant plus sensible que Gorbatchev tient dans sa main les visas de centaines de milliers d'émigrants juifs, qui redonneraient un second souffle démographique à Israël.

Bref, tout le monde croit le moment venu. Tout le monde, sauf Yitzhak Shamir, qui a succédé à Shimon Pérès à la présidence du cabinet de coalition israélien. Et tandis que Pérès, devenu ministre des Affaires étrangères, parle de la conférence avec les Soviétiques, ou bien à Rome avec Faïez Abou Rahmeh et Hannah Siniora, Shamir, lui, tire sur le projet à boulets rouges. « Cette idée relève de la folie ! » s'écrie-t-il le 10 avril 1987, dénonçant toutes les « atteintes territoriales » au Grand Israël.

Lorsque Yasser Arafat, Abou Jihad, Abou Iyad, George Habbache, Nayef Hawatmeh, Suleïman Najjab et quelque quatre cent vingt délégués palestiniens se retrouvent le 20 avril sous le dôme du centre de conférence du Club des Pins, dans la banlieue d'Alger, deux questions fondamentales se posent à eux.

La première : que peut faire l'OLP pour relancer l'initiative politique ? « D'abord s'unir », répond le Fatah. Arafat rallie l'ensemble des délégués autour du principe de la conférence internationale. Même si des divergences subsistent entre lui et Arafat, Habbache prend nettement ses distances avec Damas, où il aura d'ailleurs le plus grand mal à retourner après le CNP. Les groupuscules violents d'Abou Nidal, d'Ahmad Djibril, ou d'Abou Moussa, tous trois absents d'Alger, sont plus que jamais marginalisés. Un certain sens politique semble triompher à Alger...

Reste la deuxième question : comment faire sortir Israël de son intransigeance ? Voilà quarante ans que l'État hébreu tient tête au monde avec succès, rejetant condamnations et résolutions de l'ONU avec indifférence. La crise politique interne, qui a conduit à la constitution d'un étrange gouvernement de coalition, au sein duquel travaillistes et Likoud se succèdent au poste de Premier ministre, bloque l'émergence de tout pouvoir fort avec qui l'OLP pourrait traiter. « Un jour viendra où même l'immobilisme sera pour eux intenable », prédit Yasser Arafat dans le salon de la villa que les Algériens ont mis à sa disposition pour la durée du CNP.

Mais comment ? Une réponse, évasive, est fournie dans une villa voisine par son adjoint Abou Jihad.

« Suivez ce qui se passe dans les territoires », dit-il.

9.

« Nous disons non avec des pierres... »

Gaza, 9 décembre 1987. Comme chaque jour avant l'aube, des centaines d'ouvriers palestiniens prennent d'assaut les taxis collectifs qui les emmènent en Israël, vers leur travail au noir. La nuit est froide, triste. Elle annonce un jour de plus, un jour où il faudra subir les heures d'attente et les humiliations aux barrages de l'armée, trimer huit ou dix heures et ramener en sens inverse une poignée de shekels dévalués : deux ou trois fois moins qu'un ouvrier israélien.

Soudain, un camion fou déboule sur la route d'Ashkelon et percute une voiture de plein fouet. Puis une seconde. Bruits mats des tôles, stridences des pneus, klaxons bloqués.

Le chauffard prend la fuite, laissant prisonniers des épaves les corps ensanglantés des ouvriers.

Accident de la route ? Peut-être. Mais les quatre morts sont arabes et le chauffard est juif. Dans la bande de

Gaza surcomprimée de haines et de rancœurs, cela suffit à déclencher l'explosion. On l'attendait depuis longtemps. Des manifestations éclatent dans le camp de Jabaliyah, où les jeunes excédés harcèlent les patrouilles israéliennes à coup de pierres et de bouteilles. On brûle des pneus. Sur un toit apparaît le drapeau palestinien. Et comme ni les gaz lacrymogènes ni les coups de matraque ne stoppent le trop-plein de colère, l'armée tire.

Hatim al-Sisî, un lycéen de dix-sept ans, gît dans une mare de sang, première victime d'une Intifadah qui ne s'arrêtera plus.

Les commerçants décrètent la grève aussitôt, à travers toute la bande de Gaza, et les adolescents sortent dans la rue. Le lendemain, funérailles de Hatim al-Sisî. L'armée tire. Un second mort. Funérailles. L'armée tire. Ainsi de suite. Pendant deux ans.

A ceux qui croient encore qu'il ne s'agit là que d'une flambée de violence passagère, l'ancien maire de Gaza, un grand bourgeois modéré, lance cette mise en garde : « Les événements continueront malgré la répression, dit Rachad al-Chawa. Ils seront de plus en plus violents car les jeunes ici sont désespérés. Ils sont prêts à mourir car plus rien ne les retient en vie. »

Pourquoi Gaza ? Pourquoi maintenant ? Un accident entre un camion et deux voitures a-t-il pu seul générer deux ans de soulèvement ininterrompu, ou l'OLP avait-elle planifié, organisé, déclenché la révolte ?

La réponse, bien sûr, est plus complexe. Un ouvrage en plusieurs tomes suffirait à peine pour retracer la montée de la révolte dans les territoires, son explosion, la répression. Nous nous contenterons de relater à grands traits l'événement essentiel qui va donner à Arafat l'arme pour imposer sa stratégie.

Il voit le véritable début du soulèvement le 24 octobre 1986, « lorsque les habitants de Cisjordanie et de Gaza ont organisé de très importantes manifestations pour affirmer leur solidarité avec leurs frères qui étaient assiégés à Beyrouth ». En fait, depuis la guerre palestinoisraélienne de 1982, une nouvelle génération, moins résignée, a pris conscience des dangers qui menacent le peuple palestinien tout entier de Beyrouth à Gaza. Les territoires sont devenus une marmite infernale, où la température, chaque jour, s'élève de quelques degrés. Des pierres lancées contre une patrouille, un accrochage avec des colons israéliens, des lycéens qui chantent « Biladi » à la sortie des classes, des maisons dynamitées, des meurtres aussi, tout est prétexte à l'escalade.

Après la mini-Intifadah d'octobre 1986, l'armée ferme toutes les universités durant six mois. En apparence, la tension retombe. Elle remonte à l'automne 1987 car, Arafat a raison, les Palestiniens des territoires sont devenus sensibles à la situation de ceux de l'extérieur. Or, la guerre des camps a repris dans l'indifférence générale. Amal dispose de nouvelles pièces d'artillerie, et tente de reconquérir les positions perdues au profit du Fatah dans la région de Saïda. Pendant ce temps, le mouvement chiite soumet les camps de Beyrouth à des tirs de barrage, assassinant les habitants au fusil à lunette entre deux bombardements. L'hécatombe ne cessera, dans l'indignation générale du monde arabe, que plusieurs semaines après le début de l'Intifadah : Amal ne peut plus se permettre d'apparaître comme l'alliée objective d'Israël, tuant les Palestiniens à Aïn el-Heloué et Bourj al-Brajneh tandis que les commandos de Tsahal font des cartons à Gaza, Hebron ou Rammalah.

Une autre raison : l'impasse politique. Depuis quinze ans que l'OLP ne cesse de faire des concessions, de proposer par tous les intermédiaires imaginables une solution honorable, rien ne bouge. Les plans de paix se succèdent et sombrent. La conférence internationale ? Shamir n'en veut rien savoir. Quant à Reagan, il n'a accepté le principe que contre la promesse faite par Mikhaïl Gorbatchev de faciliter le départ vers Israël de centaines de milliers de Juifs soviétiques. De nouveaux immigrants sionistes... Pour les jeunes gens des territoires, cela veut dire plus de colons armés, plus de terres confisquées, plus de patrouilles et moins d'avenir.

Pire. Si la Maison-Blanche soutient en principe la conférence, elle reste en désaccord sur les points essentiels : la représentation des Palestiniens, la reconnaissance de leurs droits, y compris celui d'avoir leur propre État. Une fois de plus, Washington fait semblant de croire qu'il y a une alternative à l'OLP et à ses revendications.

Du coup, lorsqu'il est venu en Israël au mois d'octobre 1987, le secrétaire d'État George Shultz n'a trouvé aucun notable palestinien pour assister à la réception qu'il donnait au Hilton de Jérusalem. Fayez Kawasmeh, l'un des invités, résume l'opinion de ses compagnons : « L'OLP est notre représentant, dit-il. Si les États-Unis veulent discuter avec les Palestiniens et rechercher le dialogue, ils connaissent l'adresse et le numéro de téléphone. »

Mais les États-Unis n'ont pas envie d'appeler Tunis. En fait, Shultz est venu discuter avec Shamir d'un nouveau plan, prévoyant des négociations directes jordano-israéliennes sous le parrainage de l'URSS et des États-Unis. Dans le contexte du moment, cela passe pour une provocation, et le sommet arabe qui se tient en novembre à Amman, sous la présidence du roi Hussein, insiste sur « la participation de l'OLP à une conférence internationale en sa qualité de seul représentant légitime du peuple palestinien ».

Occupés depuis vingt ans, leur horizon chaque jour rogné par de nouveaux règlements répressifs ou de nouvelles colonies juives, les habitants des territoires sont désespérés par ce dialogue de sourds. « Shultz, Shamir, Gorbatchev, Mitterrand et son ami Pérès parlent comme si nous n'existions pas ! dira au début de l'Intifadah un étudiant de Gaza. Sommes-nous donc une fiction ? Est-ce que la terre qu'on nous vole, nos frères qu'on tue, notre misère, notre oppression, sont des problèmes théoriques qui méritent encore quarante ans de réflexion ? Non ! Nous disons non avec des pierres, non jusqu'à ce qu'on nous entende, enfants ou vieux, filles ou garçons, étudiants ou paysans, nous disons non ! »

L'armée envoie des renforts, utilise balles réelles et balles en caoutchouc, teste de nouvelles formules de gaz lacrymogènes impose le couvre-feu, punit arbitrairement des quartiers entiers ou brise systématiquement les membres des jeunes gens arrêtés : le lendemain d'autres sont là pour dire non. Alors, Israël se pose enfin des questions sur vingt années d'occupation.

En 1987, l'intégration économique des territoires amorcée en 1967 est quasi totale : 80 % des produits importés en Cisjordanie et à Gaza viennent d'Israël, tandis que 75 % de la production locale y est exportée. Le niveau de vie a grimpé sensiblement, les jeunes Palestiniens, nés après l'occupation, ponctuent leur conversation en arabe de nombreux mots d'hébreu, mais le rapprochement entre les deux peuples s'arrête là.

Pour le reste, les Palestiniens vivent une sorte d'exil intérieur, dans un monde sans droits. Israël refuse même de leur appliquer les Conventions de Genève, sous le prétexte curieux que les habitants des territoires ne sont les citoyens d'aucun état souverain.

Toute activité leur est a priori interdite. Qu'il s'agisse de cirer des chaussures, d'exporter des oranges, de labourer une terre, de sortir pêcher en mer, de puiser de l'eau, d'organiser un cours de broderie ou une exposition d'aquarelles, chaque activité est soumise à autorisation préalable. Des queues interminables s'étirent à la porte des gouverneurs militaires. Même le tourisme et les pèlerinages chrétiens, ressources importantes de Cisjordanie et de Jérusalem, passent sous la coupe des Israéliens. Les licences de guides ne sont plus délivrées, et ceux qui en ont obtenu avant 1967 doivent suivre des cours d'histoire juive. Une guerre inégale oppose les hôteliers juifs et arabes de Jérusalem, tandis que les églises palestiniennes protestent en 1984 contre les entraves à la liberté de pèlerinage. L'État impose des guides israéliens à Nazareth et Bethléem...

Depuis 1983, les Palestiniens n'ont même plus le droit de planter des arbres fruitiers sans autorisation. Tout arbre déjà planté doit être enregistré, mais pour cela, le paysan doit prouver qu'il en est bien propriétaire. Comme les titres délivrés par l'ancien cadastre jordanien sont, soit égarés, soit brûlés, soit contestés, les arbres « illégaux » sont arrachés ou interdits de récolte. Et comme la terre inculte devient automatiquement propriété de l'État... on voit bientôt venir des bulldozers et une implantation juive sortir du sol.

En 1987, on compte environ soixante-quinze mille colons juifs à Gaza et en Cisjordanie. A Gaza, ils occupent déjà 48 % des terres cultivables. Les exploitants spoliés n'ont même pas été indemnisés. En Cisjordanie, au train où vont les choses, la majorité des terres sera israélienne avant la fin du siècle. Quelques mois avant le déclenchement de l'Intifadah, le gouvernement, qui s'était déjà engagé à construire vingt-sept colonies de peuplement sur deux ans, annonce un nouveau plan pour dix-huit colonies.

Ce grignotage perpétuel de la terre, entamé sous le commandement de Moshe Dayan, reprend avec vigueur après l'arrivée au pouvoir du Likoud en 1977. Menahem Begin proposait sans sourciller cette vision du Grand Israël en réponse à la révolte palestinienne : « Pour toute pierre lancée par les Arabes contre les Juifs, suggérait-il en 1983, la réponse sioniste devrait être la création de dix nouvelles colonies. Le jour où il y aura cent agglomérations israéliennes entre Jérusalem et Hébron, les protestations arabes seront aussi efficaces que celles de cafards enfermés dans une bouteille ! »

Deux ans plus tard, un scandale foncier éclaboussait le vice-ministre de la Défense Mikhaël Dekhel et de nombreux autres responsables israéliens. Un marchand de terres de Cisjordanie, impliqué dans l'affaire, menaçait de faire citer à la barre Ariel Sharon et Yitzhak Shamir. Mais à l'ombre des bases militaires, enjeux de toutes les élections israéliennes, les colonies continuent de pousser.

Lors de son investiture en 1986, Yitzakh Shamir proclame devant la Knesseth : « La colonisation dans toutes les parties d'Eretz Israël est l'une des valeurs suprêmes du sionisme! Nous ne ferons pas de différence entre une partie et une autre. » Pour lui il n'y a pas de Cisjordanie, juste la Judée et la Samarie, dont les « habitants arabes » peuvent espérer voir leur condition s'améliorer s'ils « rompent de manière totale avec les organisations terroristes ».

Souvent composés de militants extrémistes du Kach, du Gouch Emounim ou du Tehya, les colons sèment la terreur dans les agglomérations voisines, qu'ils parcourent armés de leurs inséparables Uzi. Dans la vieille ville d'Hébron, les enfants des colons vont à la yeshiva sous la garde d'armes automatiques. Un incident, une rixe, une pierre lancée contre l'auto d'un colon ? C'est l'expédition punitive, souvent mortelle pour les jeunes Palestiniens. De vengeance en vengeance, l'escalade, inégale, se poursuit. Comment en serait-il autrement, quand les appels au meurtre sont le fait de députés à la Knesseth, et quand les partis religieux surenchérissent sur le thème de la haine raciale et du droit d'Israël à chasser les Arabes ?

« Si vous attrapez un Arabe armé d'un couteau, où qu'il soit, tuez-le! » s'exclame à la radio Raphaël Eytan, ancien chef d'état-major, en septembre 1987.

Et que les Palestiniens ne s'avisent pas de demander justice : auteur d'un rapport enterré sur les exactions des colons juifs et l'arbitraire des autorités militaires dans les territoires, le procureur général adjoint d'Israël, Judith Karp, a claqué la porte en 1984.

A cette folie de la terre, s'ajoute la folie du culte. S'ils veulent pouvoir s'installer partout dans leur « Grand Israël », les nouveaux Maccabées de la droite israélienne veulent aussi pouvoir prier partout. Même dans les mosquées de Cisjordanie. Même dans les lieux saints musulmans de Jérusalem.

En avril 1984, le grand mufti proteste contre la présence de soldats israéliens sur le Haram, enceinte sacrée des mosquées d'Omar et Al-Aqsa à Jérusalem. Ils prient, urinent, portent des armes, embrassent des femmes et fument, insultent les fidèles et pratiquent des fouilles humiliantes. A Hébron, des incidents bouleversent la paix du sanctuaire d'Abraham, en partie transformé en synagogue et lieu favori de provocation des Juifs ultra-orthodoxes. A Gaza, des inconnus profanent la mosquée al-Hachim, où repose le grand-père du Prophète.

Le ton monte en 1986. Un groupe de députés d'extrême-droite pénètre sur l'esplanade des mosquées sacrées à Jérusalem, provoquant la colère des fidèles. Deux cents soldats envahissent les lieux, parcourant, chaussés, le sol des mosquées et bloquant tous les accès. Le lendemain, Ariel Sharon vient à son tour « se rendre compte sur place », imité par des membres du Kach, qui réclament l'édification d'une synagogue à la place du troisième lieu saint de l'Islam. Pour une fois, autorités hébraïques et musulmanes tombent d'accord. Le Grand Rabbinat d'Israël rappelle l'interdiction formulée au XIIe siècle par Maimonide de pénétrer, pour un Juif, sur le sommet du mont du Temple où se trouvent les mosquées. Quant au Grand Mufti de Jérusalem, « quiconque oserait construire une synagogue sur cet endroit, menace-t-il, devra passer sur le corps d'un milliard de Musulmans! »

En attendant, ces provocations font le lit des Islamistes au sein de la population plastinienne. Aux élections universitaires, ils obtiennent 70 % à Gaza et 34 % à Bir-Zeït. Des mouvements autrement plus virulents que l'OLP ne tardent pas à apparaître à l'ombre des Frères Musulmans : Hamas et Jihad islamique préparent eux aussi le soulèvement.

Dernier facteur de la révolte : la répression. Depuis 1967, tous les rapports d'associations telles qu'Amnesty International, la Ligue des droits de l'Homme, ou simplement la Croix-Rouge, dénoncent les détentions arbitraires, les punitions collectives, les dynamitages d'habitations et les conditions de détention dans les prisons ou dans les camps. Là encore, un compte rendu exhaustif serait impossible. Au-delà même de l'injustice, ce qui pèse sur le plan politique, c'est le caractère systématique, massif, de ces atteintes aux Droits de l'homme – et bien souvent au droit tout court.

Pour comprendre, voici la liste des actes de répression ayant eu lieu à Gaza et en Cisjordanie, du 9 novembre au 9 décembre 1987, trente jours avant l'Intifadah. Un mois comme les autres en vingt années d'occupation * :

– 3 déportations à l'étranger;

– 131 arrestations, dont celles, sur leur lit d'hôpital à Naplouse, de deux jeunes manifestants blessés par balle;

– 50 condamnations pour un total de 4 553 mois de prison ferme; la plus précoce : un garçon de quinze ans; la plus injuste : 40 jours de geôle pour un aveugle de dix-neuf ans handicapé moteur, Hatîm Dahir Iwar, accusé d'avoir participé à une manifestation; la plus absurde : 13 mois fermes pour être sorti des limites de pêche;

– 23 détentions administratives (sans motifs ni jugement) pour une durée de 6 mois;

– 5 assignations à résidence;

– 5 cas de torture donnant lieu à des plaintes;

– 3 villes ou camps soumis au couvre-feu, 3 autres interdits de voyages à l'étranger;

– 6 raids policiers sur des institutions éducatives ou sociales;

– 12 maisons ou immeubles dynamités par mesure répressive;

– 4 000 arbres arrachés;

– 461 hectares de terre expropriés;

– 2 nouvelles colonies en construction, et 3 autres autorisées;

– magasins saccagés, garages fermés;

– 6 voies de fait commis par des colons sur des Palestiniens;

* *Sources* : gouvernement militaire et Awdah (al); Davar; Fajr (al) Haaretz; Hadashot; Hamishmar (al); Jérusalem Post (The); Kol Haïr; Maariv; Yedioth Aeronoth.

– meurtre d'une jeune fille de dix-sept ans, par des colons;

– profanation d'un lieu de prière musulman par le rabbin Lewinger;

– un nombre indéfini de blessés.

Terrible liste. Si routinière qu'on pourrait dresser la même pour octobre, septembre, août, juillet, juin, mai, avril...

Dans cette violence, à laquelle va répondre celle de la « révolution des pierres », les Israéliens voient un mal nécessaire. Rares sont ceux qui la condamnent, comme le professeur Yeshayahu Leibowitz, l'un des ultra-pacifistes israéliens.

« La journée vraiment sombre a été la septième de la guerre des Six jours, disait-il en 1983. Celle où il fallait décider s'il s'agissait d'une guerre défensive ou d'une guerre d'occupation et où nous avons choisi la deuxième option. C'est ce jour-là qu'a commencé la chute et le déclin de l'État d'Israël. Devenir une puissance occupante c'est ouvrir la porte au fascisme, au nazisme et au meurtre. »

Les Palestiniens, eux, ne portent aucun jugement moral sur leur oppression. Ils y lisent les signes d'une lutte à mort, d'un lent encerclement qui tôt ou tard les forcera à partir. Dans l'esprit de ces adolescents qui vont étonner le monde à partir de décembre, la multiplication des colonies, le refus de la paix, les incidents, les violences de l'armée, tout cela n'a pour but que de pousser la population à des actes de désespoir. Soit les Palestiniens finiront par partir de guerre lasse, soit ils prendront les armes et Israël aura le prétexte de sa dernière guerre : la guerre d'expulsion des Arabes du Grand Israël.

En novembre 1987, justement, un député propose à la Knesseth d'offrir 20 000 dollars à tout Palestinien qui souhaiterait quitter les territoires. Moins prodigues, d'autres députés préfèrent parler de « transferts de masses ». L'inquiétant euphémisme signifie la déportation globale vers la Jordanie ou l'Égypte.

Et cet encerclement, les Palestiniens des territoires vont essayer de le briser. Pas en prenant les armes. Mais en jetant des pierres.

Leur première victime?

C'est d'abord l'image d'Israël dans le monde. Ces soldats qui, jour après jour, matraquent des gamins; ces bavures incessantes; ces patrouilles visant en tir tendu des manifestants aux mains nues, écœurent une opinion figée devant la télévision. Même les amis s'inquiètent : Israël ne peut-elle rien trouver de mieux pour répondre à la jeunesse arabe? L'influent hebdomadaire anglais, *The Economist,* constate le malaise en citant à la une le prophète Osée : « Israël, je t'aimais quand tu étais enfant... »

Les condamnations pleuvent.

Alors, l'armée israélienne entame une course contre la montre pour arrêter, étouffer, cacher ce monstre surgi des territoires. Des secteurs entiers sont interdits à la presse. Les responsables virtuels du soulèvement sont arrêtés, expulsés. Rien n'y fait.

Tous les quinze jours, ponctuels, de nouveaux tracts diffusent les directives de la Direction Unifiée du Soulèvement. Direction sans visage.

« L'OLP n'a jamais dit aux Palestiniens de Gaza et de Cisjordanie : « Soulevez-vous, nous l'avons décidé! : confiait Abou Jihad en février 1988. Ce n'est pas comme ça que ça c'est passé. Ceux d'entre nous qui étaient à l'écoute des territoires savaient que les conditions d'un soulèvement étaient réunies. Nous avons fait passer à nos frères le message suivant : « Si vous êtes prêts, nous vous aiderons. » Il était clair depuis le départ que ceux qui devaient supporter les conséquences du soulèvement devaient aussi en assumer la responsabilité. La direction ne pouvait venir que de l'intérieur. Mais il était clair que sans l'extérieur, sans l'aide de la structure de l'OLP, un tel soulèvement aurait manqué d'air dès les premières semaines... »

L'air, l'OLP trouve mille moyens d'en apporter. Les

dollars des pays du Golfe ou de la diaspora palestinienne affluent très vite vers les territoires, selon des filières mises en place par Abou Jihad. Il y a aussi l'aide tactique et morale et, là non plus, l'OLP n'a pas lésiné sur les moyens. Elle a acquis en Angleterre l'un des moyens de télécommunication les plus sophistiqués sur le marché, le système Tacticom de la firme Racal. Des dizaines d'émetteurs, reliés au réseau de satellite Arabsat, permettent aux Palestiniens des territoires de communiquer directement avec le QG de l'OLP à Tunis. Du coin d'une rue, les manifestants qui viennent de subir un assaut de l'armée reçoivent de vive voix les encouragements de Yasser Arafat. Les soldats ont beau saisir des émetteurs, d'autres arrivent.

Par téléfax, les dirigeants de l'OLP échangent chaque jour des messages et des informations avec ceux de l'Intifadah. Peu à peu, chacune des deux directions, « intérieure » et « extérieure », ont appris à respecter les points de vue et les impératifs pratiques de l'autre. En quelques mois, la mécanique élaborée par Abou Jihad a atteint son régime de croisière, et rien ne semble plus pouvoir l'arrêter.

Rien ?

Les Israéliens essaient quand même.

Le vendredi 15 avril 1988, Abou Jihad doit se rendre à Bagdad pour participer à une réunion avec les autres dirigeants de l'OLP. Ses collaborateurs, ses gardes du corps se trouvent déjà dans la capitale irakienne. Pourtant, il a soudain décidé de rester un peu plus à Tunis. Il rencontre des messagers venus des territoires occupés, et projette de partir dans la nuit pour Bagdad.

Vers 23 h 30, il rentre chez lui à Sidi Bou Saïd, pour dire au revoir à sa femme Intissar. Un de ses hommes l'appelle de l'aéroport, pour lui dire que le vol est retardé. Alors, tandis qu'Intissar se repose, il met une cassette vidéo dans le magnétoscope et se met à écrire. Des images de l'Intifadah, muettes, défilent devant ses yeux. La plume court sur le papier. La nuit est si calme...

A quelques kilomètres de là, la plage de Raouad. Dans l'obscurité, des ombres accostent en canots pneumatiques. Les hommes dissimulent les embarcations et se regroupent près de la route. Ils sont une quarantaine, membres de l'unité d'élite Sayereth Matkal, qui dépend du Mossad et de la direction des Renseignements militaires. Des micros-émetteurs les relient à un Boeing 707 de l'armée de l'air israélienne, qui survole au même moment la Méditerranée occidentale, aux limites de l'espace tunisien. Ce centre de commandement électronique a pour but de tenir Jérusalem informé seconde par seconde de l'évolution des membres du commando sur la côte tunisienne. Sur la route, trois complices les attendent. Deux jours plus tôt, ils ont loué deux minibus Volkswagen et une Peugeot 505 en se servant de passeports libanais. Le groupe s'engouffre dans les véhicules et fait route sur Sidi Bou-Saïd.

A 1 h 20, les tueurs arrivent à proximité de la villa d'Abou Jihad et se séparent en deux groupes. Après avoir sectionné les lignes de téléphone, ils abattent le chauffeur du chef palestinien à l'aide d'une arme à silencieux. L'homme ne s'est douté de rien. Assis dans sa voiture, on retrouvera une cigarette en train de brûler entre ses doigts...

Un groupe contourne la villa, saute le mur du jardin, tue le jardinier et un vieux garde du corps à la retraite qui dormaient à la belle étoile. L'autre groupe enfonce la porte d'entrée.

Abou Jihad saisit son pistolet. Il sort pour affronter ses assassins et tombe nez à nez avec eux dans le couloir de l'étage. Tous portent des masques de chirurgien. Tandis qu'une femme filme en vidéo, les hommes ouvrent le feu. Abou Jihad n'a même pas eu le temps de tirer. Il roule au sol, foudroyé par une douzaine de balles. Intissar, affolée, arrive à temps dans le couloir pour voir les tueurs s'avancer l'un après l'autre, et tirer chacun une balle dans le corps de son mari.

« Assez, assez! » supplie-t-elle.

Ce n'est pas assez. Avant de repartir, le commando arrose de balles le couloir et chaque pièce du premier. Des impacts encadrent le lit où dort le dernier-né du couple al-Wazir, qui n'a que trois ans. La fille aînée, Hanan, sort à son tour dans le couloir.

« Va voir ta mère ! » lui ordonne la femme du commando dans un français sans accent.

Aussi silencieusement qu'ils sont arrivés, le commando regagne la plage de Raouad et se noie dans la nuit.

Lorsqu'il apprend la nouvelle quelques minutes plus tard, Arafat est effondré. Frappé de plein fouet, cet homme secret ne parvient pas à cacher le chagrin, la douleur qui l'étreignent. Il portera le deuil durant quarante jours. Pourtant, malgré l'intercession de l'Algérie et de la Libye, il n'a pas reçu l'autorisation de se rendre à Damas pour l'enterrement d'Abou Jihad.

Mais au camp de Yarmouk, où se déroulent les funérailles, une foule enivrée de colère et de peine croit voir Yasser Arafat au milieu du cortège. Même passion dans les territoires, ces territoires auxquels Abou Jihad avait donné les derniers mois de sa vie. Le jour même de sa mort, alors qu'Israël nie encore, l'explosion de colère fait dix-neuf morts et les murs de Gaza se recouvrent de slogans.

« Nous sommes tous les fils d'Abou Jihad ! »

Enfin, le 24 avril, Arafat reçoit la permission de venir à Damas et il se rend directement sur la tombe de son ami à Yarmouk. Des « réconciliations », précaires, sont célébrées avec le régime d'Assad, mais Arafat n'a pas le cœur aux célébrations. Durant toute la durée du deuil, il limite le nombre de ses visiteurs et ses apparitions publiques. Les Israéliens ne pouvaient pas lui porter un coup plus rude, tuer un ami plus cher. Sans doute repense-t-il à tous les dangers qu'ils ont couru ensemble, du temps d'Al-Assifa, aux débuts du Fatah, dans les prisons syriennes ou le Liban en guerre. Il pense aussi, il le confie à quelques proches, qu'il aurait dû imposer à

Abou Jihad une sécurité plus stricte, l'obliger à changer de maison, lui interdire de rester si longtemps à Tunis...

Tout s'est passé comme si Abou Jihad avait ignoré le danger, refusé l'idée de cette mort probable. Pourtant il y avait pensé.

Autour de lui, ses lieutenants étaient prêts à assurer la relève. « L'Intifadah se poursuivra, annonce le porte-parole de l'OLP. Telles étaient ses dernières paroles. Telles étaient ses dernières volontés. Telles étaient ses dernières instructions. »

10.

La Palestine de papier

Avant que ses assassins ne frappent, Abou Jihad devait participer à une importante réunion de l'OLP à Bagdad, pour tirer les conséquences politiques du soulèvement dans les territoires occupés.

La quête se poursuit sans lui.

Arafat souhaite que l'OLP, par une initiative politique spectaculaire, réponde au formidable élan de la jeunesse palestinienne. La direction palestinienne ne doit décevoir ni les espoirs des manifestants, ni la vague de sympathie qu'ils ont suscitée à travers le monde. Il faut pour cela modifier les données politiques du conflit.

Difficile. Comment engager le dialogue avec un ennemi qui refuse de parler ? C'est vers les États-Unis et l'Europe que vont se porter les efforts de l'OLP. L'homme chargé de cette mission délicate – et dangereuse – s'appelle Bassam Abou Charif.

Chargé de l'information à la tête du FPLP de George Habbache, cet ancien journaliste, idéologue et propagandiste blessé en 1973 par une lettre piégée du Mossad, a rejoint Arafat en 1987, peu après le Conseil National

Palestinien. Devenu l'un de ses principaux conseillers politiques, il a le redoutable privilège de jouer les avant-gardes...

En marge du sommet arabe qui se tient à Alger en juin 1988, un document rédigé par Abou Charif circule et scandalise certains participants. L'auteur viole l'un après l'autre tous les tabous de la politique arabe. Comble de provocation, il ose même publier ses idées le 16 juin dans le *Washington Post.*

Qu'y lit-on ? « La clé pour le règlement israélo-palestinien, écrit Abou Charif, tient en des négociations entre les Palestiniens et les Israéliens. » Sur le mode de la réflexion, et parfois de l'ironie, Abou Charif adjure ensuite les Israéliens de renoncer à chercher un autre interlocuteur que l'OLP. Et il propose : « Que soit organisé un référendum, sous contrôle international, en Cisjordanie et dans la zone de Gaza; qu'il soit permis à la population de choisir entre l'OLP et tout autre groupe de Palestiniens qu'Israël, les États-Unis ou la communauté internationale souhaiteraient désigner. » Puis il revient sur le refus de l'OLP « d'accepter sans réserves » la résolution 242 et lance une petite bombe : « L'OLP accepte les résolutions 242 et 338. Ce qui l'empêche de préciser *sans réserves* ne réside pas dans ce qui se trouve dans ces résolutions mais dans ce qui ne s'y trouve pas. » Enfin, Abou Charif estime qu'Israël n'a rien à redouter d'un futur État palestinien, qu'en revanche la Palestine aurait davantage à craindre d'Israël, « superpuissance militaire dotée de l'arme nucléaire », et propose unilatéralement : « le déploiement d'une force tampon de l'ONU sur la partie palestinienne de la frontière israélo-palestinienne ».

C'est beaucoup pour un texte de trois pages ! Au sein même de l'OLP, nombre de leaders n'en croient pas leurs yeux : on a laissé Abou Charif développer des thèses qui n'ont même pas été débattues et approuvées au sein de l'organisation...

A Washington, Londres, Paris, et peut-être à Jérusalem, on se pose une autre question. Dans quelle mesure ces propositions reflètent-elles le point de vue d'Arafat ? Se gardant bien de rappeler à l'ordre son turbulent conseiller, ni de le soutenir ouvertement, le « Vieux » assiste, impassible, aux empoignades qui suivent la publication.

Les radicaux arabes s'étouffent, dénonçant ce qu'ils interprètent comme une reconnaissance pure et simple d'Israël par un proche d'Arafat. Abou Nidal promet de faire subir à Bassam Abou Charif le même sort qu'à Issam Sartaoui, et dans les camps de Beyrouth, la guerre entre arafatistes et pro-syriens reprend avec vigueur. Quant à l'aile dure du Fatah, elle réclame par la bouche d'Abou Iyad que « soit mis fin au badinage politique de Bassam Abou Charif ».

Mais les idées lancées font leur chemin, et même Abou Iyad finit rapidement par admettre qu'il a été « plus choqué par la forme que par le contenu » : reconnaissance implicite d'Israël, création d'un État palestinien, acceptation officielle des résolutions de l'ONU, gages offerts à la sécurité d'Israël. Ces idées qui triompheront à Alger en novembre...

En Israël enfin, le gouvernement Shamir qualifie les propositions du document de « poudre aux yeux », tandis qu'un groupe de quinze éminentes personnalités de la communauté juive américaine y voient en revanche un « pas significatif... »

Car l'Intifadah a placé Israël en porte-à-faux. L'État hébreu, même s'il est loin de pouvoir faire sienne l'audace d'Abou Charif, cherche lui aussi divers moyens de sortir de l'ornière. En juillet 1988, le nouveau chef des renseignements militaires, le général Amnon Shahak, reconnaît au cours d'une conférence à Washington l'implantation de l'OLP dans les territoires : « Il existe bien un leadership local, à l'échelle des villages et des quartiers. Lorsqu'un de ces responsables locaux est arrêté, un autre prend immédiatement sa place. Mais la véritable direction des Palestiniens dans les territoires est assurée par l'OLP. »

Alors, surmontant sa répugnance, Israël parle à l'OLP.

Pas directement, non. Comme à plusieurs reprises par le passé, l'État hébreu fait pour cela appel à l'un des intermédiaires les plus empressés de la scène internationale : le dictateur roumain Nicolae Ceaucescu.

Le « Génie des Carpathes » se cherche depuis toujours une stature internationale. Incapable de la trouver par la seule dimension stratégique de la petite Roumanie, il s'est initié à la diplomatie secrète et tente par tous les moyens de se rendre indispensable. On a vu qu'il a joué un rôle fondamental en nouant les premiers contacts qui ont amené Sadate jusqu'à Jérusalem. Ensuite, utilisant ses liens avec Moscou, il a facilité l'émigration des Juifs soviétiques. Moyennant la modique somme de quatre-vingt mille dollars par tête... Le Conducator a beau entretenir, seul de tout le bloc de l'Est, d'excellentes relations diplomatiques avec Israël, il ne perd jamais le sens pratique...

Or, depuis des années, il sert aussi de boîte aux lettres entre l'OLP et le gouvernement de Jérusalem. Son ambition – il l'a écrit, avec emphase, dans l'un de ses gros pavés à couverture rouge que les insurgés brûleront le 22 décembre 1989 – c'est d'arriver à négocier la paix.

Ceaucescu n'a jamais été vraiment proche du but. Mais, recevant tour à tour dirigeants de l'OLP et diplomates israéliens dans les somptueuses villas de l'État roumain, il essaie, essaie, essaie encore. Arafat passe par Bucarest en juin. Le Conducator l'informe de la dernière proposition israélienne : un accord intérimaire sur la gestion des territoires occupés ! Israël serait prêt à accorder une large autonomie, à condition que l'Intifadah cesse, et que l'OLP accepte le maintien de l'occupation israélienne jusqu'à un règlement global.

Arafat refuse. Mais il fait une contre-proposition : l'établissement d' « un mandat de souveraineté provisoire des Nations-Unies en Cisjordanie et à Gaza et l'organisation, après le retrait de l'armée israélienne, d'un référendum ». Début juillet, un envoyé roumain, M. Constantin

Metea, se rend à Jérusalem pour transmettre l'offre à Shimon Pérès et à Yitzhak Shamir. Pour Israël, pas question de négocier en dehors des bases de Camp David : l'autonomie, sinon rien. Ce que veut Shamir, c'est contraindre les voisins arabes, en premier lieu la Jordanie, à garantir tout changement de statut.

Hélas pour lui, le sommet arabe d'Alger a anticipé ce blocage. Pour permettre à l'OLP d'échapper aux tutelles, et de participer de plein droit à une conférence internationale, il a appelé de ses vœux la création d'un État palestinien. Le 31 juillet 1988, le roi Hussein en tire les conséquences logiques. Il proclame « la rupture des liens légaux et administratifs entre les deux rives du Jourdain ».

Les Israéliens sont désormais privés de leur « solution jordanienne », puisque de l'aveu même du monarque, « la Palestine n'est pas la Jordanie ». Dans son discours retransmis en direct en Israël, le roi déclare : « Nous respectons aujourd'hui le souhait de l'OLP de se séparer de nous pour édifier un État palestinien indépendant... »

D'intéressants problèmes pratiques découlent de cette décision. Qui paiera désormais les fonctionnaires de Cisjordanie ? L'OLP fait des comptes rapides, et donne ordre à la Banque Arabe d'Amman, où se trouvent les principaux comptes de l'organisation, d'assurer la relève.

Un mois après le ballon d'essai lancé par Bassam Abou Charif, un nouvel appel à l'indépendance se fait entendre. Cette fois, il vient des territoires. Dans une perquisition à Jérusalem-Est, les Israéliens ont découvert un document attribué à Fayçal Husseini, l'une des personnalités nationalistes des territoires les plus proches de Yasser Arafat.

En fait, le document aurait été élaboré en commun par la Direction unifiée de l'Intifadah. Il appelle à la création d'un État palestinien aux côtés de l'État juif, dans les frontières du partage décidé par l'ONU en 1947. Il réclame aussi la création d'un gouvernement en exil, assuré par l'ensemble des organisations membres de l'OLP, Yasser Arafat assumant les fonctions de chef d'État. Et propose que les comités populaires de l'Intifadah supplantent sur le terrain l'administration militaire israélienne...

« Il s'agit là de rêves fous et dangereux qui ne se réaliseront en aucun cas! » menace le porte-parole de Yitzhak Shamir une fois le document rendu public.

Qu'il ait été ou non inspiré par Tunis, le « document Husseini » passe pour un appel de la population des territoires aux dirigeants de l'OLP : « Nous voulons une raison d'espérer! » Cela conforte Arafat face à ceux qui hésitent encore. Dès lors, l'opposition s'effrite, l'initiative prend forme...

Abou Iyad, d'emblée hostile aux « badinages » d'Abou Charif, devient maintenant l'un des premiers artisans du tournant historique. « L'État palestinien se référera à la résolution 181 des Nations unies », révèle-t-il courant août. Pendant ce temps, Bassam Abou Charif poursuit son offensive de déstabilisation politique, multipliant les contacts avec l'Occident : « L'OLP est prête à échanger la paix avec Israël contre la création d'un État palestinien dans les territoires occupés », déclare-t-il à l'agence Reuter. Yithzak Shamir voit dans cette offensive « un nouveau plan pour détruire Israël ».

Arafat reprend le flambeau de son conseiller. Le 13 septembre, il entame un époustouflant marathon diplomatico-médiatique par une étape à Strasbourg, devant le parlement européen. Des manifestations juives ont précédé et accompagnent cette visite. Et plus de six cents journalistes suivent chaque mot du président de l'OLP : « Nous acceptons la Charte et les résolutions des Nations unies dans leur totalité, y compris la 242 et la 338, dit-il. La légalité internationale est un tout indivisible, et personne ne peut y choisir ce qui lui convient tout en refusant le reste. Comment les États-Unis et Israël peuvent-ils accepter la résolution 181, qui fait référence à deux États en Palestine, comme acte de naissance unique de l'État d'Israël, tout en refusant, par exemple, la résolution 194, qui affirme le droit des réfugiés palestiniens au retour ou à l'indemnisation ? Comment peut-on nous demander d'accepter la résolution 242 et d'oublier les autres résolutions internationales ? »

Il propose donc deux bases possibles à la tenue d'une conférence internationale : soit l'ensemble des résolutions de l'ONU, y compris la 242 et la 338, soit ces deux résolutions seules, plus « l'affirmation des droits légitimes du peuple palestinien, et en premier lieu son droit à l'autodétermination ».

C'est la première fois que le président de l'OLP, parlant ès qualité, accepte la 242 et reconnaît donc implicitement l'existence d'Israël. Mais c'est trop pour une opinion mondiale qui ne semble pas comprendre sur le coup, au point que le lendemain, au cours d'une conférence de presse, Arafat doit répéter sa proposition mot à mot, avant de souhaiter la bonne année aux Israéliens – « Shana Tova ! » – en hébreu dans le texte.

Le ministre français des Affaires étrangères, Roland Dumas, qui rencontre Arafat à Strasbourg, confiera quelques jours plus tard que le président de l'OLP « m'a affirmé au cours de notre entretien reconnaître de fait l'Etat d'Israël. Je lui ai demandé s'il m'autorisait à rapporter publiquement ce propos. Il m'a répondu : « Je ne vous démentirai pas... »

Alors, pourquoi Arafat ne dit pas simplement, publiquement : « Je reconnais l'existence de l'Etat d'Israël et son droit à exister dans des frontières sûres et reconnues ? »

Bassam Abou Charif, son conseiller politique, explique : « Le problème n'est pas de se donner en spectacle mais de faire avancer un règlement politique. Notre objectif n'est pas de faire des cadeaux à Israël, mais de créer les conditions où le peuple palestinien pourrait obtenir quelque chose en échange. »

Cela nécessite un petit suspense...

D'abord peu convaincus, les Américains entrent dans la danse. Ce n'est pas facile pour eux : les élections présidentielles du 8 novembre approchent, et même si la victoire de George Bush ne semble faire aucun doute, personne ne souhaite un dérapage sur une issue sensible pour le vote juif. D'autant qu'Israël votera également le 2 novembre pour élire un nouveau parlement. D'où l'intérêt pour les Palestiniens à faire traîner les choses : les échéances électorales passées, les Américains auront moins de difficultés à se faire une politique. Et on trouvera peut-être un cabinet israélien à qui parler...

George Shultz, qui n'a plus que quelques semaines à passer au Département d'Etat, rappelle les conditions fixées par Washington au dialogue avec l'OLP. « Les Palestiniens, dit-il deux jours après le coup d'éclat d'Arafat à Strasbourg, ont besoin de décider s'ils veulent demeurer une partie du problème du Proche-Orient ou s'ils veulent devenir un élément de la solution. »

Les émissaires se mettent en marche. Au Caire, le 21 septembre, Hosni Moubarak informe Arafat des exigences américaines : reconnaissance de la 242, mais aussi reconnaissance explicite d'Israël et de son droit à la sécurité. Le lendemain, le ministre égyptien des Affaires étrangères part pour New York, où Ronald Reagan attend la réponse palestinienne.

La voici en substance : « Oui à la 242, la participation mutuelle d'Israël et de l'OLP à une conférence internationale constituera une reconnaissance formelle, et nous n'irons pas plus loin tant que les droits fondamentaux du peuple palestinien ne seront pas reconnus, y compris son droit à disposer d'un Etat. »

Un mois plus tard, le 22 octobre à Aqaba, le roi Hussein accueille Arafat et Moubarak pour établir une stratégie commune. Arafat estime qu'il est inutile d'espérer un revirement américain avant les élections de novembre, et qu'il vaut mieux attendre aussi le résultat des urnes en Israël. C'est donc au Conseil National Palestinien, qui s'ouvrira le 12 novembre à Alger, que l'OLP pourra faire une avancée. « Tous les éléments constitutifs d'un Etat palestinien sont actuellement réunis... » dit le conseiller du président égyptien, Oussama el-Baz, alors qu'Arafat et Hosni Moubarak quittent ensemble la Jordanie pour Bagdad, où les attend Saddam Hussein.

En Israël, le résultat serré des élections empêche de dégager la moindre majorité. Le Likoud arrivant en tête, Yitzhak Shamir tente de former un cabinet avec les partis d'extrême-droite religieuse. Les marchandages dureront des semaines, ponctués d'incidents scabreux, avant que le Premier ministre ne se résolve à une nouvelle coalition avec les travaillistes. « C'est incroyable, dit Arafat. Ils parlent de gouvernement séculier en Israël, de leur paradis! Ils disent avoir échappé à des ghettos et ils sont en train de se construire un nouveau ghetto. C'est la confusion totale. »

Ce flottement politique en Israël n'arrange pas l'OLP. Elle préférerait avoir, face à elle, un pouvoir fort plutôt qu'un amalgame toujours prêt à rompre et sensible aux extrêmes. Tandis que les rabbins défilent chez Shamir pour négocier des portefeuilles, Arafat visite Rome. Puis à Tunis, le ministre des Affaires étrangères espagnol l'informe de la décision des Douze : si l'OLP clarifie sa position à l'occasion du CNP, la CEE publiera un communiqué commun de soutien. Les bureaux de l'OLP à Tunis se transforment en fourmilière, les secrétaires ne dorment plus, les télex crépitent et les téléfax tournent, tandis que les conseillers d'Arafat soumettent le texte de la déclaration d'Indépendance de Palestine à des juristes internationaux. Le poète Mahmoud Darwich, lui, met la dernière main au préambule.

Enfin, vient le grand jour à Alger. A l'exception de la Saïka et du FPLP-CG d'Ahmad Djibril, toutes les organisations membres de l'OLP sont présentes sous le dôme de la salle de conférence. Habbache, le vieil irréductible, affirme que l'unité de l'OLP ne sera pas remise en cause quoiqu'il advienne : « Je ne ferai pas ce cadeau à Israël ou aux réactionnaires arabes. Qu'ils ne rêvent pas! »

Car pour ce CNP, l'OLP réalise une victoire sur elle-même : le programme politique sera adopté au scrutin majoritaire, et non comme à l'accoutumée, par un consensus unanime. Cela laisse à Habbache, adversaire de la 242, la possibilité de voter non sans claquer la porte : « Je suis en total désaccord avec vous, dit-il les larmes aux yeux, mais j'espère de tout mon cœur me tromper. Je vote contre, mais je ne partirai jamais ! »

L'Etat de Palestine naît dans la nuit du 14 au 15 novembre, dans une telle fièvre que les délégués oublient de noter l'heure exacte : une polémique s'engage au quart d'heure près !

On photocopie, on distribue le texte de la déclaration d'Indépendance.

« Elle donne un nouveau souffle moral au soulèvement, dit Hannah Siniora, le rédacteur en chef du journal *al-Fajr,* venu de Jérusalem-Est. Sur le plan symbolique, cela veut dire que j'ai maintenant une identité propre. Je ne suis plus Jordanien ; je ne suis plus résident d'un territoire au statut indistinct. Nous ne nous appelons plus la Cisjordanie, mais la Palestine occupée ! »

Les guerilleros reconvertis au costume trois-pièces rêvent déjà à leurs futurs passeports, parlent de battre monnaie. Mais Arafat a des échéances plus urgentes en tête : forcer le dialogue avec les USA.

Or, après mûr examen, le verdict du département d'Etat tombe : « C'est encourageant, dit Charles Redman, le porte-parole, mais il faut en faire davantage. » Il qualifie les résolutions d'« ambiguës », et précise que « la reconnaissance d'Israël devrait être claire. »

L'Europe, qui a unanimement salué les décisions d'Alger, critique la prudence américaine. Elle n'est pas la seule. Les trois principaux quotidiens américains s'en prennent à l'Administration sortante, tandis que s'installe une polémique discrète entre le secrétaire d'Etat Shultz, qui expédie les affaires courantes, et son successeur désigné par le nouveau président, James Baker. Baker voudrait saisir l'occasion de relancer le processus de paix, alors que Shultz semble tout faire pour le laisser passer...

Or, un test crucial se présente à l'administration. Comme en 1974, Yasser Arafat a fait une demande de visa pour les Etats-Unis : il souhaite expliquer, devant l'Assemblée Générale de l'ONU à New York, le tournant historique du CNP d'Alger. L'Assemblée Générale souhaite l'entendre. Et en vertu des accords de siège, le gouvernement américain est tenu de laisser Arafat venir s'exprimer dans l'enceinte internationale...

Mais le 26 novembre, contre l'avis de James Baker et de nombre de ses propres collaborateurs, George Shultz rejette la demande de visa d'Arafat. Le Secrétaire Général des Nations-Unies, Javier Perez de Cuellar, les membres de la Communauté Européenne, les alliés arabes de Washington tentent en vain de rappeler l'Amérique à ses obligations. En vain : Shultz oppose des raisons de sécurité et s'obstine dans son refus, provoquant une vive algarade avec son successeur.

Décidée à entendre Arafat, l'Assemblée Générale choisit par 154 voix de déménager à Genève pour l'examen du point d'ordre du jour intitulé : « Question de Palestine. » C'est la première fois de son histoire que l'organisation internationale se trouve contrainte à cette sorte d'exil provisoire...

Arafat fait un crochet par Stockholm. Le ministre suédois des Affaires étrangères, Sten Anderson, joue un rôle-clé dans l'étonnant dialogue palestino-américain de cette fin d'année 1988. Et il a eu une idée pour débloquer les choses : une commission composée de personnalités juives américaines attend Arafat à Stockholm. Rita Hauser, présidente du centre international pour la paix au Moyen-Orient, Menachem Rosensaft, secrétaire général de l'alliance sioniste travailliste, et quelques autres, ont accepté de « clarifier » avec Arafat les termes de sa reconnaissance d'Israël. Durant vingt-quatre heures, ils travaillent sur un document commun, rendu public le 7 décembre. « Nous avons expressément indiqué qu'il y avait deux Etats en Palestine », dit Arafat. Rita Hauser, elle, déclare qu'à son avis la reconnaissance d'Israël par l'OLP « ne peut être plus clairement formulée ».

Mais George Shultz enfermé dans son bureau de C street à Washington, n'y voit qu'un « léger pas ». Sans doute compte-t-il les points perdus dans cette curieuse bataille diplomatique. Au moment même où Arafat rencontrait les personnalités juives américaines à Stockholm, une délégation de la gauche israélienne, cette fois, retrouvait des membres de l'OLP à Prague. Et trois jours avant l'ouverture du débat à Genève, la Grande-Bretagne, principale alliée européenne des Etats-Unis se démarque de l'intransigeance du secrétaire d'Etat. Bassam Abou Charif, le conseiller politique d'Arafat, est reçu officiellement au Foreign Office. Trois ans après l'échec de la rencontre ratée entre Geoffrey Howe, Monseigneur Khoury et Muhammad Milhem, c'est une revanche pour l'OLP.

Le 13 décembre 1988, dans Genève en état de siège, Arafat enfonce la dernière porte de l'Occident. Hormis les Israéliens et les Sud-africains, tout le monde est là pour l'entendre dans la grande salle du Palais des Nations. Même Vernon Walters, le représentant américain, qui prend des notes son casque sur les oreilles. Ironie de l'Histoire : c'est ce même Walters que Kissinger avait empêché de rencontrer Arafat quinze ans auparavant...

Le long, très long discours scruté à la virgule près par les diplomates du monde entier, s'achève par une initiative de paix en trois points. En sa qualité de président du Comité exécutif de l'OLP, « qui assume les responsabilités du gouvernement provisoire de l'Etat de Palestine », Arafat demande la réunion du comité préparatoire à la conférence internationale, sur la base de l'initiative lancée en 1986 par Mikhaïl Gorbatchev et François Mitterrand. « Nous réclamons une action visant à mettre notre terre palestinienne occupée sous la tutelle momentanée des Nations-Unies » poursuit-il, proposant un règlement global entre toutes les parties, « y compris l'Etat de Palestine, Israël et ses autres voisins » sur la base des résolutions 242 et 338.

Enfin, il lance un appel vibrant à ses ennemis.

« Je demande aux dirigeants d'Israël de venir ici, sous l'égide des Nations-Unies, pour que nous accomplissions cette paix, dit-il. (...) Je leur dis : venez! Loin de la peur et de la menace, réalisons la paix, loin du spectre des guerres ininterrompues depuis quarante ans dans le brasier de ce conflit, loin de la menace de nouvelles guerres, qui n'auraient d'autres combustibles que nos enfants et vos enfants... Venez, faisons la paix, la paix des braves, loin de l'arrogance de la force et des armes et de la destruction, loin de l'occupation, de la tyrannie, de l'humiliation, de la tuerie et de la torture! »

Il cite le Coran, l'Evangile et la Bible. Vernon Walters rebouche son stylo. L'Assemblée applaudit debout.

Pendant vingt-quatre heures encore, l'administration américaine flotte, rechigne. Il faudra une ultime ruade de James Baker pour que George Shultz, l'air tendu, se résolve à annoncer à ce que les Etats-Unis ont pris la décision « d'engager un dialogue substantiel avec l'OLP ».

Le 16 décembre dans la matinée, à Tunis, l'ambassadeur américain Robert Pelletreau rencontre Yasser Abed Rabbo, Abdallah Hourani, Abou Jaafar, et Hakem Balaoui. Le temps des intermédiaires s'achève.

Reste que, pour faire la paix, il ne suffit pas de parler.

11.

La paix introuvable...

Ariel Sharon a toujours eu un sens aigu des débats budgétaires.

« Si le ministre présente un plan précis pour liquider

le soulèvement palestinien, lance-t-il au conseil des ministres en juillet 1989, à commencer par la liquidation physique des chefs d'organisations terroristes, et en premier lieu Arafat, je soutiendrais l'augmentation de son budget! »

Cette saillie bien particulière traduit l'exaspération de la droite israélienne devant une Intifadah qui n'en finit plus. On dressera bientôt le bilan de deux années de soulèvement : six cent treize Palestiniens tués, dont cent trente enfants de moins de seize ans; plus de soixante mille personnes arrêtées, dont vingt mille attendent encore de passer en jugement; sept cent cinquante et une maisons dynamitées, cinquante-cinq autres murées; cinquante-sept mille arbres arrachés; et, selon les médecins palestiniens, près de quarante-huit mille blessés divers...

Côté israélien, on dénombre trente-six tués, quatre suicides, et chaque mois une quarantaine de soldats refusent de rejoindre leurs unités... La répression coûte à l'armée cinq cents millions de dollars par an, et les généraux, fâchés d'avoir à sacrifier des projets d'équipement, finissent par se poser des questions. « Ce sont eux qui contrôlent le terrain et ce sont eux qui ont l'initiative, reconnaît le général Ben Eliezer. L'armée ne gouverne plus, elle réagit et elle punit. Il n'y a aucun relâchement dans l'Intifadah, et il n'existe aucune solution militaire au problème. »

On a donné l'ordre aux soldats de tirer à vue sur tout manifestant masqué, imposé à Gaza des cartes d'identités magnétiques, multiplié les ratissages et les punitions. Le soulèvement est toujours là.

Il est là, mais il change de visage.

Aux manifestations spontanées et massives des premiers mois font place de petites provocations montées par des groupes de jeunes désormais bien entraînés. Certains le sont d'une façon quasi militaire : il défilent au pas, en uniformes dans les rues des camps et des villages, rivalisant d'audace. Les militants du Fatah ont ainsi constitué les « Panthères Noires », tandis que les proches d'Habbache se regroupent au sein des « Aigles Rouges ».

Mais, très vite, ces petites troupes désobéissent à leurs chefs respectifs. Elles se lancent dans des opérations de « moralisation » brutale, tuant en quelques mois plus de cent quarante supposés « collaborateurs ». Le jour où Arafat interdit sur les ondes de la radio palestinienne basée à Bagdad ce genre d'exécution sommaire, ses Panthères Noires lui répondent en liquidant dans les rues de Naplouse une prostituée qui travaillait pour la police.

Arafat veut empêcher la radicalisation de l'Intifadah. Il connaît d'expérience les dangers de ce genre de dérive, et sait que l'arrogance de ces jeunes gens les poussera tôt ou tard à commettre une faute qui remettra en cause les objectifs du soulèvement. Tract après tract, la direction unifiée de l'Intifadah insiste sur la nécessité de ne pas sortir les armes. Car il y en a, des armes. Rien qu'à Gaza, soixante-dix mille, de l'aveu même des autorités militaires israéliennes (ces statistiques de l'état-major incluent toutefois les armes blanches).

Comme Arafat, les dirigeants du soulèvement ont entendu Yitzhak Shamir lorsqu'il menait campagne pour les législatives en octobre 1988 : « Si les Arabes de Judée-Samarie passent au stade des armes à feu, disait-il, pas un ne survivra et les leaders de l'OLP le savent parfaitement ! Malheur à ceux qui veulent nous assassiner, rien ne restera d'eux ! »

Mais la pression existe. Deux ans sans rien au bout, deux ans à subir les passages à tabac, la prison, les gaz, les balles et les dynamitages, c'est long. Les partis intégristes, les groupes radicaux se renforcent. Le débat gagne jusqu'au comité exécutif de l'OLP : doit-on empêcher l'escalade ?

Pourquoi tenir la bride de la révolte puisque la modération ne mène à rien ?

Arafat, lui, préfère citer en exemple l'obstination paisible des habitants de Beït Sahour, bourg chrétien de douze mille habitants, voisin de Bethléem. Ils ont décrété la grève des impôts. « Les citoyens ne versent leurs impôts qu'à l'État qui les représente et non à une autorité qui les occupe ! » lit-on sur les murs de la ville. Alarmé par cet exemple de désobéissance civile, les Israéliens commencent par imposer des amendes de plus en plus lourdes, puis, pour en obtenir le paiement, ils imposent aux habitants un blocus de quarante-deux jours d'affilée, coupant les téléphones et obligeant par un couvre-feu intermittent les gens à se terrer des jours entiers chez eux. Mais Beït Sahour résiste, malgré les confiscations de biens. « Les Israéliens y ont pris un butin équivalent à 9 millions de dollars, explique Arafat, alors que les taxes réclamées aux habitants se montaient à 550 000 dollars. »

Si Arafat prêche la patience, c'est qu'il a des raisons d'espérer.

Peu à peu, les Américains ont réussi à ramener Israël sur le terrain mouvant des négociations. Sous leur impulsion, Yitzhak Shamir a même concocté un plan de paix, qu'il présente en avril 1989.

Tâche difficile pour le Premier ministre israélien. Il doit satisfaire les Américains en montrant de la bonne volonté, sans pour autant céder ni entrer d'une façon ou d'une autre dans le processus qui remettrait en cause le Grand Israël. Ayant fait des territoires son cheval de bataille électoral, il a soudain du mal à en descendre...

Il propose donc un projet flou.

Le plan Shamir se base sur la vieille idée du Likoud : l'auto-administration des Palestiniens sous souveraineté israélienne. Les cinq points prévoient la tenue d'élections en Cisjordanie et à Gaza, l'établissement d'un pouvoir administratif autonome confié aux élus palestiniens pendant cinq ans, la préparation d'un statut définitif, et le maintien de l'occupation jusqu'à l'entrée en vigueur de ce statut.

Comme s'ils craignaient que cela ne soit pas suffisamment inacceptable pour l'OLP, les dirigeants du Likoud contraignent Shamir à rajouter plusieurs clauses, dont l'une portant sur la poursuite des implantations juives, alors qu'une autre impose une condition quasiment impossible : « Aucune négociation n'aura lieu tant que l'Intifadah n'est pas liquidée. »

Aux premières réactions de l'OLP, les voilà rassurés. « Il ne peut pas y avoir d'élections *libres* sous l'occupation, dit et répète le conseiller d'Arafat, Bassam Abou Charif. Nous sommes pour des élections démocratiques dans un pays libre, pas pour une farce politique. De quelles élections parle Sharmir ? Pour élire des gens qui seront destitués dans six mois s'ils déplaisent aux autorités militaires ? Ou pour conduire à des négociations dans le cadre d'un processus de paix juste et définitif ? Dans ce cas, fixons d'abord un calendrier. »

Quant aux juristes, ils se demandent quelle loi électorale sera appliquée, qui votera, qui contrôlera le scrutin, quelles restrictions seront imposées aux candidatures ou au déroulement de la campagne, et si le vocable « statut définitif » recouvre toutes les hypothèses, y compris l'indépendance.

A toutes ces questions, le Premier ministre israélien se garde bien de répondre. Le temps passe, et l'on croit le plan Sharmir rangé dans le même tiroir que tous ceux qui l'ont précédé...

Mais du Caire, le président Moubarak fait en juillet 1989 une contre-proposition. Pressé à la fois par les Palestiniens et les Américains de faire rebondir la balle, il rend publique une liste de dix questions, qui passent bientôt pour un plan de paix.

Voici les trois principaux points. D'abord, des négociations préliminaires entre Israéliens et Palestiniens doivent définir les conditions du déroulement des élections. Ensuite, ces négociations israélo-palestiniennes doivent déboucher, au-delà des élections, sur la tenue d'une conférence internationale. Enfin, Israël doit s'engager « à accepter le principe d'échanger la terre contre la paix comme faisant partie de tout règlement définitif. »

D'autres réserves portent sur le contrôle des élections, le retrait des forces israéliennes dans leurs casernes, l'arrêt des implantations, et le sort de Jérusalem-Est.

Bien que le « plan » Moubarak n'ait même pas mentionné l'OLP, ses termes suffisent à le rendre inacceptable aux Israéliens. Pourtant Israël se tait...

« Il ne faut pas manquer cette chance historique, plaide Moubarak, et ce serait une erreur dramatique plus sérieuse que toutes les erreurs passées de ne pas utiliser cette opportunité. »

Bien d'accord là-dessus, le secrétaire d'État américain James Baker tente d'obtenir la réponse « la moins négative possible » du gouvernement israélien, selon le mot d'un de ses adjoints. On soumet à Shamir une liste de délégués palestiniens qui pourraient lui convenir. Le Caire suggère les noms de l'ancien maire de Hébron, Muhammad Milhem, du journaliste Akram Hannieh, ou du conseiller d'Arafat, Nabil Chaath, de nationalité égyptienne. A son tour, le Département d'État ajoute ceux d'Edward Saïd, professeur à Columbia, et d'Ibrahim Abou Lughod, de l'université de Chicago. Ils ont tous deux la nationalité américaine.

Comme cela ne suffit pas, James Baker convoque fin septembre à New York, dans sa suite de l'hôtel Waldorf-Astoria, ses homologues israélien et égyptien, Moshé Arens et Ismat Abdel-Meguid. Soulignant qu'il ne voyait pas « dans le plan Moubarak un concurrent au plan de paix proposé par Shamir », le secrétaire d'État essaie une dernière fois de dégager une voie moyenne. En vain...

Israël refuse officiellement le plan égyptien.

Alors, Baker passe à la contre-offensive : puisque les adversaires ne peuvent s'accorder entre eux, il tentera de les réunir sur un troisième projet : le sien.

Pour son plan, le secrétaire d'État s'inspire d'un document de travail réalisé en 1988 par le Washington Institute for Near-East Policy, l'un des « réservoirs de matière grise » de la capitale américaine. Les cinq auteurs de ce texte, « Building for Peace », sont devenus depuis les penseurs officiels de la diplomatie Bush : Lawrence Eagleburger, Frank Fukuyama, Dennis Ross, Richard Haas, Harvey Sicherman. Ils préconisent que, pour avancer, il faut à tout prix entretenir une intense activité diplomatique, négocier ce qu'on peut négocier, laissant à plus tard les problèmes insolubles. C'est la politique des « petits pas ».

En raison de leur importance pour la période à venir, et de leur brièveté, nous avons cru bon de citer in extenso les cinq points du plan Baker :

1 - Il est entendu pour les États-Unis que l'Egypte et Israël ont convenu d'entreprendre un dialogue israélo-palestinien au Caire.

2 - Il est entendu pour les États-Unis que l'Egypte ne se substitue pas aux Palestiniens et qu'elle se concertera avec eux sur tous les sujets.

3 - Il est entendu pour les États-Unis qu'Israël ne participera à un dialogue avec les Palestiniens qu'après avoir été satisfait de la liste des membres de la délégation (et se concertera avec l'Egypte et les Etats-Unis à ce sujet).

4 - Il est entendu pour les États-Unis qu'Israël prendra part au dialogue sur la base de la proposition du 14 mai relative à l'organisation d'élections et conformément à son propre projet; il est également entendu que les Palestiniens seront libres de soulever tout sujet qui exprime leur point de vue sur les modalités des pourparlers et des élections et sur le succès du processus de négociation.

5 - Le secrétaire d'État, James Baker, invite les ministres des Affaires étrangères d'Egypte et d'Israël, MM. Ismat Abdel-Meguid et Moshé Arens, à se rencontrer à Washington. »

Chaque mot a été pesé, calibré, envoyé à Tunis, au Caire et à Jérusalem avant l'assemblage final. Car cette fois, le secrétaire d'État ne souffrira plus l'immobilisme. « Non n'est pas une réponse », fait-il savoir d'emblée aux antagonistes.

Le 5 novembre 1989, Israël accepte le plan Baker. L'Egypte en fera autant un mois plus tard. Pourquoi ce délai ? Parce qu'il aura fallu du temps à la direction palestinienne pour avaler la pilule : en l'état, le plan Baker fournit en fait un véritable droit de véto à Israël.

Moscou pèse à son tour pour convaincre les récalcitrants. Elle convainc l'OLP de dire « oui » à Baker, fût-ce avec des réserves. Elles sont de taille : l'OLP veut être seule habilitée à constituer sa délégation, elle souhaite que Jérusalem-Est participe au scrutin, et qu'il soit clairement dit que les pourparlers du Caire doivent déboucher sur la conférence internationale.

Le 3 décembre, tandis que George Bush et Mikhaïl Gorbatchev s'entretiennent sur un paquebot dans la tempête à Malte, le représentant de l'OLP à Tunis, Hakem Balaoui, remet à l'ambassadeur américain Pelletreau la réponse de l'OLP.

Reste à réconcilier les réserves respectives.

Israël, pour sa part, ne veut pas entendre parler d'élections à Jérusalem-Est, ce qui reviendrait à remettre en cause l'annexion de 1967. Et Shamir montre toujours aussi peu d'enthousiasme vis-à-vis de la conférence internationale.

La diplomatie américaine a jeté son poids dans la bataille, bousculant les blocages, décidément solides. Début janvier 1990, Baker s'impatiente et menace « qu'avec tant d'autres événements dans le monde, il pourrait bientôt décider de dévouer tout son temps à des régions où il y a des espoirs de voir les choses se réaliser. » L'Europe bouge, elle.

Même si l'objectif reste limité – une réunion israélo-palestinienne à l'ordre du jour flottant, où les uns ne voudront parler que d'élections, et les autres refuseront de ne parler que de cela – Washington compte sur le symbole : des Juifs israéliens et des Arabes palestiniens mandatés par l'OLP seront assis face à face.

Cela créera-t-il le choc psychologique salutaire ? Cela provoquera-t-il au contraire une réaction violente d'extrémisme dans chacun des camps ? La paix dépend de cela.

On a, de chaque côté, conscience que le temps presse. Israël a compris qu'il pouvait vivre indéfiniment avec l'Intifadah, mais mal. Le gouvernement Shamir semble avoir entrevu qu'il y aurait avantage, dans le nouvel équilibre mondial, à ne pas rester crispé sur ses positions. Déjà, le dialogue avec l'Union Soviétique porte ses fruits : Moscou abandonne l'armement de la Syrie, qui, du coup, change de ton. Surtout, l'URSS laisse filer ses émigrants juifs...

Ils arrivaient au rythme de cent par jour, en février 1990, à Ben Gourion Airport. Pour Shamir, qui a fait de l'accueil de ces quelque 600 000 immigrants potentiels une priorité nationale, cette manne humaine vient à point nommé sauver le pays de la débâcle démographique. Mais le Premier ministre israélien ne se fait guère d'illusions. Si les Juifs d'URSS arrivent en masse, c'est que les États-Unis leur ont fermé la porte. La plupart rêvaient d'un coin de Californie ou d'un job à Brooklyn. Combien resteront en Israël ? A peine 0,5% acceptent d'aller vivre dans les colonies juives de Cisjordanie ou de Gaza. Quitter le Birobidjan ou la banlieue de Novosibirsk pour se retrouver à biner une enclave entourée de barbelés et d'un million et demi d'Arabes frustrés, ce n'est pas tout à fait l'idée qu'ils se faisaient de la liberté. Et les visages, à la descente des vols El-Al en provenance de Moscou, montrent l'appréhension. Pas la joie débordante des pionniers de naguère...

Mais ce sursaut d'immigration réveille de vieilles peurs chez les Palestiniens : qu'ils aillent ou non s'implanter dans les territoires, les Juifs soviétiques apportent un second souffle à Israël. Tôt ou tard, cela rendra l'occupation plus rude. Certains craignent carrément de voir les Palestiniens expulsés vers les pays voisins pour faire de la place aux nouveaux arrivants...

Que faire ? Hâter les négociations, prône Yasser Arafat. Passer à la phase armée dans les territoires, répliquent les durs de l'OLP. Le 30 janvier 1990, exaspéré par les « pressions » qui s'exercent sur lui pour recourir à la lutte armée, Arafat menace de démissionner.

Quelques jours plus tard, un commando palestinien attaque un bus israélien dans le Sinaï : treize morts. Paradoxalement, on peut avoir dans cette horreur un signe d'espoir. Pour la première fois en effet, Israël n'a pas répondu sur-le-champ par un raid de représailles. Au contraire : Yitzhak Shamir a rappelé son attachement au processus de paix.

Tout le monde comprend alors que les négociations ont une chance d'aboutir. Même le tonitruant Ariel Sharon, en tire les conclusions, et démissionne avec fracas de son poste au gouvernement le 12 février 1990.

Pour une fois qu'une crise est signe d'espoir...

12.

L'année prochaine à Jérusalem ?

Arafat aime rappeler ces mots prêtés au héros préislamique Antar, à qui l'on demandait comment il avait vaincu son adversaire.

« S'il n'avait pas été le premier à crier : " je n'en peux plus ", répondit Antar, c'est moi qui l'aurais fait ! »

Et Arafat ajoute :

« Nous ne serons pas les premiers à crier. »

Voilà vingt-cinq ans que cette guerre de volontés oppose Israël aux Palestiniens. En janvier 1965, tandis que le Fatah lançait ses premières opérations de sabotage contre des installations israéliennes, Arafat ne s'attendait guère à une victoire rapide : « Peut-être ne verrons-nous jamais la Patrie libérée, disait-il, et peut-être nos enfants ne la verront-ils pas. Mais nous devons commencer le combat aujourd'hui si nous voulons que leurs enfants la voient un jour... »

Il y a, en Palestine, cette profonde conscience de l'Histoire. « C'est une guerre de civilisation, dit encore Arafat. N'oubliez pas que nous avons survécu à l'empire romain en envoyant à Rome un simple pécheur palestinien. Il s'appelait Pierre... »

Et puis, en cette fin de siècle, l'Histoire s'est soudain accélérée. L'équilibre du monde en deux blocs vacille. Du coup, une multitude de points du globe figés dans la haine et dans l'adversité bougent à leur tour. Afghanistan, Amérique Centrale, Namibie, Europe de l'Est... La Paix, la Liberté progressent. Le mur de Berlin tombe, et en Afrique du Sud, cet autre mur impalpable mais omniprésent : la discrimination. Ce siècle commencé dans la peur se termine dans l'espoir, et le Moyen-Orient n'échappe pas à ce que Gorbatchev appelle « l'esprit des temps ».

Pour la première fois, une chance de paix se profile à l'horizon. Lointaine encore. Mais non plus inaccessible.

Qu'ils soient arabes ou juifs, les adversaires de la paix auront désormais du mal à s'abriter derrière l'ordre mondial pour saborder le dialogue et mener la politique du diable. Au gré du jeu d'interpédendances que sont devenues les relations internationales, aucune des deux parties ne peut plus se permettre l'immobilisme. Ni Israël, ni l'OLP ne peuvent plus ignorer que le monde veut la paix.

Certes, la page d'histoire qui s'achèvera par ce mot-là n'est pas encore écrite. La voilà, blanche, devant nous.

Que de morts et de folies pour en arriver là!

A suivre les méandres de son itinéraire, bien des diplomates, bien des journalistes, bien des Palestiniens – et bien des Israéliens – se sont un jour posé cette question : Arafat a-t-il choisi le plus court chemin? Lui-même reconnaît se la poser parfois.

« Arafat n'est pas un homme politique, m'a dit un jour un étudiant de Gaza blessé sur un lit d'hôpital. C'est un produit de l'Histoire. De notre histoire. Il a été formé par les circonstances, par tous les événements et tous les drames qui ont marqué la vie du peuple palestinien. C'est comme ça qu'il est devenu un symbole, le centre de la nation palestinienne, par rapport auquel tout le monde se détermine... »

En 1965, lorsqu'Arafat entreprend son combat, les Palestiniens ont déjà subi dix-sept ans d'occupation, deux défaites, et s'apprêtent à en vivre une troisième. Partagés entre l'occupation et l'exil, la plupart vivent dans des camps de réfugiés. Leur cause n'existe pas en tant que telle. Ceux qui parlent en leur nom le font pour le compte de régimes arabes aux intérêts divers. L'Occident, mais aussi l'Est communiste, ignorent absolument ce peuple sans visage qui vit dans la poussière des subsides de l'ONU...

Arafat le sortira de la débacle en livrant trois grandes batailles.

La première : « fixer l'identité du peuple palestinien ». C'est là son grand mot d'ordre, dans les années soixante. Pour lui, la lutte armée est le seul moyen d'atteindre ce but. « Nous acquerrons la légitimité par le combat ! » dit-il. Les actions de guérilla, si elles n'ont guère d'effet militaire contre la puissance israélienne, frappent l'imagination d'un peuple divisé, le fédèrent et empêchent « qu'on balaie le problème en dessous du tapis ».

Seconde bataille : « Préserver l'autonomie de décision du peuple palestinien. » Cela devient la priorité de l'OLP dans les années 1970 et 1980. Après le massacre de Septembre noir, les tentatives de mainmise de l'Égypte et de la Syrie, Arafat découvre que ses ennemis du camp arabe ne sont pas les moins redoutables. Il leur tiendra tête, souvent au prix de batailles sanglantes. En 1989 seulement, les irrédentistes du camp arabe, Syrie et Libye, finiront par s'incliner devant la détermination du chef de l'OLP lors du sommet arabe de Casablanca.

La troisième: « Assurer la reconnaissance internationale des droits du peuple palestinien. » Conséquence des deux premières batailles, l'OLP peut prétendre s'imposer comme « le seul représentant légitime du peuple palestinien ». Elle y réussit à partir du discours d'Arafat à l'ONU en 1974. Parallèlement aux affrontements du Moyen-Orient, un autre combat se déroule dans les chancelleries. Au début de 1990, quatre-vingt-douze pays reconnaissent l'État de Palestine et entretiennent avec lui des relations diplomatiques.

Le dialogue avec les États-Unis se déroule au grand jour, et des dizaines de pays, s'ils ne reconnaissent pas l'État, accueillent des représentations de l'OLP. En 1989, les bureaux de l'organisation à Paris et Tokyo ont été élevés au rang de délégation générale de Palestine.

On pourrait ajouter une quatrième bataille, plus terre à terre, plus essentielle: survivre.

Aucun dirigeant israélien ne conteste aujourd'hui ces acquis d'Arafat,– même s'il les lui reproche – et quel Premier ministre oserait encore prononcer la célèbre phrase de Mme Golda Meïr : « Les Palestiniens n'existent pas! » Des chefs d'état-major, des officiers généraux chargés de la répression de l'Intifadah, ont reconnu qu'il n'y aurait pas de solution possible sans l'OLP...

Restent les griefs. A chacune de ces victoires, les adversaires répliquent. Arafat n'aurait-il pu fixer l'identité de son peuple en faisant l'économie d'une lutte armée stérile? Pourquoi a-t-il laissé se développer le terrorisme? Qu'a-t-il fait pour le combattre? A-t-il mené un double jeu? Et à quoi bon négocier avec un homme qui combattait il y a deux ans encore des dissidents de son propre mouvement? Enfin, pourquoi Arafat n'a-t-il pas saisi plus tôt une chance de faire la paix?

Difficile d'instruire un procès, quand il porte sur des faits qui se déroulent encore. Ces questions, que tout le monde se pose en Israël, méritent néanmoins une ébauche de réponse.

Lorsqu'on leur demande « pourquoi la lutte armée ? », les Palestiniens répondent par une autre question : « Nous a-t-on laissé un autre choix ? » Israël s'est imposé sur une terre arabe et a refusé aux réfugiés le droit de revenir chez eux ou de recevoir des compensations, dispositions prévues par l'ONU. Occupés, leurs droits niés, les Palestiniens avaient-ils réellement une alternative à l'usage de cet autre droit, prévu par la Charte des Nations-Unies : celui de résister à l'occupation par tous les moyens ?

Cela, d'ailleurs, ne s'est pas fait sans débat. Si les proches d'Arafat ont toujours eu conscience que la solution serait politique et impliquerait tôt ou tard une négociation internationale, ils étaient tout aussi persuadés que les Palestiniens seraient écartés s'ils ne se rendaient pas incontournables : d'où le recours aux armes.

De nombreux Israéliens objectent ceci : à l'époque, Israël n'occupait ni Gaza ni la Cisjordanie, dont Arafat affirme aujourd'hui pouvoir se contenter. Que n'a-t-il établi alors son État sur ces deux terres arabes ?

C'est méconnaître les réalités historiques d'avant 1967. Arafat et son Fatah ne pesaient pas grand-chose sur un échiquier où des nationalismes arabes concurrents prévalaient. L'armée de Gamal Abdel Nasser occupait Gaza, celle de Hussein la rive ouest du Jourdain. Chacun avait de la cause palestinienne une vision orientée selon ses propres intérêts et, dans la surenchère effroyable des propagandes, aucun Palestinien n'aurait survécu – tant physiquement que politiquement – en suggérant une solution minimaliste. A vrai dire, Arafat n'en avait alors lui-même aucune envie. « Nos positions d'aujourd'hui, reconnaît-il, résultent d'un long cheminement historique. Elles sont le fruit de la lutte menée par notre peuple, son aboutissement. Pas les idées d'un seul homme... »

Ce n'est qu'après la défaite de 1967 que des voix, timides, commenceront à évoquer une solution de compromis basée sur deux États. Mais qui a dit que l'établissement d'un État palestinien à Gaza et en Cisjordanie serait un triomphe pour les Palestiniens ? « Un compromis, dit Khaled el-Hassan, cela s'obtient avec courage, dans la douleur et la difficulté. C'est une victoire sur la guerre. Pas sur l'ennemi. »

Arafat et le terrorisme ?

Une grande part de cette histoire demeure, elle aussi, à écrire. Ni les Palestiniens, ni les Israéliens, ne sont encore prêts à regarder le problème en face, à sa juste échelle, et dans ses moindres détails. Qu'est-ce qu'un terroriste ? En Israël, l'acceptation du terme embrasse un large spectre, qui va d'Abou Nidal à celle de l'enfant de cinq ans lançant une pierre contre une patrouille. Cela permet d'escamoter bien des réalités.

Pour les Palestiniens, la frontière entre la résistance légitime et la violence aveugle n'a pas toujours été clairement marquée. De cri de révolte, la guérilla lancée à travers le monde contre les avions de lignes ou les intérêts sionistes dans les années 60 s'est muée en cri d'horreur, de folie pure.

Arafat, le premier, a tenté de tracer la limite. Dès le milieu des années 1970, il n'autorise que les « opérations militaires à l'intérieur » des frontières de la Palestine occupée. Le terrorisme visant des objectifs civils, aussi bien en Israël qu'à l'étranger, sera de plus en plus fréquemment dénoncé, jusqu'à la déclaration solennelle du Caire en 1985. En parallèle, l'OLP cherche à prouver sa bonne foi en coopérant avec les services occidentaux qui luttent contre le terrorisme. Abou Nidal sera condamné à mort par l'organisation dès 1975, l'année suivante le Fatah assure la protection de diplomates américains au Liban, et Arafat jouera un rôle de médiation lors de l'affaire des otages de Téhéran. « Les gouvernements européens et américain savent pertinemment combien d'attentats nous avons fait échouer », dit Abou Iyad, le chef des renseignements de l'OLP.

Quand les Israéliens utilisent l'expression « Arafat, chef terroriste », ils tablent sur une des contradictions inévitables de l'OLP. Malgré leur redoutable efficacité, les services israéliens n'ont jamais apporté la preuve de la responsabilité directe d'Arafat dans aucun acte terroriste. Il n'aurait eu de responsabilité indirecte que durant la brève période, de 1971 à 1973, durant laquelle le Fatah a laissé naître et agir Septembre noir. Et encore a-t-il eu alors un rôle capital pour y mettre un terme...

Ce qu'on lui reproche, c'est d'abriter au sein de l'OLP, voire du Fatah, des hommes qui ont à un moment ou à un autre pratiqué la terreur : Habbache, Aboul Abbas, Hawatmeh, Abou Iyad, d'autres. Cette vision des choses sous-entend qu'Arafat serait leur hôte, qu'il aurait la possibilité de les accueillir ou de les rejeter. Il ne l'a pas. Chacun de ces chefs représente une part du peuple palestinien, ils ont chacun leur légitimité. Arafat lui-même est élu à chaque conseil national. Et seuls les délégués peuvent prononcer une exclusion.

Depuis le début des années 70, chaque réunion de l'assemblée palestinienne en exil voit le succès de la ligne modérée défendue par Arafat sur celle des radicaux, pourtant très représentés, et même majoritaires en certaines occasions. Sans l'opposition d'Habbache, d'Hawatmeh, ou de leurs amis, Arafat aurait sans doute pu aller plus vite, beaucoup plus vite. Il aurait par exemple pu emmener en avant un grand bloc modéré, s'appuyant sur les notables des territoires, les Palestiniens émigrés, la bourgeoisie, certains religieux. Cela aurait sans doute amené à l'éclatement de l'OLP : deux organisations rivales se seraient affrontées, Israël ne traitant avec aucune puisque aucune d'elles ne lui aurait garanti la paix.

Arafat n'a pas voulu cela. Il a voulu mener jusqu'au bout la logique démocratique, et maintenir l'union jusqu'à ce que finalement l'opposition accepte ses thèses. A-t-il bien fait d'attendre ? N'aurait-il pu sortir vainqueur d'un affrontement anticipé avec les radicaux ?

Peut-être, si le débat s'était cantonné à l'arène politique palestinienne. Or, ce n'était pas le cas. Derrière les factions palestiniennes, autant de régimes arabes cherchaient à imposer leur ligne. Et Arafat n'était pas de taille à les affronter en 1982. L'épreuve du siège de Beyrouth passée, la crédibilité internationale de l'OLP renforcée, il n'a plus hésité à provoquer lui-même l'affrontement avec la Syrie et la Libye. Il savait que les principales organisations rivales, FPLP et FDLP, se tiendraient désormais à l'écart. Il savait que la communauté internationale ne pourrait plus accepter la liquidation d'un partenaire aussi essentiel que l'OLP. Et il a gagné la bataille de Tripoli qui, rétrospectivement, peut passer pour la guerre d'indépendance des Palestiniens vis-à-vis de la nation arabe.

On a pu se demander parfois à qui profite le terrorisme, directement ou indirectement. L'OLP a elle aussi été victime du terrorisme.

Que les services secrets israéliens répondent aux poseurs de bombes et pirates aériens des années 60 ou 70 par des colis piégés ou des rafales d'armes automatiques, on peut voir là un acte d'autodéfense. Quand les représailles deviennent aveugles, frappent des réfugiés civils et tuent en moyenne vingt fois plus que les actes qui les ont suscitées, on peut se demander s'il s'agit toujours d'une application stricte de ce vieux droit local qu'est la loi du Talion.

Bientôt, on quitte la logique du coup pour coup. Les victimes deviennent les artisans de la ligne modérée qui commence à émerger. Des dizaines de représentants d'Arafat sont assassinés à travers le monde, comme Azzedine Kallak, comme Saïd Hammami, comme Issam Sartaoui. La signature, fréquente, d'Abou Nidal sur ces meurtres, n'empêche pas l'OLP d'avoir d'autres soupçons, et, peut-être, des preuves : de part et d'autre, nous l'avons dit, cette histoire-là reste encore à écrire.

Malgré tout ce tumulte, Arafat aurait-il pu saisir plus tôt sa chance ? « L'homme des occasions manquées », dit de lui Shimon Pérès...

D'un point de vue israélien, cela est légitime. Pourquoi l'ennemi, surtout lorsqu'il semble vaincu, ne se contente-t-il pas de ce qu'on lui octroie ? Pourquoi a-t-il fallu qu'Israël gagne quatre guerres et occupe le Liban avant que les Palestiniens fassent enfin preuve d'un minimum de réalisme : Israël existe.

Il y a l'autre point de vue, celui du vaincu qui refuse la défaite et s'obstine à changer les termes de l'équation.

C'est celui d'Arafat, lorsqu'il s'acharne à préserver la cohésion de son peuple, fût-ce au prix de certaines contorsions. C'est celui d'Arafat, lorsqu'il parvient, avec patience, à faire progresser à travers le monde la cause des Palestiniens privés de leurs droits. C'est celui d'Arafat enfin, parvenu au jour où il peut s'adresser à Israël non plus comme un vaincu à son vainqueur, mais d'égal à égal – d'État à État.

Reste que vingt-cinq ans, pour parvenir à l'instant où l'on se dit clairement qu'on va enfin se parler, c'est long. Long, et semé de dialogues moribonds. Mission mort-née de Vernon Walters en 1973, dialogue sans débouché après 1974, espoirs déçus par Carter en 1977, mission Mroz, plan Fahd, navettes Wazzan-Habib, plan Reagan, première médiation jordanienne, deuxième médiation jordanienne, proposition Mitterrand-Gorbatchev, troisième médiation jordanienne, tractations roumaines, plan Shultz, mission Murphy, entremise suédoise, ultime médiation jordanienne, et maintenant l'espoir qui brille au Caire...

De ces échecs répétés, les antagonistes portent tour à tour la responsabilité. L'OLP en a sa part. Arafat a reculé, plusieurs fois, sur le point de signer. A chaque fois, devant les mêmes obstacles.

La lutte d'influence à laquelle il s'est longtemps livré avec le roi Hussein n'a rien d'un duel d'égoïsmes. Son enjeu portait sur une question fondamentale : qui parle au nom du peuple palestinien ? Pour chercher un accord, Arafat avait besoin que le roi s'interpose entre lui et les Américains. Mais il ne pouvait admettre qu'Hussein en écrive les termes. Comment combattre Assad et

Khadafi au nom de l'indépendance de décision palestinienne, tout en confiant un chèque en blanc au roi de Jordanie ? Cela se doublait d'une ambiguïté relative aux anciennes prétentions hachémites sur la Palestine, qui ne furent levées qu'en 1988, lorsque le roi abandonna sa souveraineté sur la Cisjordanie.

L'autre obstacle, à géométrie variable, a régulièrement été posé par les Américains. Partenaires incontournables de tout accord de paix en raison de l'influence qu'ils exercent sur Israël, les Américains ont toujours dit clairement aux Palestiniens ce qu'ils devaient concéder. Jamais ce qu'ils auraient en échange. Ce manque d'engagement, ce flou, a toujours éveillé la suspicion de Yasser Arafat.

« Les Américains n'ont toujours pas reconnu le droit du peuple palestinien à l'autodétermination, dit-il. Pour eux, les mille cinq cents habitants des Malouines ont droit à l'autodétermination mais pas le peuple palestinien. C'est ce qui distingue les États-Unis de tous les autres États du monde. »

D'échec en échec, nous voilà à l'aube de cette dernière décennie du siècle, dans un monde plus mobile, où tout semble possible.

Les Palestiniens savent à qui ils doivent de se trouver là, plus forts qu'ils ne l'ont jamais été depuis la naissance d'Israël. Cet homme au keffieh, bondissant, infatigable, habite leur histoire depuis vingt-cinq ans. Enfants, ils l'ont vu brandir un revolver à Karameh, adolescents, ils l'ont vu agiter un rameau d'olivier à la tribune de l'ONU, puis combattre au Liban, courir le monde, et maintenant proclamer la naissance de l'État dans lequel ils voudraient vivre...

Malgré tout, celui qu'ils appellent avec affection Abou Amar demeure un homme secret, pudique, qui parle plus volontiers du fracas des nations que de ses sentiments. Il se raconte peu, à ses compagnons comme à ses biographes. Un jour, si la paix lui en donne le temps, il déballera, dans une patrie libre, ses petits carnets noirs sur lesquels il a noté, soir après soir, l'étrange épopée d'un fils de marchand de fromages de la banlieue du Caire, happé par un destin national, à travers tant de guerres, d'intrigues, de drames.

Ce ne sera pas l'aboutissement du rêve qu'il avait fait tout haut à New York autrefois, ce rêve d'un état démocratique unique où Juifs, Musulmans, Chrétiens vivraient ensemble et libres. Où la majorité respecterait les droits de la minorité, et la minorité les choix de la majorité.

Non. Ce rêve-là est mort, lentement tué par la réalité, et enterré le 15 novembre 1988. Il y aura deux États, côte à côte. Mais pourront-ils vivre autrement que dans cette fraternité souhaitée jadis par Arafat ? Deux peuples qui prient sur les mêmes lieux, vivent dans des frontières étroites et imbriquées, pourront-ils se développer sans une profonde entente, sans une coopération économique, politique, culturelle ?

Il faudra pour cela que coïncident un jour les deux images qu'ont d'Arafat les deux peuples qui se partagent la terre de Palestine, et l'on comprend dans l'écart qui les sépare tout le chemin qui reste à accomplir...

Pour tant d'Israéliens, Arafat reste un monstre cynique, pervers, cupide, voué tout entier à la mort d'Israël et à la haine des Juifs. Il descend des nazis, il ment, il n'a aucune parole, et sa laideur morale est plus grande encore que sa laideur physique.

Pour les Palestiniens, il est le Père de la Nation, ce père respecté, aimé, autoritaire et généreux, ce père contre qui on se rebelle sans jamais le quitter. A la fois impatient et plein de clairvoyance, il est la sagesse, la force, et cette vertu inébranlable qui fait redresser la tête lorsque l'on a plus rien. Un modèle. Un symbole.

Entre ceux qui veulent tuer le père et ceux qui veulent tuer le monstre, la route d'Arafat paraît semée d'embûches mortelles. Parviendra-t-il jusqu'à cette table où il signera la paix ?

Les services secrets israéliens, qui ont étudié de près la

faisabilité de sa liquidation au lendemain de la proclamation de l'État palestinien, ont-ils à jamais remballé leurs plans ? Tant que durent les négociations, Arafat n'a guère à se soucier d'eux. Si elles échouent, en revanche, il sait qu'il sera en première ligne.

Il sait aussi que d'autres le guettent d'ici là.

Conscient de ces dangers pour la paix, le président égyptien Moubarak avertissait déjà en 1983 :

« Si les Palestiniens perdaient Arafat, ils se perdraient eux-mêmes. Il sera alors difficile de traiter avec eux, et le monde entier se demandera : à qui parler ? »

Larnaca, 12 février 1990.

REMERCIEMENTS

Je voudrais remercier ici Françoise de Mulder, à qui ce livre doit plus qu'une belle photo de couverture, et les amis palestiniens, libanais, égyptiens, les confrères arabes ou occidentaux qui m'ont aidé à comprendre au fil des ans l'épopée palestinienne. Merci surtout à ceux qui m'ont accueilli et aidé dans les camps du Liban, de Syrie, à Gaza, en Cisjordanie et à Jérusalem, prenant souvent les risques et m'en épargnant. Merci aux amis israéliens qui ont accepté de relire le manuscrit, et m'ont fait bénéficier de leurs critiques. Merci enfin aux bibliothécaires et documentalistes de la Brookings Institution, de l'Institut de Monde Arabe, et de la Library of Congres ainsi qu'au jeune Pierre Luizet, qui m'a aidé à retrouver plusieurs centaines d'articles de presse.

LES SIGLES DES ORGANISATIONS

FATAH : Mouvement de Libération de la Palestine *(Haraket al-Tahrir al-Falestinia)* (Arafat)
FATAH-CR : Fatah-Conseil révolutionnaire (Abou Nidal)
FINUL : Force Intérimaire des Nations unies au Liban
FDLP : Front Démocratique de Libération de la Palestine (Hawatmeh)
FLA : Front de Libération Arabe (Haïdar)
FLP : Front de Libération de la Palestine (Aboul Abbas)
FLP : Front de Lutte Populaire (Goshé)
FPLG-CG : Front Populaire de Libération de la Palestine – Commandement Général (Djibril)
FPLP : Front Populaire de Libération de la Palestine (Habbache)
MUI : Mouvement de l'Unité Islamique
OLP : Organisation de Libération de la Palestine
PCP : Parti Communiste Palestinien (Najjab)
SAIKA : L'Éclair (al-Kadi)
UNRWA : United Nations Relief and Works Agency, chargée de l'aide aux réfugiés palestiniens.

BIBLIOGRAPHIE

I – Principaux ouvrages :

Abou, Iyad. « Palestinien sans patrie. » Fayolle, Paris, 1978.

Ajami, Fuad. « The Arab Predicament. » Cambridge U.P., 1981.

Avnery, Uri. « My Friend, the Ennemy. » Zed Books, Londres, 1986.

Baron, Xavier. « Les Palestiniens, un peuple. » Sycomore, Paris, 1984.

Basbous, A., Laurent, A. « Guerres secrètes au Liban. » Gallimard, 1987.

Bayle, Pierre. « Les relations secrètes israélo-palestiniennes. » Balland, Paris, 1983.

Benvenisti, Meron. « The West-Bank Data Project, a Survey of Israel Policies. » American Enterprise Inst., Washington, 1984.

Bin Talal, Hassan. « Palestinian self-determination, a study of the West-Bank and Gaza Strip. » Quartet Books, Londres, 1981.

Bourgi, Weiss. « Liban, la Cinquième guerre du Proche-Orient. » Publisud, Paris, 1986.

Brookings Institution. « Toward Arab-Israeli Peace. » Brookings, Washington, 1988.

Brown, Carl. « International Politics and the Middle-East : Old Rules, Dangerous Game. » I.B. Tauris, Londres, 1984.

Brzezinski, Zbigniew. « Power and Principle. » New York, 1983.

Carré, Olivier. « Le mouvement national palestinien. » Gallimard/Julliard, Paris, 1977.

Carré, Olivier. « Le Proche-Orient entre la guerre et la paix. » Épi, Paris, 1974.

Carrère d'Encausse, Hélène. « La politique soviétique au Moyen-Orient. » FNSP, Paris, 1975.

Carter, Jimmy. « Keeping Faith. » New York, 1982.

Carter, Jimmy. « The Blood of Abraham. » Boston, 1985.

Chaliand, Gérard. « La résistance palestinienne. » Le Seuil, Paris, 1970.
Chalvrond, Alain (de). « Le piège de Beyrouth. » Sycomore, Paris, 1982.
Chomsky, Noam. « The Fateful Triangle : The United-States, Israel and the Palestinians. » Harvard U.P., Boston, 1983.
Cobban, H. « The Palestinian Liberation Organisation : People, Power, and Politics. » Cambridge U.P., 1984.
Corm, Georges, « Le Proche-Orient éclaté. » Maspéro, Paris, 1983.
Davis-Uri, Mack et Yuval-Davis. « Israel and the Palestinians. » Ithaca Press, Londres, 1975.
Dayan, Moshe. « Breakthrough : A Personal Account of the Egypt-Israel Peace Negociation. » New York, 1981.
Dayan, Moshe. « Story of my Life. » Weidenfield and Nicholson, Londres, 1976.
Deacon, R. « The Israeli Secret Service. » Hamish Hamilton, Londres, 1977.
Eban, Abba. « An Autobiography. » London, 1978.
Evron, Ygal. « War and Intervention in Lebanon : The Israeli Syrian Detterence Dialogue. » Londres, 1987.
Ford, Gerald. « A Time to Heal. » New York, 1979.
Gabriel, R.A. « Operation Peace for Galilee. » New York, 1984.
Gilmour, D. « Dispossed : The Ordeal of The Palestinians 1917-1980. » Londres, 1980.
Golan, M. « The Secret Conversation of Henry Kissinger. » New York, 1976.
Gresh, Alain. « OLP, histoire et stratégies. » Spag-Papyrus, Paris, 1983.
Gresh, A. et Vidal, D. « Proche-Orient, une guerre de cent ans. » Messidor, Paris, 1984.
Hadawi, Sami. « Bitter Harvest : Palestine between 1914-1967. » New World Press, New York, 1967.
Halevi, Ilan. « Israël de la terreur au massacre d'État. » Spag-Papyrus, Paris, 1984.
Halevi, Ilan. « Sous Israël, la Palestine. » Sycomore, Paris, 1978.
Hart, Alan. « Arafat, a political biography. » Indiana University Press, Bloomington, 1984.
Henry, P.-M. « Les jardiniers de l'Enfer. » Orban, Paris, 1984.
Hersh, Seymour. « Kissinger : The Price of Power. » Faber and Faber, London, 1983.
Hirst, David, et Beeson, I. « Sadat. » Londres, 1981.
Hirst, David. « The Gun and the Olive Branch. » Faber and Faber, Londres, 1977.
Joumblatt, Kamal. « Pour le Liban. » Stock, Paris, 1978.
Kapeliouk, Amnon. « Sabra et Chatila, enquête sur un massacre. » Le Seuil, Paris, 1982.

Kayyali, A.W. « Palestine : a modern history. » Croom, Helm, Londres, 1978.
Kazziha, Walid. « Palestine in the arab dilemma. » Croom, Helm, Londres, 1979.
Kerr, Malcolm. « The Arab Cold War. » Oxford U.P., New York, 1971.
Khader, Bechara. « Textes de la Révolution Palestinienne, 1968-1974. » Sindbad, Paris, 1975.
Khaled, Leïla. « Mon peuple vivra. » Gallimard, Paris, 1973.
Khalidi, Rashid. « The Soviet Union and the Middle-East in the 80s'. » Inst. Études Palestiniennes, Beyrouth, 1980.
Khalidi, Rashid. « Under Siege. » New York, 1986.
Khalidi, Walid. « Conflict and Violence in Lebanon : Confrontation in the Middle-East. » Harvard U.P., Cambridge, 1980.
Kiernan, Thomas. « The Arabs. » Little, Brown and Co., New York, 1975.
Kissinger, Henry. « White House Years. » Little, Brown and Co., New York, 1979.
Kissinger, Henry. « Years of Upheaval. » Little, Brown and Co., New York, 1982.
Melman, Yossi. « The Master Terrorist : The True Story of Abu Nidal. » Avon Books, New York, 1986.
Migdal, Joel. « Palestinian Society and Politics. » Princeton U.P., Princeton, 1980.
Mishal, Shaul. « West-Bank, East-Bank, the Palestinian in Jordan. » Yale U.P., New Haven, 1978.
Nakleh, Khalil. « West-Bank and Gaza : Towards the Making of a Palestinian State. » American Enterprise Institute, Washington, 1979.
North, Oliver. « Taking the Stand. » Pocket Books, New York, 1987.
O'Ballance. « Guerilla power 1967-1972. » Londres, Faber and Faber, 1974.
Picaudou, Nadine. « Le mouvement national Palestinien. » L'Harmattan, Paris, 1989.
Quandt, W.B. « Decade of Decisions : American Policy Toward the Arab-Israeli Conflict. » Berkeley, 1977.
Rabin, Ytzhak, « The Rabin Memoirs. » Londres, 1979.
Randal, Jonathan. « The Tragedy of Lebanon. » Chatto, Windus, Londres, 1984.
Rodinson, Maxime. « Israël et le refus arabe : 75 ans d'histoire. » Le Seuil, Paris, 1968.
Rouleau, Éric. « Les Palestiniens. » La Découverte, Paris, 1984.
Rosa, Gerardo (de). « Terrorismo Forza 10. » Mondadori, Milan, 1987.
Rubin, Barry. « The Arab States and the Palestine Conflict. » Syracuse U.P., New York, 1981.

Sachar, Howard M. « A History of Israel. » Alfred A. Knopf, New York, 1979.
Said, Edward. « The Question of Palestine. » New York, 1979.
Schiff, Zeev and Ehud Haari, « Israel's Lebanon War. » Allen and Urwin, Londres, 1983.
Seale, Patrick. « Asad : The struggle for the Middle-East. » University of California Press, Berkeley, 1988.
Shehaded, Raja. « Journal d'un Palestinien en Cisjordanie occupée. » Le Seuil, Paris, 1983.
Sterling, Clair. « The Terror Network. » Holt, Rinehart, Winston. New York, 1982.
Steven, Stewart. « The Spymasters of Israel. » McMillan, New York, 1980.
Tawil-Hawa, Raymonda. « Mon pays, ma prison. » Le Seuil, Paris, 1978.
Tower Commission Report, Times Books, Bantam, New York, 1987.
Woodward, Bob. « Veil : The Secret Wars of the CIA. » Simon and Shuster, New York, 1987.

II – Principaux périodiques :

Adelphi Papers, AFP, Amnesty International/Rapport Annuel, Arab Studies Quarterly, Arabie, Bulletin d'Information de l'OLP, Cahiers de l'Orient (les), Economist (the), Fiches du Monde Arabe (les), Foreign Affairs, Foreign Policy, Hearings before the Committee on Foreign Relations United States Senate, Hearings before the Committee on Foreign Affairs House of Representatives, International Affairs, International Herald Tribune, International Journal of Middle-East Studies, Jerusalem Post (the), Jerusalem Quarterly, Journal of Palestine Studies, Maghreb/Mackrek, Middle East Contemporary Survey, Middle-East Journal, Middle-East Review (the), Middle-East Series, Monde (le), New-York Times (the), Newsweek, Orbis, Orient, Orient-Le Jour (l'), Oriente Moderne, Palestinian News Service, Politique Étrangère, Revue d'Études Palestiniennes, Time, Times (the), Wafa, Washington Post (the), etc.

TABLE DES MATIÈRES

Chapitre III. LA TERREUR A L'ONU 1967-1974

Chapitre IV. LE BOURBIER LIBANAIS 1974-1982

Chapitre V. LA ROUTE DE PALESTINE 1982-1990

Cet ouvrage a été réalisé sur
Système Cameron
par la SOCIÉTÉ NOUVELLE FIRMIN-DIDOT
Mesnil-sur-l'Estrée
pour le compte des Éditions Renaudot et Cie
Éditeurs à Paris
le 13 mars 1990

Imprimé en France
Dépôt légal: Mars 1990
N° d'édition : 0100 – N° d'impression : 13820